POCHES ODILE JACOB

GW00771299

PSYCHOLOGIE
DE LA PEUR

DU MÊME AUTEUR
CHEZ ODILE JACOB

Vivre heureux. Psychologie du bonheur, 1993.
La Force des émotions, 2001 (avec François Lelord).
La Peur des autres. Trac, timidité et phobie sociale, 2000,
   3ᵉ édition (avec Patrick Légeron).
L'Estime de soi. Mieux s'aimer pour mieux vivre, 1999 (avec
   François Lelord).
Comment gérer les personnalités difficiles, 1997 (avec
   François lelord).

CHRISTOPHE ANDRÉ

PSYCHOLOGIE DE LA PEUR

Craintes, angoisses et phobies

O d i l e
Jacob

poches

© ODILE JACOB, 2005, NOVEMBRE 2005
15, RUE SOUFFLOT, 75005 PARIS

www.odilejacob.fr

ISBN 2-7381-1677-9
ISSN : 1621-0654

À mon ami Michel,
qui n'obéissait jamais à ses peurs.

Introduction

C'était une belle journée.

Je suis allé dans une oisellerie avec Sandrine. Nous nous sommes approchés des cages, et nous avons observé les oiseaux à quelques centimètres. C'était la première fois de sa vie qu'elle se trouvait aussi près d'eux. Elle qui en a si peur…

Puis, j'ai fait des courses avec Jacques. Nous sommes restés longtemps devant les rayons, nous avons fait plusieurs fois la queue aux caisses. Il n'a pas eu de syncope. Contrairement à ce qu'il redoutait : Jacques a très peur d'être foudroyé par un malaise s'il reste trop longtemps debout…

Un peu plus tard, j'ai discuté avec Odile de sa peur de s'étouffer, si elle se retrouve enfermée dans un ascenseur en panne ou dans des toilettes. Puis nous avons testé cela. Je vous raconterai où et comment…

Je me suis ensuite retrouvé à pousser de grands cris dans le métro avec Sophie et Étienne. Les passagers ont eu l'air vaguement amusés, puis sont revenus à la lecture de leurs journaux. Sophie et Étienne se sont aperçus que leur peur d'être ridicules ne les avait pas tués. Et qu'elle les avait moins dérangés que prévu…

Ah, j'oubliais : avec Élodie, qui a très peur de la mort, nous nous sommes rendus au cimetière Montparnasse, marcher entre les tombes, lire les noms des défunts, célèbres ou anonymes, penser à eux, toucher leurs pierres tombales. Nous avons vu la vie paisiblement mélangée à la mort. Cela a beaucoup fait réfléchir Élodie, qui ne voyait pas du tout les cimetières comme ça…

Nous avons, selon les moments, tremblé, avancé, reculé, discuté, réfléchi. Nous avons souri, souvent, et même bien ri à deux reprises. Avec Jacques, lorsque les vigiles du magasin sont venus vérifier ce que nous faisions, absorbés depuis un quart d'heure dans la contemplation du rayon des brosses à dents, comment leur expliquer que nous réalisions un exercice de maîtrise de sa peur des malaises ? Et avec Sophie, lorsqu'un passager du métro est venu lui demander où était la caméra cachée, persuadé que nos cris étaient filmés en secret pour le compte d'une émission humoristique.

Peurs précieuses, qui nous sauvent parfois. Peurs douloureuses, qui nous frappent dans notre chair. Peurs insidieuses, qui restreignent notre liberté. Voilà près de vingt ans maintenant que je soigne des personnes qui souffrent de peurs excessives, que je les accompagne dans tous les endroits qu'elles redoutent, que j'essaie de les aider à lutter contre leurs craintes. Le courage et l'énergie qu'elles mobilisent alors pour affronter leurs peurs montrent qu'elles sont à des années-lumière de ce que certaines personnes pensent d'elles : les phobiques seraient des faibles, des résignés, se contenteraient de leur situation.

Ce livre leur est destiné et dédié. Il propose la synthèse des connaissances dont nous disposons actuellement sur les peurs et les phobies : pourquoi avons-nous tous des peurs ? Et pourquoi certains d'entre nous sont-ils victimes de ces peurs excessives et maladives que sont les phobies ? Est-ce leur faute ? Et surtout, peut-on guérir durablement de ses peurs ?

CHAPITRE 1

Peurs normales
et peurs pathologiques

*Il faut écouter ses peurs : elles sont un système
d'alarme précieux face aux dangers. Mais il ne faut
pas s'y soumettre : parfois, ce système se dérègle.
Comme une sorte d'allergie, la peur peut s'emballer
et devenir phobie.*

*On n'est pas plus responsable de ces très grandes
peurs, excessives, incontrôlables, qu'on ne le serait
d'être allergique, diabétique ou asthmatique.*

*On ne choisit pas d'avoir peur, encore moins d'avoir
trop peur. Mais on peut, par contre, choisir de mieux
comprendre la peur. Pour se préparer à mieux agir
face à elle...*

> « Tous les hommes ont peur. Tous. Celui qui n'a
> pas peur n'est pas normal… »
>
> Jean-Paul SARTRE

Mes cousins alpinistes ont peur de la haute montagne. Pas une peur panique, mais ce qu'ils appellent une « peur saine », une peur respectueuse : ils savent que les sommets et les glaciers sont des lieux magnifiques, mais dangereux. Et que c'est le manque de peur, par inexpérience ou orgueil, qui provoque souvent les accidents. Leur peur est salutaire.

Bertrand a peur des requins. Il peut dater précisément l'origine de cette peur : *Les Dents de la mer* ! Depuis qu'il a vu ce film, lorsqu'il nage loin du rivage, ou pire encore au large lors d'une balade en voilier, il pense automatiquement au requin en train de s'approcher lentement, et de choisir par quel morceau il va commencer son déjeuner. Il se force à rester dans l'eau, mais il ne nage pas dans la décontraction… Sa peur est gênante, simplement.

Une de mes amies a peur de prendre l'avion. Sa peur est beaucoup plus ennuyeuse : d'abord parce qu'il est plus fréquent, et plus nécessaire, d'avoir à prendre l'avion que d'avoir à nager au large. Ensuite parce que sa peur est plus intense et difficile à contrôler. Elle évite autant que possible de voyager par avion. Et, si elle doit le faire, elle utilise un mélange d'alcool et de tranquillisants pour, selon sa formule, « s'envoler sans s'affoler ». Elle effectue alors le trajet dans un semi-coma, les yeux fermés, mais tout de même très crispée, sursautant au moindre craquement de coffre à bagages. Sa peur la fait souffrir.

J'ai un jour rencontré une patiente qui n'était pas sortie de chez elle depuis plus de vingt ans : elle avait peur d'avoir un malaise foudroyant si elle s'éloignait trop de ses bases. Cette *agoraphobie*, nom savant de sa peur, était un très grave handicap, et avait profondément abîmé sa vie.

Nous pouvons tous ressentir de la peur, en présence d'un danger ou devant la menace de sa survenue : la peur est une émotion dite « fondamentale », c'est-à-dire universelle, inévitable et nécessaire. Comme toutes les espèces animales, l'être humain est programmé par la nature et l'évolution pour éprouver de la peur en présence de certaines situations. Nous avons besoin d'elle, car elle représente un signal d'alarme destiné à faciliter notre vigilance face aux dangers, et à augmenter alors nos chances de survie.

La peur : un système d'alarme

Imaginez l'alarme d'une automobile ou d'une maison. Elle ne doit normalement se déclencher qu'en cas d'effraction ou d'incendie, par exemple. À ce moment, et à ce moment seulement, elle doit se manifester, suffisamment fort pour être entendue, mais pas trop fort pour ne pas semer la panique dans le voisinage ; suffisamment longtemps pour attirer l'attention, mais elle doit pouvoir être éteinte ensuite, pour permettre de régler calmement le problème.

Il existe aussi des systèmes d'alarme naturels dans notre organisme. Le réflexe de toux, par exemple. Si vous êtes dans un environnement enfumé ou pollué, votre toux se déclenchera : elle résulte d'un spasme bronchique (vos bronches se rétrécissent pour limiter l'entrée des toxiques) et des contractions de votre larynx pour rejeter les éventuels corps étrangers. Votre toux est alors utile, parce qu'elle vous signale qu'il y a un problème à continuer de respirer cet air, et qu'elle protège vos alvéoles pulmonaires. Mais une crise d'asthme déclenchée par la présence de quelques milligrammes de pollen de fleur représente une réaction d'alarme inutile : il n'y a pas de danger lié à ce pollen. Le problème ne vient pas ici de l'environnement mais du système de défense déréglé. Et la gêne à respirer, la toux sèche épuisante de l'asthmatique en crise sont plus toxiques qu'utiles.

Il en va de même de la peur.

La peur fonctionne comme un signal d'alarme, dont la fonction, comme tous les signaux d'alarme, est d'attirer notre attention sur un danger, pour nous permettre d'y faire face au mieux. Le problème, c'est que ce signal d'alarme peut être plus ou moins bien réglé.

➤ Qu'est-ce qu'une peur normale ?

Une peur normale est une alarme efficacement calibrée dans son activation comme dans sa régulation. Dans son activation, l'alarme de peur ne se déclenche qu'à bon escient, face à un vrai danger, et non à la possibilité ou au souvenir d'un danger. Elle tient compte du contexte : si vous êtes à trois mètres d'un tigre dans la jungle, vous avez peur ; s'il est en cage, cette peur reste limitée. Et surtout son intensité est proportionnelle au danger : elle permet d'agir de manière adaptée. Par exemple, reculer lentement face à un serpent prêt à mordre, et non fuir en courant. Il peut certes exister des erreurs et de fausses alarmes – on a alors peur « pour rien » – car la nature pense qu'il vaut mieux vaut avoir peur à tort que trop tard. Mais ces fausses alertes sont occasionnelles et contrôlables.

Dans sa régulation, la peur normale s'éteint vite et facilement, une fois que le danger est passé, ou que l'on a pris conscience qu'il n'était pas si menaçant. C'est le cas des peurs liées à la surprise : bruits violents, personnes arrivées silencieusement derrière nous. Cette régulation rapide de la peur réflexe facilite l'action adaptatrice : une fois qu'elle a joué son rôle d'alarme, la peur doit diminuer, sinon elle devient inutile et dangereuse. Nous verrons qu'une peur non régulée est ce que l'on nomme une « attaque de panique », qui annihile les capacités d'adaptation de la personne et la paralyse complètement : c'est l'équivalent d'une crise d'asthme chez un allergique. La peur normale, elle, peut être modulée, ciblée sur tel ou tel danger. Je peux régler sa sensibilité à la hausse ou à la baisse en fonction des contextes et de mes besoins : sur mon ordinateur mental, je ne branche pas mon logiciel de peur pour aller faire mes courses dans mon quartier, mais je l'active si je dois marcher dans la jungle ou dans un quartier inquiétant la nuit. Je peux exercer un contrôle relatif sur cette « programmation » de mes peurs.

Bon exemple de peur adaptée, la sensation que vous éprouvez lors d'une randonnée en montagne, si vous marchez sur un chemin très escarpé : un regard dans le vide qui s'ouvre sur votre côté vous montre qu'une chute serait mortelle, vu la hauteur du dénivelé, et les rochers acérés en contrebas. Vous ressentez donc *un peu* de peur. Mais vous savez aussi qu'en marchant lentement et en regardant où vous posez vos pieds vous n'avez pas de raison de tomber. Vous pouvez donc contrôler votre peur, mais il est utile que vous l'ayez ressentie : votre peur vous protège. Elle vous dissuade de marcher tout en regardant le somptueux paysage tout autour de vous : dans ce passage dangereux de la promenade, soit vous marchez, soit vous regardez.

➤ *Quand une peur devient-elle pathologique ?*

Une peur pathologique correspond à une alarme mal réglée, dans son activation comme dans sa régulation.

Son activation est anormale : la peur se déclenche trop souvent pour des seuils de dangerosité trop bas. Vous êtes victime de fausses alertes fréquentes, comme un animal traqué, une gazelle au point d'eau, qui sursaute et prend la fuite au moindre bruit ou mouvement de feuilles. Le déclenchement de la peur est trop fort, sans flexibilité, en tout ou rien : la peur n'est pas modulée et devient très vite une panique. Cette rigidité dans le déclenchement de la peur, ce fonctionnement de type stimulus-réponse, est épuisant : « Je suis toujours comme une bête traquée, me disait un patient phobique social à propos de chacune de ses sorties dans la rue ou dans des magasins, j'ai toujours peur qu'on me parle, et que je me mette à rougir, à trembler ou à transpirer de façon absurde, pour une question banale. »

Sa régulation est anormale : l'alarme de peur n'est pas modulée. Elle peut dégénérer très vite en panique incontrôlable. C'est pourquoi beaucoup de patients phobiques souffrent du phénomène appelé « peur de la peur » : « Dès que je commence à avoir peur, je redoute que cela ne se transforme en panique complète, qui va me rendre complètement folle et me pousser à faire n'importe quoi, l'inverse de ce qu'il faudrait faire en réalité. » La peur pathologique met très longtemps à redescendre et à se calmer. Elle a enfin tendance à se rallumer très facilement : c'est le phénomène du *retour de la peur*. Plus j'ai peur violemment et souvent, plus la peur reviendra fortement et facilement. Les personnes phobiques peuvent même souffrir de véritables « autoallumages » de la peur : par exemple, les phobiques du rougissement peuvent rougir de façon absurde, même au téléphone alors que personne ne peut les voir, même en pensant simplement qu'ils pourraient rougir, même en parlant de la pluie et du beau temps. Autre exemple, les attaques de panique spontanées ou nocturnes chez les personnes agoraphobes, ces crises d'angoisse qui peuvent survenir même à distance des situations angoissantes…

Reprenons notre exemple précédent d'une randonnée en montagne, mais cette fois-ci du point de vue d'une personne *acrophobe*, c'est-à-dire souffrant d'une phobie du vide et non d'une simple peur. Lors du passage sur le chemin très escarpé, dès le premier regard dans le vide, elle se sent paralysée de frayeur. Son corps n'est plus qu'un catalogue de sensations épouvantables et inquiétantes : cœur qui s'affole, jambes qui se dérobent, tremblements, tripes nouées, tête qui tourne… Des visions de chutes affreuses s'imposent à son esprit : elle se voit tomber dans le vide, son corps s'écrasant et se déchirant sur les roches acérées en contrebas. Impossible de s'arracher à ces images. Son malaise est tel qu'elle se met à douter d'elle-même : ne va-t-elle pas, dans une impulsion suicidaire, se jeter dans le vide, pour en finir ? Elle s'adosse au rocher : impossible d'avancer davantage. Une fois bien agrippée à la paroi, elle ferme les yeux pour ne plus voir ces sommets vertigineux, ces horizons épouvantables car sans limites. Elle ne pourra finir la randonnée que pas à pas, escortée de tous ses compagnons, compatissants ou agacés : un devant, un derrière et un entre elle et le précipice, pour l'empêcher de l'apercevoir...

Ces peurs pathologiques, ces « malepeurs » comme on les nommait autrefois, sont le terrain de la phobie : mais où se situe le seuil entre peurs pathologiques et pathologies de la peur ?

Des peurs maladives
aux maladies de la peur : les phobies

La nuance entre peur normale et peur phobique n'est pas perceptible en français, mais l'était par exemple dans la Grèce antique. Les Grecs disposaient de deux mots pour désigner leurs appréhensions : *deos*, qui signifiait une crainte réfléchie et mentalisée, contrôlée ; et *phobos*, qui décrivait une peur intense et irraisonnée, accompagnée d'une fuite.

➤ *Quelle est la différence entre peur et phobie ?*

Imaginons que vous ayez *peur* des araignées. Vous n'aimerez guère descendre à la cave, mais la perspective d'en remonter une bonne bouteille pour recevoir des invités vous motivera pour surmonter votre dégoût des arachnides. De même que vous ne tremblerez pas à l'avance à l'idée d'un week-end à la campagne chez des amis, sous prétexte qu'il s'y trouve quelques araignées dans les placards. Et d'ailleurs, si vous en rencontrez une, vous l'écraserez sans pitié. Si, par contre, vous avez une peur *phobique* des araignées, vous refuserez formellement de monter au grenier chercher de vieilles photos de famille, même sous la menace. L'idée de vous rendre en vacances dans un pays exotique, peuplé de grosses araignées, va vous hanter plusieurs mois à l'avance. Et si vous vous trouvez nez à nez avec une araignée, votre peur sera si grande que vous risquez de ne même pas pouvoir l'écraser.

Une phobie se caractérise donc par un certain nombre de symptômes :

- une peur très intense, pouvant aller jusqu'à l'attaque de panique ;
- cette peur est souvent incontrôlable ;
- elle entraîne des évitements des objets ou des situations phobogènes, chaque fois que cela est possible ;
- si on doit se confronter – on n'a parfois pas le choix –, la souffrance est extrême ;
- la peur provoque un handicap, lié à l'anticipation anxieuse des situations et aux évitements. Les phobies ne mettent pas la vie en danger, mais peuvent détruire la qualité de vie.

Il existe bien sûr des formes intermédiaires entre peurs normales et peurs phobiques, des peurs plus tout à fait normales sans être encore des phobies. Ces peurs « entre deux » sont très dépendantes de petits détails de l'environnement. Par exemple, pour les peurs sociales, comme la peur de parler en public, toutes les nuances existent entre les deux extrêmes : d'une part des personnes qui n'ont jamais le trac, et d'autre part celles qui, franchement phobiques, ne peuvent ouvrir la bouche devant plus de deux personnes. Chez la plupart des gens, cela va dépendre de la taille du public (dix ou cent personnes), de sa bienveillance supposée, de sa familiarité (connus ou inconnus), de son niveau (sont-ils plus ou moins experts que l'orateur traqueur ?), etc.

Notons aussi que le degré de handicap lié aux phobies dépend en partie de l'environnement dans lequel elles surviennent. Ainsi, le phobique des serpents vivant dans une société occidentale souffre moins que jadis, car les serpents sont peu à peu chassés de notre quotidien. Mais son homologue claustrophobe, souffrant de peur de l'enfermement, est lui beaucoup plus handicapé par la vie dans une société où il faut faire des déplacements multiples et répétés dans des transports en public où l'espace est compté, et où l'on vit beaucoup plus en intérieur qu'autrefois.

Enfin, l'appellation de peur ou de phobie va aussi dépendre de la dangerosité de ce que vous craignez : on parle rarement de phobie des tigres ou des requins, car on considère que ces peurs, même très grandes, sont légitimes. En réalité, de telles phobies peuvent exister : la peur serait alors déclenchée par une photo, un récit, ou la vision de ces animaux en cage ou en aquarium. Par contre, la crainte excessive des chats ou des sardines sera plus volontiers rangée d'emblée dans la famille des phobies.

**La différence entre peurs normales
et peurs phobiques**

Peurs normales	Peurs phobiques
Registre de l'émotion	Registre de la maladie
Peur d'intensité limitée, souvent contrôlable	Peur pouvant aller jusqu'à la panique, souvent incontrôlable
Associées à des situations objectivement dangereuses	Associées à des situations parfois non dangereuses
Évitements modérés, et handicap léger	Évitements importants, et handicap significatif
Peu d'anxiété anticipatoire : l'existence n'est pas organisée autour de la peur	Anxiété anticipatoire majeure : l'existence est organisée autour de la peur
Les confrontations répétées peuvent peu à peu faire diminuer l'intensité de la peur	Il est fréquent que, malgré des confrontations répétées, la peur ne diminue pas

➤ Quelle est la fréquence des peurs et des phobies ?

Les chiffres sont très clairs : les peurs et les phobies sont extrêmement répandues. Les peurs, nous l'avons dit, concernent tout le monde. Les peurs excessives, très fréquentes chez les adultes, touchent environ *un adulte sur deux*. Enfin, parmi les personnes qui disent souffrir d'une peur excessive, on observe en général qu'un quart à la moitié d'entre elles sont en réalité phobiques. Les phobies sont donc plus rares que les peurs, même fortes, mais elles sont cependant la pathologie psychologique la plus fréquente, aux côtés des maladies dépressives et de l'alcoolisme (qui peuvent les accompagner, d'ailleurs). Quant à ce qui peut nous faire peur, les objets « phobogènes » sont très variés, mais on verra qu'ils ne doivent rien au hasard : en gros, nous avons peur de ce dont la nature nous a *appris* à avoir facilement peur. Parce que cela représente, ou représentait dans notre évolution, un danger pour notre espèce.

La fréquence des peurs dites « simples » en population générale sur un échantillon représentatif de 8 098 personnes adultes[1] (ces chiffres concernent le risque de survenue sur la vie entière)

Nature de la peur	Personnes souffrant de cette peur excessive parmi la population générale	Personnes souffrant de cette peur à un stade phobique dans la population générale
Vide et hauteurs	20,4 %	5,3 %
Vol en avion	13,2 %	3,5 %
Être enfermé (claustrophobie)	11,9 %	4,2 %
Être tout seul(e)	7,3 %	3,1 %
Orages, tonnerre, tempêtes	8,7 %	2,9 %
Animaux	22,2 %	5,7 %

Nature de la peur	Personnes souffrant de cette peur excessive parmi la population générale	Personnes souffrant de cette peur à un stade phobique dans la population générale
Sang, blessures, injections	13,9 %	4,5 %
Eau	9,4 %	3,4 %
Tout confondu	49,5 %	11,3 %

Fréquence des deux autres grandes familles de peurs[2, 3]

	Peur excessive	Peur invalidante	Phobie
Peur du regard et du jugement des autres	Timidité : 60 % Trac : 30 %	Anxiété sociale invalidante : 10 %	Phobie sociale : 2 à 4 %
Peur d'avoir un malaise et de perdre le contrôle	Attaques de panique isolées : 30 % sur la vie entière	Trouble panique (attaques de panique répétées) : 2 %	1/3 à 2/3 des paniqueurs deviennent agoraphobes

➤ *Les phobies : des peurs intenses et résistantes*

Les phobies ne se caractérisent pas seulement par l'existence de peurs excessives, elles sont de véritables maladies de la peur, avec leur dynamique propre. Une fois apparues, elles ont tendance à être chroniques, et parfois même, pour les plus sévères d'entre elles, à s'aggraver et à s'étendre.

Les enfants, qui ont de nombreuses peurs « normales », apprennent peu à peu, peur à peur, à les dépasser : tout simplement, la vie les guérit de leurs peurs, en leur offrant des occasions de s'y confronter, d'apprendre à les maîtriser. Et à en garder les bons côtés, comme la prudence, issue de l'expérience. Chez l'adulte aussi, les peurs normales sont sensibles à ces mécanismes d'autoguérison, qui passent par la confrontation régulière, répétée et librement consentie (on ne peut guérir de force) à ce qui fait peur.

Prenons l'exemple d'une chute à vélo sur des gravillons. Vous pouvez en garder le meilleur : vous recommencez à faire du vélo, mais vous savez qu'il faut ralentir en virage sur des gravillons. La trace de la peur est une information utile, un souvenir précieux. Mais vous pouvez aussi en garder le pire : vous devenez phobique des déplacements à vélo. Vous avez peur de remonter à vélo, car le souvenir de la chute n'est plus seulement stocké dans votre mémoire sous la forme d'une information neutre (« je sais qu'il faut aller doucement sur les gravillons ») ou peu intense émotionnellement (« cela me fait un peu peur ») mais reste marqué par une forte émotion de peur (« je ne peux plus remonter à vélo, cela me panique »).

Ces processus d'autoguérison des peurs – en tirer les leçons et affronter à nouveau les situations – sont entravés, dans la phobie, par deux familles d'attitudes :

• Les évitements et échappements, qui consistent à ne pas prendre le risque d'une confrontation. Par exemple : « Si je m'étais approché de ce pigeon, il se serait affolé et aurait pu se jeter sur moi dans sa fuite », ou bien : « Heureusement que je n'ai pas posé de questions à la fin de la réunion, sinon j'aurais sûrement été ridicule. » Les évitements permettent de ne pas ressentir trop violemment la peur, mais ils maintiennent intacte la conviction que le danger existait bel et bien, et qu'on l'aurait rencontré si l'on s'était confronté.

• Les passages en force isolés, qui consistent à se contraindre, sur un coup de folie ou d'énervement, à affronter ses peurs, mais qui risquent bien d'ajouter de la peur à la peur. Car ils se font dans la douleur (« ça a encore été l'enfer, je ne m'en sortirai jamais ») et dans la conviction rétrospective qu'on a juste eu de la chance si cela s'est bien passé (« mais la prochaine fois... »).

➤ *La phobie, ce n'est pas seulement la peur et la fuite, mais aussi l'échec émotionnel des confrontations avec la peur*

Le plus souvent, les personnes phobiques doivent fuir ce qu'elles redoutent, sous l'effet de la peur et de sa morsure. Mais pas toujours. On sait que les comportements d'évitement dépendent aussi de variables de personnalité : il existe des personnes phobiques évitantes, et d'autres confrontantes.

Par exemple, vous pouvez être phobique de l'avion, et cependant vous forcer à le prendre, parce que vous l'avez décidé ou que vous y êtes obligé. Mais ces confrontations risquent d'être épuisantes et toxiques : loin de se calmer, votre peur pourra persister et même augmenter de vol en vol.

Car en réalité, la solution n'est pas seulement de se confronter en force. Elle est surtout dans la réussite émotionnelle de ces confrontations : si peu à peu j'ai de moins en moins peur, c'est que mon cerveau émotionnel a « compris » qu'il n'y avait pas de danger. Et il ne reste plus qu'à continuer de le désensibiliser à la peur excessive. Si, à l'inverse, plus je me confronte, plus j'ai peur, c'est que mon cerveau émotionnel reste persuadé que le danger est toujours là, même si mon intelligence et ma logique lui répètent, et me répètent, qu'il n'y a pas de danger.

Nous verrons comment le cerveau émotionnel ne change que dans l'action : et donc comment éviter et réfléchir ne modifiera guère mes peurs. Nous verrons aussi comment aussi il faut « l'apprivoiser » comme un animal, avec douceur et régularité. Et non pas le brusquer.

Les très grandes peurs et les phobies : une forme de peur allergique ?

J'explique souvent à mes patients que leurs très grandes peurs sont comme des allergies.

L'immunité est l'un des nombreux mécanismes naturels de protection de notre organisme : nos défenses immunitaires nous permettent de dépister les « dangers biologiques », qu'ils soient externes (microbes, virus) ou internes (cellules anormales), qui pourraient représenter une menace pour notre organisme. Cette immunité peut être innée, dite « de première ligne » : tous les êtres humains en disposent dès leur naissance. Elle peut aussi provenir d'un apprentissage après un premier contact : c'est ce que l'on appelle l'« immunité apprise ».

Nous verrons qu'il en est de même de nos peurs. Certaines d'entre elles sont innées, propres à notre espèce, et chaque espèce a ses peurs innées : pour l'être humain ce sont par exemple les serpents, et pour les souris, les chats. D'autres peurs nous ont été apprises par des expériences de vie : elles surviennent si nous avons été mordus par un chien, ou après avoir échappé à une noyade…

Nos peurs normales peuvent donc être comparées à un système immunitaire de détection des dangers. Et nos peurs phobiques, hélas, ressemblent à des allergies, avec ce que l'on appelle des « réponses anaphylactiques[*] » : ces flambées de peur sont aussi explosives et inadaptées qu'une poussée d'allergie ou qu'une crise d'asthme.

Tout comme il existe une « mémoire immunologique », il existe une mémoire de la peur. Pour l'immunité, les choses se passent ainsi : à chaque réexposition à l'antigène, la réponse immunitaire sera plus rapide et plus intense. Pour la peur patho-

---

* L'anaphylaxie est une réaction violente de l'organisme, liée à l'hypersensibilité à une substance donnée.

logique, on observe que les personnes souffrant de phobie voient souvent leurs réactions de peur s'aggraver de contact en contact : « Au bout d'un moment, mes peurs devenaient de plus en plus envahissantes : alors qu'au début je redoutais seulement la conduite sur autoroute, lorsque j'étais seule, peu à peu je me suis mise à avoir peur d'un malaise au volant même sur de petits trajets, même en ville, même dans mon quartier. J'ai dû arrêter de conduire. Et je me sentais définitivement incapable de reprendre un jour le volant... » (Catherine, souffrant d'une phobie de la conduite automobile.)

Continuons de pousser notre comparaison et prenons l'exemple d'une maladie connue, l'asthme. L'asthme consiste en un spasme des bronches, et repose en partie sur un terrain allergique[4]. Il peut connaître différents visages, différents degrés :

• asthme épisodique, avec des crises espacées entre lesquelles l'état est normal ;

• asthme sévère aigu (ancien « état de mal asthmatique »), avec la survenue des crises très intenses et très prolongées, parfois qui mettent la vie en jeu ;

• asthme chronique, avec des symptômes permanents, dans lequel intervient aussi, en plus des crises aiguës, une inflammation chronique des bronches.

Nous verrons que les très grandes peurs et les phobies peuvent ressembler à ce type de tableau.

Certaines d'entre elles, les phobies spécifiques, ou « simples », comme la peur des animaux ou du vide, ne se manifestent que par des peurs certes intenses, mais épisodiques. Leur gravité dépend en fait surtout de la fréquence de l'objet phobogène dans l'environnement. Comme il est moins gênant pour un Occidental d'être allergique au pollen de baobab qu'à celui de pissenlit, il sera plus facile de vivre en Occident avec une phobie des serpents qu'avec celle de l'avion ou du métro.

D'autres phobies se caractérisent par la survenue répétée de crises de peur très aiguës, nommées « attaques de panique ». Certaines de ces attaques peuvent être anticipées, on sait que telle ou telle situation peut les déclencher ; mais d'autres peuvent être aussi imprévisibles dans leur déclenchement – et violentes dans leur déroulement – que des crises d'asthme. Précision importante : contrairement à l'état de mal asthmatique, on ne risque nullement de mourir au cours d'une attaque de panique, même si l'on a toujours l'impression d'une mort imminente durant la crise.

Enfin, les phobies dites « complexes », comme la phobie sociale ou l'agoraphobie, se caractérisent par d'autres symptômes surajoutés aux crises de peur, qui en aggravent l'évolution, comme l'inflammation des bronches se rajoute aux crises de bronchospasme dans l'asthme chronique. Ces symptômes peuvent être une anxiété chronique, par exemple chez les sujets paniqueurs qui vivent dans la hantise d'avoir de nouvelles crises ; ou des atteintes de l'estime de soi, comme chez les phobiques sociaux qui se dévalorisent constamment.

Finalement, le message que je souhaite faire passer à mes patients, lorsque j'évoque cette comparaison, c'est qu'ils ne sont pas plus responsables de leur phobie qu'un asthmatique ne l'est de son asthme. On ne choisit pas d'être phobique : on souffre de sa maladie, et l'on aimerait bien s'en débarrasser. Contrairement à des idées reçues qui circulent encore dans le monde de la psychologie ou dans le grand public, il n'existe aucune complaisance des phobiques envers leur trouble, ni aucune jouissance dans le fait d'être phobique.

Il est aussi difficile, au début de la maladie, de contrôler une attaque de panique qu'une crise d'asthme. Pourtant, tout cela ne veut pas dire qu'il est impossible de le faire. Ni qu'il est impossible de guérir. Simplement, les phobiques, comme les allergiques, se heurtent à une dimension biologique de leur maladie que l'on commence à mieux comprendre aujourd'hui. Et dont tout traitement moderne devra tenir compte.

Comment maîtriser ses peurs ?

Si je marche en forêt et que j'aperçois au sol, juste avant d'y poser le pied, une forme ressemblant à un serpent, je vais faire un brusque saut de côté. Ce n'était qu'une inoffensive branche ; mais si cela avait été un serpent, sans cet écart il m'aurait mordu. Ma peur m'a protégé, au prix d'une fausse alerte. Cependant, cette alerte n'a pas été disproportionnée : je n'ai pas pris la fuite en courant éperdument. C'est un progrès par rapport à des espèces animales moins sophistiquées, et à mes très lointains ancêtres.

On sait aujourd'hui que le siège de nos réactions émotionnelles de peur se situe dans les parties les plus anciennes de notre cerveau, le cerveau limbique ou « cerveau émotionnel[5] ». D'où une relative rusticité, le premier mouvement de la peur privilégiant la vitesse de la réaction, plutôt que la précision de la perception. C'est pourquoi aussi, comme toutes les émotions, la peur échappe à notre volonté, du moins quant à son déclenchement : il n'est pas possible d'empêcher l'apparition de nos réactions de peur. Mais nous pouvons les réguler.

Du fait de l'évolution, nous avons hérité d'un cerveau plus complexe que le simple cerveau limbique. Ce nouveau cerveau recouvre le précédent : de là son appellation de *néocortex*, littéralement « nouvelle écorce », « nouvelle enveloppe ». Grâce à lui, nous sommes capables de décoder et de réguler nos émotions. C'est une des explications de la « réussite » relative de l'être humain par rapport aux autres espèces. Notre comportement n'obéit plus seulement à des déterminismes simples, du type « stimulus-réponse », qui feraient que, dès que quelque chose nous effraie, nous fuyons ou nous nous immobilisons de manière automatique. Nous pouvons, en théorie, moduler nos réactions : par exemple, avoir un premier réflexe de peur et nous écarter rapidement, puis nous raviser, voir qu'il n'y a pas de danger, revenir explorer ce qui s'est passé et qui a pu nous faire peur.

Mais la nature a procédé en ajoutant des strates : elle n'a fait que poser par-dessus notre « nouveau cerveau », et a laissé le cerveau émotionnel archaïque en place. Nous verrons que c'était « au cas où » il y aurait des retours en arrière dans nos modes de vie.

Les capacités régulatrices de la peur siègent donc dans les parties les plus récentes de notre cerveau : le cortex cérébral. Et nos réactions de peur sont en réalité la résultante des échanges entre ces deux cerveaux, et découlent de la synthèse entre l'émotion de peur et sa régulation. Avoir peur est bon pour la survie. Savoir moduler sa peur est bon pour la qualité et l'intelligence de vie.

Anticipation, symbolisme, remémoration, imagination : toutes ces capacités qui nous ont, elles aussi, été léguées par les phases les plus récentes de notre évolution, nous permettent d'enrichir et de rendre plus flexibles nos réactions de peur. Car la définition la plus exacte de la peur est d'être la réaction à la *conscience* d'un danger : je peux ne pas avoir peur alors même que j'ai frôlé un vrai danger. Ou encore avoir peur alors qu'il n'y a de danger que dans mon esprit, et non dans la réalité.

Et voilà tout notre problème : l'augmentation de notre complexité cérébrale, qui devait au départ améliorer la régulation de nos peurs, entraîne aussi un risque accru de dysfonctionnements. Mon imagination peut m'apprendre à avoir peur des fantômes, ma capacité à anticiper peut me faire ressentir la peur bien avant que cela ne soit utile, ou vis-à-vis d'événements qui n'auront jamais lieu. C'est ce qui explique que la peur puisse s'exprimer de nombreuses façons...

Les différents visages de la peur

Comme toutes les émotions fondamentales, la peur engendre de nombreuses émotions dérivées : anxiété, angoisse, frayeur, panique... Les théoriciens considèrent que ces phénomènes psychologiques appartiennent à la famille de la peur, et qu'ils doivent se comprendre en référence à elle.

Ainsi, l'*anxiété* est une peur anticipée. Elle est le vécu associé à l'attente, au pressentiment, ou à l'approche du danger. L'*angoisse* est une anxiété avec de nombreux signes physiques. Toutes deux sont des peurs « sans objet » : le danger n'est pas encore là. Mais on a déjà peur.

La *panique*, la *terreur*, la *frayeur* sont des peurs marquées par leur extrême intensité. Mais, paradoxalement, elles aussi peuvent survenir en l'absence de tout danger, simplement à son évocation ou son anticipation. Elles se caractérisent par la perte de toute forme de contrôle sur la peur.

Bref, sous le terme de « peur » peuvent prendre place une multitude de phénomènes psychologiques. Faut-il pour autant nuancer à l'extrême ? Je ne le crois pas, comme en témoigne ce petit dialogue imaginaire :

« J'ai peur de la mort !

— Non, vous n'avez pas peur, vous êtes anxieux, car votre peur est sans objet : vous ne vous apprêtez pas à mourir sur-le-champ, vous êtes toujours vivant.

— Oui, d'accord, je n'ai pas peur, j'ai des angoisses.

— Désolé, ce ne sont pas des angoisses, mais de l'anxiété, puisque vous n'avez pas de manifestations physiques franches associées à vos inquiétudes.

— Ce que je sais, moi, c'est que j'ai peur... »

La peur est ainsi l'alpha et l'oméga de toutes nos inquiétudes. Voilà pourquoi j'utiliserai volontiers dans cet ouvrage le mot « peur » pour décrire des phénomènes multiples : peurs normales et peurs excessives, peurs contrôlées et peurs paniques, peurs anticipées et peurs rétrospectives, souvenirs de peur et cicatrices psychologiques de très grandes peurs...

D'où viennent peurs et phobies ?

De lointains ancêtres ont légué leurs peurs à notre espèce. Comme tous les héritages, ces peurs sont en même temps une chance, pour notre survie, et un poids, pour notre qualité de vie.

Dès notre premier jour, nous sommes « câblés pour la peur ». Mais ce qui rend nos peurs excessives arrive ensuite : traumatismes, éducation, culture. Chaque peur a son histoire, que l'on croit connaître, ou qui parfois nous reste mystérieuse.

À la fin de cette histoire, certaines personnes sont devenues plus vulnérables à la peur : les femmes, par exemple. Deux fois plus que les hommes. Il ne leur reste plus qu'à être deux fois plus douées qu'eux pour contrôler ces peurs.

« Par le digne froc que je porte... tu as eu peur sans cause et sans raison. »

François RABELAIS, *Le Quart Livre*

Barnabé rougissait depuis longtemps, et ça lui pourrissait vraiment la vie.

Chef d'entreprise en province, il avait tenu à faire le voyage jusqu'à Paris, car il avait appris que notre service à Sainte-Anne était spécialisé dans le traitement de la phobie sociale. Mais aussi parce que l'anonymat l'arrangeait. Il ne souhaitait pas se faire soigner par les thérapeutes de sa ville : il avait honte de ses symptômes.

Il arrivait pourtant à les cacher assez adroitement, par exemple en se réfugiant derrière une attitude hautaine et distante, qui ne donnait guère envie d'aller vers lui. Il parlait très fort, en fixant le regard de son interlocuteur avec intensité, comme s'il cherchait à lui faire baisser les yeux, comme s'il voulait gêner l'autre avant que sa propre gêne n'apparaisse.

Barnabé souffrait d'une forme sévère de phobie sociale : il était éreutophobe, c'est-à-dire qu'il redoutait de manière obsédante de rougir devant autrui.

Très rapidement, il me précisa qu'il avait été une dizaine d'années en psychanalyse. Il avait beaucoup travaillé, me dit-il, sur l'origine de ses phobies, mais cela ne l'avait pas aidé à s'en sortir. Je lui demandai de me faire part du fruit de ce travail. Un de ses oncles avait été un grand plénipotentiaire, ministre du gouvernement de Vichy, qui avait largement collaboré avec les Allemands. Il avait été fusillé à la Libération, mais toute la famille avait été soupçonnée de collusion avec lui, et avait vu sa réputation ruinée dans l'immédiat après-guerre, l'obligeant à déménager dans une autre grande ville de France. « C'est cette honte familiale que je paie. Mon rougissement, c'est la crainte d'être démasqué, la honte de ce passé. » Le problème, c'est que ces explications psycho-généalogiques, pour logiques qu'elles fussent, ne lui avaient guère servi à se débarrasser de sa peur obsédante de rougir. Ces dernières années, Barnabé avait présenté deux épisodes dépressifs assez sérieux, et il commençait à boire de plus en plus d'alcool tous les soirs en rentrant chez lui, « pour me calmer des stress sociaux de la journée », disait-il.

Tout cela nécessitait effectivement un traitement, je l'inscrivis donc sur la liste d'attente pour notre prochaine session de thérapie de groupe. Nous traitons volontiers nos patients phobiques sociaux en groupe, pour tout un tas de raisons. D'abord, cela nous permet de faire des exercices face au public constitué par les patients du groupe et nos étudiants stagiaires, car beaucoup de peurs de la phobie sociale sont liées au fait d'affronter le regard et le jugement d'un groupe. C'est aussi l'occasion d'un soutien et d'une entraide entre les patients, qui se sentent moins seuls dans leur cas. Cela facilite enfin des prises de conscience par rapport à certaines de leurs croyances.

Ayant appris que deux autres personnes sur le groupe souffraient elles aussi de la peur obsédante de rougir, Barnabé était très impatient de commencer les sessions. Il n'avait jamais parlé de son trouble à personne, et pensait être le seul homme de son âge à craindre à ce point de rougir.

Le grand jour arriva. Selon les règles en usage dans nos groupes, chaque patient se présenta aux autres. Je fis volontairement passer Barnabé en dernier. Je craignais que sa grosse voix et son apparente assurance n'impressionnent inutilement les autres participants. Et j'attendais aussi qu'il se passe quelque chose de précis… Pendant que les deux autres rougisseurs se présentaient et racontaient leur histoire, je surveillais Barnabé du coin de l'œil. Je le vis non pas rougir, mais blêmir. En effet, les patients racontaient exactement son histoire. Non pas son histoire personnelle, son oncle collaborateur, et la honte de sa famille. Mais la même histoire de rougissements incontrôlables, imprévus, disproportionnés ou incompréhensibles, la même histoire de honte et de dissimulations, de fuites, d'évitements, de peurs absurdes... Tout y était. Lorsque son tour vint, Barnabé se leva, et d'une voix blanche, très ému, raconta à son tour son problème. Il ne cherchait pas à impressionner ou à faire semblant. Il parla de lui et de ses peurs simplement et sincèrement. Puis, il termina par ces mots : « Jusqu'à ce que je vous entende, je pensais être le seul à ressentir tout cela, à cause de mon histoire familiale. Mais j'ai compris qu'il y avait autre chose... »

Après le groupe, Barnabé invita les autres patients à prendre un verre et les interviewa longuement. Aucun des deux n'avait connu de honte familiale semblable à la sienne... Par contre, leurs trois histoires se ressemblaient férocement : même apparition des rougissements dans l'adolescence, mêmes évitements, mêmes renoncements, même mise à l'écart progressive, mêmes souffrances, mêmes dégâts... Puis la peur absurde de rougir devant n'importe qui, pour n'importe quoi. La méfiance progressive : les gens l'ont-ils repéré ? Un tel ne va-t-il pas me faire des remarques à ce propos ? Leurs trajectoires étaient presque interchangeables.

Et surtout, ils avaient commis les mêmes « erreurs de pilotage » : réprimer leurs émotions, avoir honte, se cacher, ne pas se révéler par peur du jugement, toujours percevoir les autres comme des agresseurs potentiels, voire les agresser préventivement pour les tenir à distance... Ces erreurs avaient transformé leur émotivité gênante en maladie handicapante. Bien plus sûrement et inexorablement qu'une quelconque malédiction familiale, comme celle de Barnabé.

Bien sûr, les histoires de famille de Barnabé jouaient un rôle dans sa personnalité et sa vie. Mais peu dans sa phobie, sinon comme facteur aggravant parmi d'autres. La plupart des rougisseurs n'ont pas d'ancêtres collaborateurs. Et la plupart des descendants de collaborateurs ne sont pas phobiques sociaux.

Pourquoi ai-je aussi peur ?

La recherche des causes, en psychiatrie, s'est longtemps apparentée à la quête du Graal. Avec un credo : « Tant que vous n'aurez pas mis au clair l'origine de vos peurs, vous continuerez d'en souffrir. » Et longtemps, les psychothérapies se donnaient surtout pour but « d'aller au fond », de creuser, de plus en profond, à la recherche des causes cachées, enterrées, refoulées dans l'inconscient. Cela marchait parfois. Mais, souvent, cela ne suffisait pas. Pire : après des années de ce régime, certains patients, à force d'être allés « au fond », restaient totalement enterrés dans leur trou psychothérapique[6]… Savoir pourquoi on est phobique est toujours très intéressant, et parfois utile pour changer. Mais parfois non, surtout si c'est la seule démarche entreprise. La recherche acharnée des causes ne doit pas remplacer l'effort au jour le jour pour maîtriser des symptômes déconnectés de leurs lointaines origines, devenus des « symptômes vestigiels[7] », « fantômes de la névrose ancienne[8] ».

Car il y a deux grandes questions à propos des peurs et des phobies.

La première est celle que posent – souvent – les personnes qui n'en ont pas, ou peu : d'où viennent ces peurs excessives ? De l'enfance ? De l'inconscient ? Nous aborderons les hypothèses liées au symbolisme inconscient des phobies dans le chapitre sur les traitements, et nous verrons que ces hypothèses, bien que très séduisantes, se sont avérées d'une efficacité thérapeutique limitée.

La seconde question est celle que posent – toujours – les personnes qui en souffrent : comment puis-je m'en débarrasser ? Et comment vivre sans ces peurs constantes, qui réduisent mon autonomie, ma liberté, qui me font parfois perdre ma dignité ?

Si quelqu'un a une sclérose en plaques, on le soigne. On ne passe pas l'essentiel de son temps à chercher pourquoi il est atteint de cette maladie. Cette recherche des causes, c'est le travail des chercheurs, des épidémiologistes. C'est un travail très important, mais qui ne doit pas remplacer le soin. Or, en psychologie, on a longtemps fait croire aux patients que comprendre d'où venaient leurs symptômes serait suffisant pour faire disparaître ceux-ci. Cela s'est avéré doublement faux : en général, ce n'est pas suffisant, et parfois le but de « faire disparaître les symptômes grâce à une vraie thérapie en profondeur » est tout simplement irréaliste.

D'où viennent les phobies et les peurs excessives ?

« La cause ? Cause toujours... », aurait un jour dit le psychanalyste Jacques Lacan. Pour une fois, ses propos étaient clairs et fiables : pendant longtemps, il y avait eu tant d'hypothèses sur l'origine des phobies... Il était plus prudent de ne pas trop s'en encombrer pour soigner.

➤ *Les visions traditionnelles des très grandes peurs*

Connues et décrites depuis toujours par les médecins et les écrivains, les peurs excessives se sont vu attribuer des causes variées au cours des âges. Longtemps, elles furent interprétées comme des manifestations surnaturelles – possession démoniaque, mise à l'épreuve par une divinité – ou inexplicables. Ainsi dans *Le Marchand de Venise* Shakespeare fait-il dire à Shylock : « Il y a des gens qui n'aiment pas voir bâiller un porc, d'autres qui deviennent fous à regarder un chat, d'autres qui, quand la cornemuse leur chante au nez, ne peuvent retenir leur urine : car la sensation, souveraine de la passion, la gouverne au gré de ses désirs ou de ses dégoûts... »

À partir du XIXe siècle, les psychiatres cherchèrent aux phobies des explications médicales : excitation neurologique, dégénérescence constitutionnelle, voire morales : faiblesse de caractère, excès de masturbation. Puis, avec les thèses de Freud, au début du XXᵉ siècle, les phobies devinrent pour les psychanalystes les symptômes apparents d'un conflit inconscient, et le résultat de mécanismes de défense destinés à protéger le moi. Pour les analystes, la névrose phobique, ou « hystérie d'angoisse », s'expliquerait par l'existence d'un conflit de nature sexuelle[9]. Pour éviter de l'affronter, le phobique refoulerait ce conflit dans l'inconscient : par ce premier mécanisme de défense, le *refoulement*, il différencie l'affect (l'angoisse) de sa réprésentation (le conflit). Il aurait ensuite recours à deux autres mécanismes de défense, le *déplacement* et la *projection*, qui consistent à transférer l'angoisse sur un autre objet, extérieur au sujet. Un conflit interne omniprésent se trouverait ainsi transformé en peur externe, plus facilement évitable. La phobie ne serait donc qu'un symptôme, et la supprimer ne servirait à rien tant que le conflit primordial n'a pas été résolu.

Le problème, c'est qu'aucune de ces deux approches, morale ou psychanalytique, ne débouchait sur un traitement réellement efficace.

Voici par exemple ce que proposait le Dr Gélineau, neuropsychiatre parisien de la fin du XIXᵉ siècle[10] : « Il est enfin un autre mode de traitement complémentaire très puissant qu'il ne faut pas négliger, puisqu'il s'agit ici d'une névrose psychopathique ; c'est le traitement moral. Aguerrissons nos phobiques, tout en écartant les circonstances qui semblent ramener les accès, montrons-leur que leurs craintes sont chimériques (ce dont ils conviennent, du reste), aidons-les à se ressaisir, tout en paraissant partager leurs impressions, et leurs dangers ; montrons-leur qu'avec une ferme volonté, ils vaincront leurs défaillances ; avant de les suggestionner hypnotiquement, suggestionnons-les en état de veille ; faisons surgir à nouveau la bonne idée qu'ils ont ou avaient d'eux-mêmes ; le jour où ils auront confiance et énergie, leur mal se dissipera comme une fumée légère, avec l'aide de la médication ! » On voit que Gélineau, qui décrit par ailleurs très bien les symptômes et nombre de mécanismes phobiques, insiste sur les efforts de volonté. Et porte en filigrane un jugement sur la phobie comme faiblesse et défaillance de cette dernière.

Quant à l'analyse, il s'est rapidement avéré qu'elle se retrouvait en difficulté face aux patients phobiques : « Pour toutes les raisons que nous vous avons indiquées, la prise en charge des phobies n'est pas chose facile, car encore une fois, ce n'est pas le conflit interne qui s'exprime dans la phobie, mais l'effondrement des bases narcissiques de l'organisation du soi qui contraint le sujet à réinvestir un fonctionnement primitif au cours duquel il a pu se délester de sa mauvaiseté pulsionnelle et construire un sentiment de cohésion et d'unité qui par l'histoire a été mis à mal. Tous les analystes diront la difficulté pour un patient de se dégager d'une phobie invalidante[11]… »

Il a donc été nécessaire de trouver de nouvelles pistes explicatives.

➤ Les explications actuelles des très grandes peurs

Des progrès très importants ont été accomplis ces dernières années : notre compréhension actuelle des phobies est moins poétique ou pittoresque que jadis, mais plus pragmatique et scientifique. Et surtout, elle débouche sur des perspectives de traitement efficace.

On considère que les peurs pathologiques et les phobies sont le fruit d'une double influence, avec d'une part des prédispositions biologiques, essentiellement innées (un héritage familial individuel, mais aussi une hérédité collective, au niveau de l'espèce) et d'autre part des influences environnementales, et donc acquises (une histoire personnelle). Le poids respectif de ces deux pôles d'influence varie selon les phobies. Certaines comme celles de l'eau, du vide ou des animaux semblent très liées à des facteurs génétiques. D'autres, comme les phobies de la conduite consécutives à un accident, voient les facteurs environnementaux peser plus lourd.

Mais le plus souvent, les très grandes peurs s'expliquent par l'épigenèse, c'est-à-dire l'interaction entre gènes et environnement. L'influence génétique, réelle, n'est pas un déterminisme pur et dur, dans lequel tel gène impliquerait tel comportement[12]. D'abord parce qu'il n'y a pas un seul gène pouvant transmettre une vulnérabilité à la peur, mais plusieurs (mécanisme polygénique). Ensuite, parce que leur pénétrance peut varier, c'est-à-dire qu'ils peuvent plus ou moins s'exprimer dans le comportement de la personne. Enfin, il est possible que ce qui est génétiquement transmis ne soit qu'une tendance générale à une « affectivité négative », c'est-à-dire l'ensemble des prédispositions à ressentir des émotions pathologiques comme la peur ou la tristesse[13]. Pour finir, et c'est le plus important, ces tendances vont ou non se révéler en fonction de l'environnement : la génétique ne fait en général que des propositions, des « promesses », que les hasards ou les nécessités de l'existence vont accomplir ou non.

Prenons l'exemple du diabète : la même vulnérabilité s'exprimera différemment selon que vous naîtrez dans une famille d'Eskimos vivant à l'ancienne, avec au programme sport quotidien et alimentation riche en poisson et pauvre en sucres rapides ; ou dans une famille d'Américains de classes défavorisées, passant six heures par jour devant la télé et s'adonnant à une consommation incessante de *junk-food*, autrement dit d'aliments et de boissons trop sucrés et trop caloriques[14]. Dans un cas, il n'y aura pas d'accomplissement de votre risque génétique. Dans l'autre, oui.

Il en est sans doute de même pour les peurs : un enfant hyperémotif peut avoir des trajectoires de vie très différentes : son environnement pourra jouer un rôle aggravant – au travers d'expériences angoissantes précoces, ou d'erreurs éducatives – ou réparateur et préparateur – au travers d'expériences de vie sécurisantes sans être surprotectrices, et d'une éducation à affronter les peurs et à pacifier ses réponses émotionnelles.

Attention, il n'y a pas que la génétique qui influence notre machinerie cérébrale et nos tendances biologiques à l'anxiété : les événements de vie précoces aussi. On a pu le montrer chez les animaux : les petites souris privées de mère, ou élevées dans des environnements artificiels, vont avoir davantage de manifestations de peur et d'anxiété une fois devenues adultes. On soupçonne fortement les stress *in utero*, c'est-à-dire l'impact sur le fœtus des problèmes émotionnels de la maman, d'avoir le même effet chez l'humain[15]. Nos expériences de vie laissent toujours une trace dans notre cerveau. Mais cette « neuroplasticité » n'est pas à sens unique : nous verrons que les efforts produits lors des thérapies efficaces peuvent modifier en retour la dimension biologique des phobies.

Les peurs de l'enfant

Comme tous les humains, vous avez eu peur du noir, du loup, des monstres cachés sous votre lit, des inconnus, peur de quitter votre maman, peur de sauter du grand plongeoir, etc. Les peurs de l'enfance sont nombreuses, on le sait. C'est normal, car l'enfant est fragile, et plus un être vivant est fragile, plus la peur lui est utile : elle représente alors une protection réflexe, précieuse et indispensable par rapport aux dangers éventuels.

Tous les enfants manifestent, à un moment donné de leur développement, des peurs excessives, qui vont peu à peu s'estomper et devenir maîtrisées, sous l'effet de l'éducation et de la vie en société. Ces peurs ne sont pas là par hasard. Par exemple, la peur du vide ou celle de l'étranger n'apparaissent qu'avec l'apparition de la locomotion[16] : placés sur une surface vitrée surplombant du vide, les enfants de moins de 8 mois ne manifestent pas encore de signes d'appréhension. Ils n'arriveront que plus tard. Ce n'est en effet qu'au moment où le petit enfant a « besoin » de ses peurs qu'elles apparaissent, pour lui éviter de prendre trop de risques. L'éducation des parents va ensuite lui permettre de surmonter le caractère absolu de ces craintes et de pouvoir ainsi moduler sa réaction de peur. La peur du vide ne se déclenchera que face à un vide important, ou en l'absence de rambarde protectrice, ou si l'on se trouve sans appuis stables. La peur des adultes inconnus n'apparaîtra chez l'enfant qu'en l'absence de toute autre présence familière, etc.

Concernant l'utilité de ces appréhensions, une intéressante étude avait montré que les enfants ayant peu peur du vide étaient sujets à plus de blessures que les autres[17]. En contrepartie, un bas niveau général de peurs dans l'enfance semble associé avec une meilleure réussite en sport à l'adolescence et l'âge adulte[18].

Avec le temps, la plupart des peurs de l'enfant vont disparaître. Certaines ne resteront que des peurs excessives. Mais d'autres évolueront vers des troubles phobiques. C'est pourquoi la tendance actuelle est de ne plus considérer systématiquement toutes les peurs de l'enfant comme normales, bénignes et destinées à passer avec l'âge. En effet, près de 23 % d'entre elles dissimulent en fait une maladie anxieuse dont il vaut mieux se préoccuper précocement[19]. Car, contrairement à ce que l'on croit parfois, les parents sous-estiment assez souvent les peurs de leurs enfants, que celles-ci soient diurnes[20] ou nocturnes sous forme de cauchemars par exemple[21].

Rappelons que, de façon générale, on considère que l'âge d'apparition d'une peur phobique est un indice de l'importance respective des facteurs innés ou acquis : en l'absence de traumatisme fondateur manifeste, plus l'apparition est précoce, plus l'inné pèse lourd et inversement. Ainsi, les premières manifestations des peurs excessives du sang ou des prises de sang ont lieu en moyenne entre huit et quatorze ans. On considère que ces phobies ont un important terrain génétique. Par contre, les phobies de la conduite automobile apparaissent en général entre 26 et 32 ans, et sont considérées comme résultant fréquemment d'événements de vie, par exemple une implication dans des accidents comme victime, responsable ou témoin[22].

Les peurs appartiennent
au patrimoine de l'humanité !

Le grand spécialiste des peurs et des phobies, le psychiatre anglais Isaac Marks, racontait l'histoire d'une de ses patientes qui regardait des photos de serpents lors d'un voyage en voiture (drôle d'idée, mais bon…) lorsqu'un accident survint. De quoi la patiente devint-elle phobique à la suite de cet événement ? Des voitures ? Nenni, des serpents[23]… Il semble que, lorsque nous avons le « choix » de devenir phobique d'un objet ou d'un autre, c'est toujours sur la peur la plus « naturelle » et ancestrale que se fixera notre phobie : la force de l'inconscient collectif…

➤ *Des peurs qui nous ont sauvés…*

Dans l'espèce humaine, les psychologues évolutionnistes ont émis l'hypothèse d'une influence de la sélection naturelle sur l'existence et la persistance des peurs et des phobies : la plupart des stimuli phobiques concernent en effet des objets ou des situations qui représentaient sans doute un éventuel danger pour nos lointains ancêtres, comme les animaux, le noir, les hauteurs, l'eau…

Dans notre environnement technologique contemporain, où la nature est en grande partie maîtrisée, les animaux dangereux en cage, les surplombs entourés de barrières, ces situations n'apparaissent plus guère aussi dangereuses qu'elles pouvaient l'être jadis. Mais nous en garderions en quelque sorte le souvenir, dans un inconscient biologique collectif.

Les très grandes peurs appartiendraient donc au « pool génétique » de notre espèce, dont elles auraient facilité la survie, en l'incitant à éviter des situations dangereuses, du moins à une époque donnée[24]. C'est ce que l'on appelle des phobies « préparées » (par l'évolution), « prétechnologiques », ou « phylogénétiques » (relatives au développement de l'espèce).

Ces phobies naturelles seraient assez faciles à déclencher chez la plupart des sujets, et plus résistantes à l'extinction, une fois en place. Par opposition, des phobies comme celles de l'avion, de la conduite automobile, des armes sont dites « non préparées », « technologiques », ou « ontogénétiques » (relatives au développement de l'individu). Elles nécessiteraient plus souvent d'être acquises par apprentissage, notamment à partir d'expériences traumatiques, et seraient plus labiles que les précédentes.

➤ *Les phobies comme héritage de l'espèce : des hypothèses aux preuves*

Les preuves expérimentales de cette théorie évolutionniste des très grandes peurs sont assez difficiles à mettre en œuvre, mais divers travaux chez l'homme comme chez l'animal semblent en confirmer la pertinence.

Moins une espèce est évoluée, plus ses peurs seront innées et réflexes. Des jeunes canards sortis de l'œuf s'immobilisent dès qu'une silhouette de rapace se profile au-dessus d'eux. Notons d'ailleurs que ce réflexe d'immobilisation face à la peur est présent dans toutes les espèces, même la nôtre, et qu'il a une raison très simple : la vision de la plupart des prédateurs est hypersensible au mouvement. C'est ce qui permet aux matadors d'hypnotiser les taureaux de combat, et de les épuiser dans la poursuite d'une muleta toujours en mouvement, alors qu'eux-mêmes restent immobiles à l'approche de la corne.

Revenons à nos peurs : beaucoup d'entre elles sont innées, donc. La peur du chat est spontanée chez les souris, même si elles n'en ont jamais rencontré auparavant. Mais dans les espèces plus évoluées, comme les primates, les capacités à ressentir la peur sont latentes, et ne vont s'activer qu'à la suite de situations bien précises. Cela représente un avantage évolutif certain, en évitant, lorsque le système fonctionne bien, la survenue de peurs inutiles[25].

Par exemple, des singes élevés en laboratoire ne manifestent spontanément aucune peur des serpents. Du moins jusqu'à ce qu'ils soient mis en contact avec d'autres singes de la même espèce, mais élevés en milieu naturel : après avoir observé que ces derniers refusent obstinément de s'approcher de la nourriture placée à côté d'un serpent, les singes de laboratoire se mettent à développer à leur tour une peur intense et durable des serpents.

Mais ce type d'apprentissage social des peurs n'existe pas pour n'importe quoi ! On a pu apprendre à des jeunes singes de laboratoire à avoir peur des serpents en leur montrant des bandes vidéo de singes adultes effrayés par un reptile. Mais si, par un montage, on remplace les serpents par des fleurs sur la même vidéo, les singes ne développeront alors aucune peur des fleurs, même s'ils ont vu des congénères effrayés par celles-ci. Voilà pourquoi nous ne rencontrons aucun patient phobique des pantoufles ou des brosses à dents : la notion de danger potentiel, même minime, est nécessaire au développement d'une phobie.

Des études de ce type ont aussi eu lieu chez les humains. Par exemple, on demande à des personnes volontaires de regarder des images, certaines liées à des peurs de l'espèce (araignées, serpents…) et d'autres liées à des objets non phobogènes (fleurs, champignons…). Les volontaires, évidemment prévenus à l'avance, reçoivent à chacune de ces images, de façon aléatoire, soit de petits chocs électriques désagréables, soit un bruit neutre et non désagréable. Lorsqu'on leur demande ensuite de se rappeler quelles images étaient le plus souvent associées au petit choc électrique, ils répondent presque tous qu'il s'agissait des araignées ou des serpents, alors qu'en réalité il y en a eu exactement autant avec les fleurs et les champignons[26]. Nous sommes donc inconsciemment préparés à associer des sensations désagréables avec certaines situations de l'environnement, stockées et étiquetées comme dangereuses dans la mémoire de notre espèce. Nos peurs pathologiques ne manqueront pas d'exploiter ce mécanisme.

➤ *L'humanité a besoin de ses phobiques...*

Notre espèce a sans doute besoin que certains de ses représentants soient phobiques. De même qu'il existe une biodiversité qui est une richessse, cette psychodiversité constitue un « plus » pour l'humanité.

Si un organe ou une fonction devient inutile à notre espèce, il ou elle tend à s'atrophier peu à peu. Ainsi, nous sommes moins velus que nos ancêtres depuis que nous avons inventé les vêtements et le chauffage central. Nous avons moins de molaires : nos dents de sagesse disparaissent peu à peu de l'espèce, et nos mandibules rétrécissent, car nous mangeons beaucoup plus de cuit et de mou, et nous avons donc moins besoin de mastiquer pour digérer nos aliments. Depuis que nous ne nous suspendons plus aux arbres, nous n'avons plus de queue, mais seulement un petit bout de coccyx...

Par contre, nous avons toujours des peurs innées. Selon les psychologues évolutionnistes, ces tendances à la peur persisteront très longtemps au sein de notre espèce avant de s'éteindre, selon le principe du « on ne sait jamais ». Ce serait pour garder un stock de détecteurs de dangers destiné à assurer la survie de notre espèce. Pourquoi garder en stock génétique la peur instinctive des serpents ? Si pour des raisons climatiques, la terre était envahie de serpents venimeux, les phobiques des reptiles, avec leur système de détection ultra-perfectionné, survivraient sans doute en plus grand nombre que les non-phobiques, ils animeraient des séminaires de survie « comment détecter la présence d'un serpent dans des herbes hautes », etc. Voilà pourquoi nous gardons cette peur des serpents en mémoire. Consolezvous donc, si vous êtes phobique. Une fois guéri(e) vous serez ce qui se fait de plus adapté et tout terrain dans le genre humain : libéré de vos peurs au quotidien, et prêt à affronter tous les modes de vie le sourire aux lèvres...

On peut même aller plus loin dans ces hypothèses : nous savons que nous avons besoin de ressentir la peur, qu'elle peut nous être utile un jour. Mais comme nous vivons, en Occident, dans des sociétés plus sécurisées que jadis, nous nous faisons de temps en temps des « piqûres de rappel » de ce sentiment de peur, en allant voir des films d'épouvante au cinéma, en prenant le grand huit ou le train fantôme dans les fêtes foraines, en nous adonnant au saut à l'élastique… C'est aussi sans doute une des explications au goût des enfants pour les jeux où l'on s'amuse « à se faire peur ». Je me souviens à ce propos d'être allé un jour au cinéma voir un film pour enfants avec deux de mes filles. J'ai oublié son titre, mais certaines scènes étaient un peu inquiétantes. La plus jeune de mes filles avait vraiment peur, et pour se rassurer, me commentait régulièrement le film : « Ouh là ! Tu as vu ? Pfff… Comment il va faire ? J'aimerais pas être à sa place… » Je lui répondais sur le même registre, pour lui tenir compagnie face à la peur. Au bout d'un moment, son aînée se tourna furibarde vers nous, et nous intima l'ordre d'arrêter nos bavardages : « Taisez-vous un peu ! Vous m'empêchez d'avoir peur ! »

J'aime rappeler ces théories évolutionnistes de la peur à mes patients : il est important pour eux de savoir tout cela pour se déculpabiliser d'être phobiques. Nous ne sommes finalement que des représentants de la psychodiversité de notre espèce.

Déculpabiliser mais non déresponsabiliser : nous restons responsables de faire les efforts pour limiter ces tendances…

Nous ne sommes pas égaux face aux peurs et aux phobies : histoires de prédisposition

Tous les travaux dont nous venons de parler concernent la transmission génétique d'une vulnérabilité phobique au niveau de l'ensemble de l'espèce humaine. À un niveau individuel, des études ont aussi permis de suspecter une transmission génétique dans certaines phobies.

Beaucoup de ces recherches ont été conduites auprès de couples gémellaires[27]. Les jumeaux intéressent les généticiens parce qu'on fait l'hypothèse qu'ils reçoivent en gros la même éducation. Mais ils n'ont pas forcément les mêmes gènes, selon qu'ils sont des jumeaux monozygotes (issus du même œuf, donc « vrais jumeaux ») ou dizygotes (issus de deux œufs différents, donc « faux jumeaux »). Si un trait (la peur) ou un trouble (la phobie) se retrouve plus souvent chez les monozygotes que chez les dizygotes, c'est qu'il dépend au moins en partie de facteurs génétiques.

Des études conduites auprès de jumelles dans la phobie sociale semblent indiquer une composante génétique importante à cette maladie. Dans le trouble panique, une transmission génétique est également retrouvée dans la plupart des études. Une étude portant sur 2 163 jumelles semblait indiquer que les phobies spécifiques, notamment d'animaux, comportaient sans doute elles aussi une part génétique. Mais, nous en avons déjà parlé, le modèle d'héritabilité n'est pour l'instant pas clair : gène simple à pénétrance incomplète ou transmission polygénique ? De même que ce qui est exactement transmis, est-ce le trouble phobique lui-même, ou, plus probablement, un terrain anxieux prédisposant ?

Il faut préciser que dans tous les cas, le rôle de l'environnement reste déterminant, pour entraver ou faciliter l'expression du trouble. Car la génétique peut s'avérer culpabilisante pour certains parents, tentés de se dire : « En plus je lui ai transmis mes mauvais gènes. » Heureusement, l'avancée des connaissances en génétique s'accompagne d'avancées en matière de soins et de prévention : un parent phobique guéri saura mieux dépister à temps la fragilité de son enfant, et l'aider ou le faire aider[28].

➤ *Des populations plus fragiles ?*

Dans toutes les populations de mammifères, il semble exister un pourcentage d'individus plus craintifs que les autres. Par exemple, des éthologues ont montré que, dans une population de singes caraïbes, environ 20 % des individus paraissaient très vulnérables à la peur[29]. Les chercheurs ont aussi pu créer en laboratoire des lignées d'animaux très peureux, par exemple chez les souris[30]. Ces animaux s'avèrent à la fois plus sensibles envers les peurs innées de leur espèce, mais aussi plus facilement réceptifs aux peurs conditionnées, comme apprendre à craindre une situation si elle a été plusieurs fois associée à un petit choc électrique douloureux ou à un bruit violent. Ils mettent aussi plus longtemps à se désensibiliser de leurs peurs apprises. Comment ces données se traduisent-elles dans notre espèce ?

➤ *Le tempérament d'inhibition face à la nouveauté*

Pour certains chercheurs, il existerait aussi chez l'être humain des personnes précocement vulnérables quant au risque d'apparition d'une phobie ultérieure. Selon les travaux de Jerome Kagan, chercheur à Harvard, environ 10 % des enfants des populations de souche européenne présentent un tempérament vulnérable, qui les prédispose à ressentir des émotions de peur face à des situations nouvelles. Ces réactions sont présentes et dépistables dès les premiers mois de l'existence[31]. Lorsqu'on met ces enfants face à des stimuli inhabituels, tels qu'un masque de chien, une personne inconnue, un bruit soudain, un robot-jouet de grande taille, on observe que leurs réactions sont marquées par une inhibition anxieuse. Les enfants non sensibles adaptent plus souvent une séquence faite d'un temps d'observation prudente, suivi d'un comportement d'approche.

Ces tendances sont assez stables : les trois quarts des enfants très craintifs à 21 mois l'étaient toujours à 7 ans. Et inversement, les trois quarts des enfants très peu craintifs à

21 mois ne l'étaient pas davantage à 7 ans. Les études de suivi à long terme suggèrent que les enfants inhibés et anxieux face à des stimulations nouvelles risqueraient plus que d'autres de devenir phobiques sociaux ou paniqueurs. Sans doute parce que plus vulnérables et facilement conditionnables par les événements désagréables ou incontrôlables pouvant leur arriver durant leur enfance et leur adolescence[32].

➤ *Les hypersensibles et les hyperémotifs*
sont-ils prédisposés à la phobie ?

« Je pense que je ne suis pas phobique par hasard : je suis une hyperémotive dans tous les domaines, celui de la peur comme les autres », me racontait un jour une patiente. « Je pleure comme une madeleine devant les films tristes, le moindre adagio m'arrache des larmes, je n'aime pas les bruits forts, la fumée du tabac me donne la migraine… Ce ne sont pas des caprices, j'ai longtemps fait des efforts pour cacher ou maîtriser tout cela. Mais c'est mon corps qui commande, et j'ai fini par admettre qu'il valait mieux le respecter que l'ignorer. Quant à ma phobie, je la considère comme une des manifestations de mon hyperémotivité. »

Selon la psychologue californienne Elaine Aron[33], il existerait dans toute population un pourcentage important de personnes (environ 20 %) présentant un seuil de saturation sensorielle plus bas que la moyenne. Tout le monde peut être « agressé » par son environnement, mais c'est une question de dose, et certains le seront plus vite que d'autres : les sujets hypersensibles vont percevoir les stimulations excessives de leur environnement comme des agressions douloureuses, que ces stimulations soient mécaniques (bruits, odeurs), relationnelles (interpellations, remarques) ou émotionnelles (influences de la météo, films violents). Cette vulnérabilité s'appliquerait aussi à la sensation de peur : si ces sujets se perçoivent comme craintifs et « peureux », ce ne serait pas par manque de courage, mais par excès de tumulte émotionnel face au danger. Une étude avait montré que parmi les militaires anglais chargés de déminer les bombes en Irlande du Nord, ceux qui étaient les plus médaillés, et avaient donc fait preuve du plus grand courage sur le terrain, étaient ceux dont le cœur s'accélérait le moins en situation de stress[34].

Si ces hypothèses sont vérifiées, ce qui n'est pas encore le cas, ces personnes hypersensibles seraient de meilleurs candidats aux conditionnements phobiques, car elles s'avéreraient plus réceptives aux chocs émotionnels que provoque la peur.

➤ Intolérance à la peur : la peur de la peur

« Dès que je sens monter la peur en moi, le début du début de la peur, je panique. Tout de suite, je pense que cela va mal finir. Que cette inquiétude va monter, monter, comme le lait sur le feu, déborder et tout bousculer, me submerger. J'ai peur d'avoir peur. Mais je sens bien que ma propre peur de la peur joue le rôle du feu sous la casserole, et qu'elle facilite la catastrophe. Le savoir ne m'empêche pas de paniquer, d'avoir peur de mourir ou de devenir folle sous l'effet de la peur. Ou de faire n'importe quoi, comme me jeter sous le métro si je suis sur le quai… »

Beaucoup de personnes phobiques connaissent le phénomène de la peur de la peur. Les cognitivistes parlent de sensitivité anxieuse (*anxiety sensitivity*) et cette peur de ressentir de l'anxiété, des signes avant-coureurs de peur, est fréquente dans toutes les phobies[35]. Elle est très liée à une réceptivité accrue aux signes physiques liés à la peur. Les questionnaires de recherche qui l'évaluent posent des questions telles que : « Lorsque je sens mon cœur qui bat rapidement, je redoute d'avoir une crise cardiaque. »

Cette dimension de sensitivité anxieuse est très corrélée au risque d'emballement de manifestations de peur au départ mineures, pouvant aller notamment jusqu'à des crises de panique : en suivant des volontaires pendant trois ans, on s'aperçoit que, chez ceux qui ont une sensibilité à l'anxiété élevée, le risque est multiplié par cinq[36]. Lorsqu'elle existe, cette sensitivité est souvent l'une des cibles des psychothérapies des phobies, nous le verrons.

L'apprentissage des peurs et des phobies

« Il est aisé de penser que les étranges aversions de quelques-uns qui les empêchent de souffrir l'odeur des roses, ou la présence d'un chat, ou choses semblables, ne viennent que de ce qu'au commencement de leur vie ils ont été fort offensés par quelques pareils objets (…). L'odeur des roses peut avoir causé un grand mal à la tête à un enfant lorsqu'il était encore au berceau, ou bien un chat peut l'avoir fort épouvanté, sans que personne y ait pris garde ni qu'il en ait eu après aucune mémoire, bien que l'idée de l'aversion qu'il avait alors pour ces roses ou pour ce chat demeure imprimée en son cerveau jusqu'à la fin de sa vie[37]. »

Très tôt, des observateurs attentifs de la nature humaine ont souligné le rôle des événements traumatisants, à l'image de Descartes dans ce passage de son ouvrage *Les Passions de l'âme*. On considère aujourd'hui que certaines circonstances de vie peuvent nous « apprendre » à devenir phobiques. Il semble que quatre grands types d'apprentissages peuvent faciliter l'acquisition d'une très grande peur[38] :

• *Les événements de vie traumatisants* : avoir été personnellement confronté à une menace ou un danger, et en garder la trace en mémoire (une agression, un accident).

• *Les événements de vie pénibles et répétés* : subir de minitraumatismes de manière régulière, sans possibilité de contrôle (humiliations, insécurité).

• *L'apprentissage social, par imitation de modèles* : voir fréquemment quelqu'un, en général un des parents, avoir très peur de quelque chose.

• *L'intégration de messages de mise en garde* : avoir reçu une éducation soulignant les dangers liés à tel ou tel type de situation.

➤ Des événements de vie traumatisants : « Ça m'a marqué à vie »

Des événements choquants, de grosses frayeurs ponctuelles, peuvent entraîner ensuite des peurs persistantes, parfois même de véritables phobies. Plusieurs travaux ont retrouvé le rôle d'expériences traumatiques dans certaines peurs excessives de la conduite automobile, après un accident ; des soins dentaires, après des interventions douloureuses ; des chiens, après une morsure, etc. On a aussi pu montrer que des antécédents d'asphyxie (débuts de noyade ou d'étouffement par sac plastique chez des enfants) ont été retrouvés chez 20 % des 176 patients paniqueurs d'une étude[39]. Mais il n'existe pas d'études, du moins à ma connaissance, sur le rôle du cordon ombilical enroulé autour du cou du bébé à sa naissance, ou de toute autre forme de souffrance néonatale. Cette explication des très grandes peurs ultérieures est pourtant fréquente dans les récits familiaux : « Ma mère m'a dit que ma claustrophobie et ma peur de m'étouffer venaient de là. » Ce type de condition-nement paraît cependant tout à fait possible : il existe une mémoire du corps, indépendante de la mémoire consciente ou verbale, qui peut garder la trace de conditionnements oubliés ou refoulés. C'est peut-être une des explications de certaines peurs excessives, ou de certains cauchemars récurrents, associés à des sensations d'étouffement, de suffocation, etc.

Le médecin genevois Édouard Claparède fut sans doute le premier, au début du XXe siècle, à décrire une telle mémoire inconsciente de la peur[40]. À la suite de lésions cérébrales, une de ses patientes présentait une amnésie qui l'empêchait de mémo-riser les événements récents. Ainsi, à chaque nouvelle consul-tation, elle ne reconnaissait pas Claparède. Ce dernier devait chaque fois se représenter, et lui serrer la main. Un jour, Claparède dissimula une épingle dans sa main : sa patiente se piqua. Le lendemain, elle ne se souvenait toujours ni de lui ni de son nom, mais au moment des présentations rituelles, elle refusa de lui serrer la main, sans pouvoir expliquer pourquoi. Sa

« mémoire du corps », dont nous verrons qu'elle est liée à une partie du cerveau nommée « amygdale cérébrale », n'avait pas oublié la piqûre...

Ce phénomène est fréquent dans les séquelles de traumatismes : je me souviens d'une de mes patientes, victime quelques années auparavant d'un viol, qui avait ressenti une montée de panique lors d'un trajet en métro sans savoir pourquoi (son agression avait eu lieu chez elle, et non dans le métro). Lors de notre discussion à propos de cette attaque de panique, elle avait retrouvé le déclencheur de sa peur : c'était l'odeur d'un after-shave, qui était celui de son violeur...

Ces conditionnements ne nécessitent pas l'intervention de la conscience, on a montré qu'ils peuvent même exister sous anesthésie[41]. Les travaux sont cependant en nombre limité. Attention, il existe par ailleurs un risque lié à ces théories de la mémoire du corps : elles peuvent faciliter le travail des gourous, et le recours à des thérapies peu fiables. On sait par exemple que la recherche effrénée de prétendus souvenirs incestueux inconscients a fait des dégâts terribles, et a provoqué aux États-Unis une épidémie de procès contre des pères supposés indignes[42]. C'étaient en fait les thérapeutes qui étaient indignes et abuseurs. Selon la formule du psychologue Jacques Van Rillaer, les souvenirs sans événement se sont avérés dans ce domaine plus fréquents que les événements sans souvenir...

Pour en revenir au lien entre peur excessive et traumatisme, nous retrouvons toujours le même problème des rapports entre sensibilité personnelle et événement de vie : qu'est-ce qui fait qu'un événement remuant devient traumatique ? Lorsqu'une personne souffrant de phobie sociale nous raconte que ses problèmes ont été déclenchés par les remarques humiliantes infligées par un enseignant alors qu'elle passait au tableau, qu'en conclure ? Que cet événement a créé la phobie ? Ou qu'il a simplement révélé une fragilité qui préexistait ? Si quelqu'un nous dit : « Quand j'avais trois ans, ma sœur aînée, qui me faisait toujours de sales coups, m'a laissée enfermée toute une après-midi dans un placard », cela peut donner quelques années plus tard :

« Quelle peau de vache, depuis, je me méfie un peu de tous les gens qui veulent me diriger », ou bien : « Depuis, je ne supporte plus du tout que l'on ferme la porte des petites pièces… »

Rappelons enfin que dans beaucoup de cas, notamment les phobies des araignées, des serpents, de l'eau, on ne retrouve pas de tels conditionnements traumatiques initiaux, qu'ils soient intenses et uniques, ou modérés et répétés. On peut alors penser que la peur était d'origine génétique. Mais aussi qu'elle a été apprise différemment…

➤ Des expériences de peur pénibles et répétées : « Ça a fini par me secouer »

Jeanne, 35 ans, infirmière, souffre d'une phobie des araignées. Elle se souvient très bien d'un week-end à la campagne dans une vieille maison que ses parents venaient d'acheter alors qu'elle avait 9 ans. Au petit déjeuner, sentant une démangeaison, elle passe sa main dans son cou et s'aperçoit qu'elle tient dans ses doigts une énorme araignée noire. Sursaut, cri, et première frayeur. Elle retourne lire dans son lit, et en découvre une seconde sur son oreiller. Puis encore une, quelques instants après, dans la baignoire de la salle de bains. « Là, c'était trop, j'avais l'impression qu'il allait en sortir de partout, qu'on ne pourrait pas faire face, qu'il y en aurait toujours plus que mon père ne pourrait en écraser. Je n'ai jamais voulu revenir dans cette maison. Mes parents étaient obligés de me laisser chez ma grand-mère quand ils s'y rendaient… »

Il n'y a pas toujours besoin d'un choc important pour devenir phobique. En effet, un conditionnement à la peur peut aussi exister à la suite d'une série de traumatismes mineurs : c'est l'effet dit de « sommation ». On sait par exemple que des animaux qui ont subi de petits chocs électriques dans une cage vont ensuite présenter à la vue de cette cage des manifestations de peur aussi intenses que celles d'animaux y ayant subi un seul choc, mais de forte intensité[43]. Il est possible que certaines peurs sociales puissent ainsi se développer, chez des sujets prédisposés, à partir de situations relationnelles discrètement mais répétitivement anxiogènes : ainsi, des patients phobiques sociaux racontent souvent comment ils ont été des enfants marginalisés, humiliés, voire martyrisés par leurs pairs à l'école ; ou comment un de leurs parents, ou les deux, les dévalorisait régulièrement.

L'absence de contrôle possible sur ces minitraumatismes représente toujours un facteur aggravant. Ainsi, des phobies de l'avion peuvent survenir à la suite de plusieurs vols un peu agités, mais sans plus, parce que ces voyages ont infligé de très fortes décharges de peur, sans que la personne ait aucun moyen d'action : difficile de descendre d'un avion en vol. Le sentiment d'impuissance à faire face à la situation, associé à la peur ressentie à ce moment représente alors un mélange qui peut s'avérer détonnant, à retardement. La présence ou l'absence d'un sentiment de contrôle possible sur la situation inquiétante est d'ailleurs ce qui explique que la répétition des confrontations avec la peur conduise tantôt à une diminution de cette dernière – ce que les comportementalistes nomment l'*habituation* – ou tantôt à une augmentation – c'est la *sensibilisation*. Nous en reparlerons en évoquant les psychothérapies des phobies, qui nécessitent des affrontements réguliers et répétés avec ce qui fait peur, mais pas n'importe comment !

➤ *L'imitation de modèles :* « *Tu as peur du chien, maman ?* »

Béatrice, 28 ans, secrétaire, a une phobie des chiens comme sa mère qui est également phobique des chevaux. « Un jour, alors que j'étais enfant, un gros chien-loup nous a attaquées ma mère et moi, tandis que nous passions près d'une maison, lors de vacances d'été à la campagne. Elle m'a prise dans ses bras, mais elle était terrorisée, elle hurlait, pleurait, tremblait, appelait au secours, pendant que le chien aboyait en montrant les dents et en essayant de s'approcher pour nous mordre. La scène m'a semblé interminable : j'avais l'impression que nous allions être dévorées sur place, et que si même ma mère avait si peur, c'est qu'il y avait un danger mortel pour nous. Le propriétaire a fini par arriver, et nous n'avons même pas été mordues, mais nous avons tremblé comme des feuilles pendant de longues minutes. J'en ai fait des cauchemars pendant des semaines, toutes les nuits… »

L'observation des modèles, notamment parentaux, joue un rôle important dans la transmission des peurs et des appréhensions. Un travail portant sur 22 petites filles arachnophobes, et leurs parents, a permis par exemple de montrer que le dégoût des araignées était beaucoup plus fréquent chez les mères de fillettes phobiques que chez les mères de fillettes non phobiques d'un groupe contrôle[44]. Le rôle de la mère semble à ce sujet prépondérant : on a pu montrer que ce sont principalement les peurs maternelles qui prédisent les peurs infantiles. Et que plus ces peurs sont ouvertement exprimées par la mère devant l'enfant, plus elles seront importantes chez ce dernier[45].

Mais alors, faut-il absolument dissimuler ses peurs à ses enfants ? Surtout pas ! Si vous êtes des parents phobiques, cela serait d'abord inefficace : les enfants voient tout, ou le sentent sans le comprendre, ce qui est pire. Observant ou devinant vos peurs, vos rejetons les prendront pour argent comptant, et, supposant qu'on peut vous faire confiance, en déduiront qu'il y a un vrai danger dans ces circonstances. Ensuite, cela serait finalement un mauvais service à leur rendre, car cela reviendrait à leur montrer qu'il est honteux d'avoir peur. Vous avez donc intérêt à ne pas cacher vos phobies à vos enfants, mais plutôt à leur en expliquer la nature : « C'est absurde, mais c'est comme ça, j'ai peur de ceci ou de cela… En réalité, il n'y a pas de danger. »

➤ Les messages éducatifs :
« Attention au grand méchant loup »

Les messages de mise en garde, volontaires ou non, peuvent eux aussi alimenter les peurs excessives. Cela peut avoir lieu à un niveau individuel, dans les familles. Les histoires de monstres imaginaires racontées à des enfants âgés de 7 à 9 ans peuvent induire chez eux des craintes notables. Plus si c'est un adulte qui délivre l'information inquiétante que si c'est un autre enfant[46]. Et ces craintes peuvent ensuite persister[47]. Attention donc aux contes et légendes impliquant monstres et vampires : elles peuvent marquer les enfants bien plus profondément que nous ne l'imaginons. L'art des contes de fées nécessite de proposer des façons de faire face aux dangers ou aux créatures que l'on évoque. Et il vaut mieux, bien évidemment, éviter d'utiliser ces peurs pour faire obéir les jeunes enfants : « Ne va pas à la cave, un gros loup te croquerait... »

Mais il n'y a pas que les monstres des histoires qui peuvent induire des peurs *a priori* : une étude conduite auprès d'une soixantaine de petits Anglais âgés de 6 à 9 ans les avait séparés en deux groupes. La moitié d'entre eux recevait des informations négatives sur de petits marsupiaux australiens, peu connus dans leur pays : « Ils sont sales, méchants, et dangereux. Ils vivent la nuit et attaquent les autres animaux avec leurs longues dents, et ils boivent leur sang. Ils poussent des cris affreux. Personne ne les aime en Australie. » L'autre moitié recevait, à l'opposé, des informations positives : « Ce sont de gentils petits animaux, qui aiment jouer avec les enfants. Ils mangent des fruits et des feuilles et on peut leur en donner dans la main, ils les prennent sans mordre. Tout le monde les aime en Australie. » Les enfants étaient ensuite testés sur leurs réactions face à des images de ces animaux, et leur comportement devant des boîtes où le nom de ces animaux était inscrit, avec un trou dans lequel on apercevait une boule de fourrure. Bien évidemment, les enfants qui avaient reçu les informations négatives étaient inquiets à l'idée de rencontrer un jour les marsupiaux, et réticents à s'approcher des boîtes[48]...

Plus largement encore, certaines peurs sont clairement alimentées par des phénomènes culturels et collectifs. Ainsi, comment expliquer que l'éternelle peur du loup soit toujours retrouvée chez de petits Européens du XXe siècle, alors que les loups ont disparu de leur quotidien depuis longtemps ? Cela est sans doute dû aux contes de fées plus qu'aux rencontres avec de vrais loups. La fonction des histoires traditionnellement racontées aux enfants était d'ailleurs, en grande partie, destinée à induire chez eux des peurs dont on pensait qu'elles leur seraient utiles. Les histoires de croquemitaines et autres monstres enfantins étaient considérées comme des « moyens d'éducation normaux[49] ».

Mais au-delà des volontés éducatives, il existe également des aspects symboliques : ainsi de l'image du loup dans la chrétienté. Longtemps, l'Occident chrétien fut en guerre contre les loups, en lesquels il voyait une incarnation du diable : « Si le loup menace de bondir sur toi, tu saisis une pierre, il s'enfuit. Ta pierre, c'est le Christ. Si tu te réfugies dans le Christ, tu mets en fuite les loups, c'est-à-dire le diable ; il ne pourra plus te faire peur » (saint Ambroise, au IVe siècle)[50]. La peur des serpents, d'origine clairement évolutive, fut reprise et renforcée par quasiment toutes les cultures. C'est ce qui explique que la phobie des serpents soit aussi répandue chez des citadins n'ayant jamais rencontré de reptiles, et n'ayant donc jamais été mordus, ou failli l'être. Dans la Genèse, c'est le serpent qui pousse Ève à la tentation, et c'est lui que Dieu commence par maudire : « Tu seras maudit entre tous les bestiaux et toutes les bêtes des champs ; tu marcheras sur ton ventre et tu mangeras de la poussière tous les jours de ta vie. » Avant de réprimander ensuite Ève, puis Adam, qui dans l'histoire n'aura finalement été qu'un suiveur. Car, en matière de phobies, les femmes l'emportent largement…

Pourquoi plus de peurs et de phobies chez les femmes que chez les hommes ?

Toutes, absolument toutes les études épidémiologiques aboutissent au même résultat : il existe une énorme prépondérance féminine dans le monde des peurs et des phobies, qui touchent à peu près deux fois plus de femmes que d'hommes. Cette différence, pour être aussi nette et spectaculaire, est probablement multifactorielle[51], c'est-à-dire liée à l'accumulation de tous les facteurs que nous venons d'évoquer.

Certains chercheurs en psychologie évolutionniste[52] supposent une inégalité d'origine génétique liée aux rôles sexuels dans notre espèce : la sélection naturelle aurait plus handicapé les hommes phobiques que les femmes, car le mâle phobique perdait davantage de statut, et donc de chances d'attirer à lui les femmes, et donc d'avoir de la descendance, et de transmettre ses gênes ; tandis qu'une femme phobique aurait moins perdu de son charme aux yeux des mâles... Le handicap lié aux phobies des animaux et des éléments naturels était plus grand dans les sociétés de chasseurs-cueilleurs, où les hommes devaient partir à la recherche de nourriture et de nouvelles ressources : ces peurs excessives étaient alors très limitantes et stigmatisantes. Alors que le rôle des femmes était plutôt de se consacrer à la cueillette et à la surveillance de la caverne et des enfants, d'où l'utilité au contraire d'une vigilance accrue : un excès de peur posait peut-être alors moins de problèmes. Mais tout cela n'est que de la psychologie-fiction, impossible à vérifier.

D'autres chercheurs rappellent que, de façon générale, tous les troubles émotionnels sont plus fréquents chez la femme, puisqu'on retrouve le même phénomène dans les dépressions (deux fois plus de femmes touchées). Cela serait dû à des compétences émotionnelles supérieures, mais aussi plus fragiles et faciles à dérégler. Tandis que les pathologies psychiques de l'homme seraient davantage du côté des toxicomanies ou des passages à l'acte agressifs.

Au départ, pourtant, les toutes petites filles sont émotionnellement plus stables que les garçons[53]. C'est seulement à partir de 2 ans, âge où les différences de stimulation de l'environnement commencent à dépendre du sexe de l'enfant, que cela s'inverse. En effet, à partir de cet âge, l'entourage *attend* davantage des filles qu'elles aient peur : si on montre des visages de jeunes enfants dans différentes situations à des adultes, ces derniers vont croire reconnaître plus souvent de la peur chez les filles et de la colère chez les garçons[54]. De même, les parents commencent alors à inciter leurs enfants à se comporter en fonction des stéréotypes culturels sur les sexes : les garçons ne doivent pas avoir peur, ou ne doivent pas le montrer, contrairement aux filles, qui y sont même encouragées.

On sait enfin que les garçons sont plus poussés à surmonter leurs peurs que les filles. Cela est systématiquement retrouvé dans les études sur les enfants timides : les peurs sociales des fillettes sont bien mieux tolérées que celles des garçonnets. Les parents acceptent très bien d'avoir une fille très réservée et inhibée, alors que la même attitude les inquiète chez leurs petits mâles[55].

Nous aurions tort de penser que les récents progrès sociaux en faveur de l'égalité des sexes ont mis fin à ces stéréotypes : il faudra probablement plusieurs générations pour que ces réflexes disparaissent. Songez par exemple aux représentations de la peur dans les bandes dessinées : ce personnage, affolé par une souris, juché sur une chaise et appelant au secours, est-ce un homme ou une femme ?

Mais il n'y a pas que les influences sociologiques. On se demande aussi si les garçons ne bénéficieraient pas en quelque sorte d'un traitement de faveur de la part de leurs mamans. Plusieurs études ont montré une meilleure « synchronisation émotionnelle » des mères avec leurs garçons[56] : leurs visages répondent mieux aux émotions de leur bébé fils qu'à celles de leur bébé fille, il y a en moyenne plus d'échanges visuels lors des soins mère-fils que mère-fille, etc. Il est possible que cela puisse faciliter de meilleures capacités de contrôle émotionnel des garçons sur leurs craintes et peurs.

Par ailleurs, les filles se montrent en général plus réceptives aux apprentissages sociaux des émotions, dont la peur, car elles sont meilleures pour l'échange social, mais aussi pour le décodage émotionnel, notamment à partir des expressions faciales, même fugaces[57]. Elles pourraient donc être plus sensibles aux peurs de leurs parents, qu'elles savent mieux détecter que les garçons. Mieux détecter, mais aussi, hélas pour elles, mieux apprendre : les filles sont de meilleures élèves que les garçons, même à l'école des peurs.

Toutes ces données issues de la recherche ne permettent pas de trancher de manière définitive sur les rôles respectifs de l'inné et de l'acquis, dans cette si grande différence entre hommes et femmes vis-à-vis de la vulnérabilité à la peur. On sait en tout cas que des filles et femmes peuvent s'avérer intrépides, et aussi bonnes « gestionnaires » de leur peur que des garçons et des hommes : on connaît par exemple l'héroïne Fifi Brindacier, petite fille suédoise (nous allons voir que ce n'est pas un hasard) audacieuse et courageuse[58]. Mais il sera intéressant de voir si les évolutions sociales qui ont lieu en Occident ne vont pas rendre l'ensemble des filles et femmes, et non plus seulement quelques cas isolés, moins sensibles à la peur : rendez-vous dans un demi-siècle !

En attendant cette échéance, certains chercheurs ont déjà voulu vérifier s'il existait une corrélation entre valeurs sociales masculines et féminines, d'une part, et risque de survenue de troubles phobiques, d'autre part. En effet, beaucoup de psycho-sociologues pensent que certaines cultures sont plus masculines que féminines et inversement, comme détaillé dans le tableau ci-après. Et depuis longtemps, certains psychologues sont convaincus qu'une culture machiste facilite la survenue de peurs de type agoraphobe, c'est-à-dire entravant l'autonomie des personnes atteintes[59]. En admettant – ce qu'on ignore en réalité – qu'hommes et femmes aient les mêmes tendances biologiques à ressentir des peurs, une société qui incite les femmes à rester au foyer, et qui les persuade qu'il est dans leur destin d'être craintives, « fabriquerait » plus de femmes agoraphobes. Non pas en créant la maladie, mais en incitant insidieusement les femmes à s'y résoudre et s'y soumettre.

Une très intéressante étude sur le rapport entre gradient masculinité/féminité et agoraphobie dans différentes cultures avait montré que plus la culture est marquée par des valeurs masculines, plus la fréquence de symptômes d'agoraphobie y sera importante ; inversement, plus la culture est imprégnée de valeurs féminines, plus cette fréquence sera basse[60]. Dans cette vaste enquête conduite auprès de 5 491 personnes dans 11 pays (la France n'y participait pas), c'est le Japon qui tenait le rôle de champion de la virilité, et de fréquence des symptômes d'agoraphobie. Tandis que la Suède décrochait la palme de la féminité, et des plus faibles taux d'agoraphobie. Ces résultats feraient plaisir à Fifi Brindacier : non seulement ils montrent que le machisme est stupide, mais en plus, qu'il est mauvais pour la santé…

Le sexe des cultures peut-il influencer la survenue de peurs excessives et de phobies ?

Caractéristiques des cultures à fort gradient de masculinité	Caractéristiques des cultures à fort gradient de féminité
Les rôles sexuels sont clairement différenciés : les femmes sont censées être plus intéressées par les relations humaines ; dans les familles, les pères s'occupent des faits, les mères des ressentis ; les filles pleurent, les garçons non ; les garçons peuvent se bagarrer, c'est mal vu chez les filles…	Les rôles sexuels sont fluides : hommes et femmes s'intéressent aux relations humaines ; dans les familles, les pères s'occupent aussi des ressentis, et les mères aussi des faits ; les garçons peuvent pleurer, comme les filles ; et celles-ci ont le droit de se bagarrer, comme les garçons…
Valeurs dominantes de la société : succès et progrès matériels.	Valeurs dominantes de la société : respect d'autrui et développement personnel.
Le modèle des garçons est le père, celui des filles, la mère.	Garçons et filles peuvent choisir pour modèle des traits ou attitudes de la mère et du père.
La mère a une position familiale et sociale moins forte que le père.	Les différences de rôle sexuel n'impliquent pas de différences de pouvoir social.
L'émancipation des femmes signifie qu'elles peuvent accéder aux mêmes fonctions sociales que les hommes.	L'émancipation des femmes signifie que les hommes vont partager aussi les tâches à la maison, pas seulement au travail.

Pour conclure sur les causes des peurs et des phobies

La compréhension de l'acquisition des peurs excessives et des phobies se fait donc aujourd'hui de plus en plus vers ce que l'on appelle un modèle « bio-psycho-social », c'est-à-dire intégrant les trois dimensions :

– *biologique* : il existe sans doute des prédispositions biologiques à ressentir des très grandes peurs ;
– *psychologique* : l'expression de ces prédispositions pourra être facilitée ou tempérée par des styles éducatifs, des événements de vie, des modèles environnementaux ;
– *social* : certaines cultures et sociétés vont elles aussi peser sur l'évolution des troubles.

La recherche des causes des phobies est donc un vaste chantier, en évolution constante. L'existence de mécanismes multiples doit être comprise comme quelque chose d'encourageant : cette variété laisse d'autant plus de marges de manœuvre et de portes d'entrée possibles pour agir et changer. D'autant que le plus important, à mon avis, ce n'est pas ce qui prédispose à la peur excessive : inné ou acquis, une fois qu'on est devenu adulte – et c'est à ce moment-là qu'on se pose en général la question du changement –, le mal est fait. Le plus important, c'est tout simplement de ne pas aggraver ces prédispositions par des erreurs de comportement. Avant de se demander, ensuite, comment changer, et faire peu à peu reculer l'emprise de la peur. Ces deux points seront l'objet des deux prochains chapitres.

CHAPITRE 3

Les mécanismes des peurs et des phobies

La question la plus importante n'est pas : « Pour-quoi ai-je aussi peur ? » Mais plutôt : « Pourquoi ma peur persiste-t-elle ? Malgré tous mes efforts ? Alors que je sais parfaitement qu'elle est excessive ? »

En vérité, nos grandes peurs demeurent, tout sim-plement parce que nous leur obéissons. Nous leur obéissons dans nos comportements : en fuyant. Et nous leur obéissons dans nos pensées : en ne voyant plus autour de nous que dangers ou menaces. La peur met ainsi notre intelligence sous influence.

Heureusement, on sait aujourd'hui comment remet-tre la peur à sa place.

> « Et maintenant, ne vous ai-je pas dit que ce que
> vous preniez pour de la folie n'est qu'une hyper-
> acuité des sens ? »
>
> Edgar POE, *Nouvelles Histoires extraordinaires*

« Après plusieurs années de vie de couple avec ma phobie, je ne savais plus très clairement ce qui était à moi et ce qui était à elle. Ce qui était normal ou non.

C'est normal de préférer faire ses courses aux heures creuses, mais ça l'est moins d'être totalement incapable de les faire aux heures d'affluence, parce qu'on a peur de tourner de l'œil à cause de tous les gens autour de soi. Comme j'avais honte de mes peurs, je finissais par ne plus en parler, même à mes proches. Du coup, je perdais de plus en plus mes repères. Je ne savais plus clairement ce qui relevait de la maladie et ce qui relevait de ma personnalité ou de mes choix de vie.

Et surtout, je ne savais plus très bien ce que je devais faire quotidiennement face à mes peurs. Si je me forçais à les affronter, ça me rendait malade, j'en avais pour plusieurs jours à me remettre ; et aussi, j'avais le sentiment d'en sortir encore plus traumatisée, avec chaque fois l'impression d'avoir échappé par miracle à une catastrophe. Et si j'évitais lâchement, je me sentais nulle et dévalorisée, cela faisait encore un échec. On a beau dire, malgré les années et malgré l'habitude, malgré ce qu'on essaie de se faire croire et de faire croire aux autres, on ne se résout jamais complètement à ces dérobades constantes, cette humiliation que représente l'obéissance à ses peurs. Le plus dur, ce n'est pas seulement d'avoir peur, mais c'est aussi d'avoir honte de soi. Et de ne pas comprendre pourquoi on n'arrive pas à se contrôler... »

Il y a beaucoup d'obstacles sur le chemin de la guérison des très grandes peurs.

La violence des peurs que l'on ressent, bien sûr, les mauvaises habitudes que peu à peu ces peurs imposent. Mais aussi une mauvaise connaissance des mécanismes réels de la peur, normale ou pathologique. Comprendre comment « fonctionnent » ses peurs excessives est un préliminaire fondamental à la guérison de ces dernières. Car, contrairement à ce que l'on pense parfois, les phobies n'ont rien de mystérieux ou d'énigmatique. Elles ont beau être des « maladies de l'âme », elles obéissent aux mêmes lois que bien d'autres maladies chroniques, comme le diabète ou l'asthme, j'en ai déjà parlé plus haut.

En tant que psychiatre, il m'arrive régulièrement de travailler avec des confrères médecins sur ces pathologies comme l'hypertension ou le diabète. Par exemple, il y a quelques années j'ai collaboré avec des pneumologues sur la maladie asthmatique. J'ai découvert à cette occasion qu'il y avait des écoles de l'asthme, destinées à apprendre aux patients et à leurs proches les mécanismes de cette pathologie. Cette éducation porte ses fruits de façon spectaculaire : les patients qui en bénéficient sont mieux impliqués dans leur traitement et font moins d'erreurs au quotidien dans la gestion quotidienne de leur maladie.

Je suis convaincu qu'il est possible de procéder de la même façon avec les personnes phobiques. Je rêve d'une « école de la phobie » qui leur rendrait les mêmes services que les écoles de l'asthme ou du diabète : dédramatiser, déstigmatiser, informer, expliquer... Dans mes consultations, je prends toujours du temps pour expliquer à mes patients les mécanismes de leurs peurs excessives : cela a pour effet de les faire sortir du cercle vicieux de la culpabilité et des questions inutiles (« suis-je responsable de ce qui m'arrive ? ») pour les emmener vers de l'opérationnel (« que puis-je faire au quotidien ? »).

Les explications augmentent toujours l'implication.

Elles permettent de lutter contre les clichés et les stéréotypes associés aux peurs et aux phobies : le jugement moral des non-phobiques sur les phobiques est toujours insidieusement présent. On est simplement passé de jugements explicites : « Les phobies, c'est de la faiblesse et du manque de courage », à des jugements implicites : « Les phobies, c'est une névrose, ce sont des névrosés, il y a un truc pas clair dans leur tête. »

Informer et expliquer donne un sens et une raison d'être aux efforts que les thérapeutes demandent à leurs patients souffrant de très grandes peurs. Pendant longtemps, médecins et thérapeutes se sont méfiés des patients qui en savaient trop, sous le prétexte qu'ils leur compliquaient la vie. Mais aujourd'hui, et notamment dans ce domaine très particulier des peurs pathologiques, nous savons qu'il est préférable d'avoir ce que je nomme des « patients experts », informés sur leur trouble, que des patients sans informations et sans repères. Des patients avertis sont de meilleurs partenaires dans la lutte contre la maladie phobique. Aujourd'hui, nous n'hésitons pas à inviter les membres des associations de patients à assister à nos congrès, et à partager avec eux nos connaissances. Tout ce chapitre n'est donc pas seulement de la science, mais c'est aussi une source d'idées et d'informations pour commencer le travail de changement personnel...

Les trois dimensions des peurs et des phobies

Vous avez tous vu ce type de scène dans des documentaires animaliers.

Le soir tombe sur la savane. Une gazelle s'approche du point d'eau pour se désaltérer. Le paysage est magnifique : le soleil rougeoie, les ombres donnent du relief au paysage, c'est une heure qui incite à la détente et à la sérénité. Mais la gazelle, elle, n'est pas vraiment détendue. Elle boit tout en surveillant autour d'elle. Au moindre bruit, elle sursaute, relève la tête. Si l'on pouvait mesurer ses pulsations cardiaques, nul doute qu'elles seraient accélérées. Elle ne voit pas le même paysage bucolique et serein que le spectateur : elle sait que les points d'eau, lieux de rassemblement obligés de tous les animaux de la savane, assoiffés par la chaleur de la journée, sont aussi fréquentés par des lionnes en chasse, qui viennent y chercher non seulement à boire, mais aussi, et surtout, à manger. Derrière chaque buisson qui bouge, la gazelle ne voit pas le souffle de la brise rafraîchissante du soir, mais le mouvement d'un fauve caché. Derrière le moindre bruit de branchages qui craquent, elle entend un prédateur qui s'approche. Tous ses sens sont aux aguets, ses muscles sont tendus. En permanence, elle est prête à fuir très rapidement, dans une cavalcade réflexe.

Ce qui ressemble pour vous à un paysage de carte postale, à un moment paisible – le soir tombe et on va boire un coup pour se rafraîchir – est pour elle le moment de tous les dangers. Comme d'ailleurs de nombreux autres moments de la journée...

Cette gazelle au point d'eau, c'est la personne phobique dans les situations qu'elle redoute : le danger n'est pas encore là, mais il peut survenir à tout moment. Ce n'est pas pour rien qu'on parle d'*attaque* de panique pour désigner les crises d'angoisse aiguës, à l'image de l'attaque que le prédateur porte sur sa proie. Trois dimensions composent alors la peur :

— émotionnelle (ne plus ressentir de son corps qu'un vécu oppressant),

— psychologique (ne plus voir le monde que comme un lieu de dangers imminents),

— et comportementale (ne rien pouvoir faire d'autre que surveiller, pour être prêt à fuir).

La lutte contre les peurs excessives passera par la compréhension et la maîtrise progressive de ces trois dimensions.

Dans un premier temps, il va s'agir de lutter contre la peur comportementale : comprendre de quoi elle se compose, et commencer à se confronter aux situations que l'on redoute. Même si l'on continue de penser qu'il existe un danger et à ressentir de la peur en le faisant. En comprenant ses peurs comportementales, et comment les affronter, on augmente sa liberté de mouvements.

Dans un deuxième temps, la répétition de ces confrontations va permettre de modifier sa vision du monde : en y réfléchissant, au calme mais aussi à la suite de ses confrontations régulières, on va s'apercevoir que le regard porté sur les situations angoissantes peut être modifié peu à peu. En comprenant ses peurs psychologiques, et comment les modifier, on augmente sa lucidité.

Enfin, dans un troisième temps seulement, la pratique régulière des confrontations aux situations et des remises en question de ses certitudes phobiques va peu à peu « user » la réaction émotionnelle de peur, comme une allergie qui se désensibilise. En comprenant ses émotions de peur, et comment les « fatiguer », on aboutit à une pacification intérieure et au confort d'une vie sans peurs excessives.

Mécanismes comportementaux : la fuite qui aggrave

« Au pire de ma phobie, j'étais devenue une experte de la fuite et de l'évitement, une championne de la dérobade, la reine de la fausse excuse et du prétexte vaseux. Tout ça pour ne pas prendre le risque de me retrouver dans une situation qui allait me déclencher une attaque de panique, genre invitation à un repas mondain (je ne pouvais pas supporter de me sentir coincée), à une soirée au 36e étage d'une tour (impossible de prendre un ascenseur), à des vacances en avion (je commence à me sentir mourir dès qu'ils ferment les portes)… Il n'y avait plus rien de spontané dans ma vie, que du calcul, de l'anticipation. J'avais un calendrier dans la tête, avec les prévisions de toutes les situations, celles qui seraient faciles, celles où il y aurait du sport… À la fin, je me sentais minable, misérable, épuisée. Et mes peurs étaient de pire en pire. Éviter ne m'apportait qu'une paix transitoire, d'ailleurs payée comptant au prix de ma liberté de mouvements et de ma dignité. Car la vie n'arrêtait pas de me mettre à l'épreuve… » Ce témoignage émane d'Iris, une de mes patientes qui souffrait d'agoraphobie avec attaques de panique.

➤ *Les évitements : logiques, mais toxiques*

Les évitements phobiques sont, de loin, le meilleur moyen de maintenir la peur. Sans le vouloir, sans le savoir, la plupart des patients phobiques sont les artisans de la longévité de leur peur…

Parce qu'ils sont hypersensibles, et en raison de la violence des craintes ressenties, les patients phobiques ont, très logiquement, tendance à fuir ou à éviter les situations qui leur font peur. Ils organisent leur vie quotidienne de façon à ne surtout pas risquer de se retrouver dans une situation qui pourrait les paniquer. Les évitements sont donc au cœur même de la phobie.

Car les comportements d'échappement (par la fuite) ou d'évitement (par des stratégies anticipatoires de non-confrontation), qui permettent de diminuer nettement l'angoisse, vont renforcer la peur, et seront donc réutilisés la fois suivante, etc. La boucle est alors bouclée, et le trouble phobique se trouve irrémédiablement autoentretenu, un peu à l'image d'une dépendance à l'alcool ou à une autre drogue. L'évitement soulage dans l'immédiat, mais maintient le patient dans une dépendance anxieuse à ses conduites d'évitement : le phobique est en quelque sorte « accro » à la fuite…

➤ *Le génie de l'évitement*

Comme Iris, la plupart des patients souffrant de très grandes peurs sont contraints – question de survie – de devenir des experts de l'évitement.

Ces évitements peuvent être de plusieurs types :
• *Évitements de situations* : par exemple, ne pas passer par des places où il y a des pigeons, ne pas prendre la parole en public,

ne pas prendre le métro. La personne phobique organise ainsi sa vie autour de l'évitement de nombreuses situations. Pour justifier auprès de son entourage les contraintes qui en découlent, elle fait souvent appel à des rationalisations : « Je n'aime pas passer dans ce quartier car il est moche », « Je ne vais pas dans les soirées parce qu'on ne s'y dit rien d'intéressant », « Il fait trop chaud dans le métro et ça sent mauvais ».

• *Évitements d'images, de mots, de pensées* : éviter de réfléchir à ce qui fait peur, éviter de regarder des photos, des films, éviter d'écouter des conversations ou de lire des articles ou des livres… Hélas, de nombreux travaux ont montré que chasser des pensées désagréables ne fait qu'augmenter leur pouvoir angoissant pour la suite[61]. C'est un des paradoxes de la pensée phobique (et plus largement de toutes les maladies anxieuses) : les patients ont l'impression de « ne penser qu'à ça ». Mais, en réalité, ils n'y pensent pas à fond, et chassent les pensées inquiétantes dès qu'elles démarrent, au lieu de les affronter jusqu'au bout. Cette façon de faire peut soulager des personnes non phobiques, mais n'est pas adaptée en cas de peurs intenses et maladives.

• *Évitements de sensations* : ne pas courir pour ne pas sentir battre son cœur, ne pas porter de col serré ou de cravate pour ne pas ressentir de début d'étouffement. Là encore, différents travaux expérimentaux ont démontré cette tendance et les problèmes qui en résultent. Dans une de ces études, on faisait respirer à des volontaires de l'air enrichi en gaz carbonique. On leur expliquait que cette inhalation d'air modifié allait provoquer des sensations physiques désagréables : accélération du rythme cardiaque, transpiration, gêne pour respirer… À la moitié d'entre eux, on recommandait de tenter de ne pas penser à ces sensations, et de tout faire pour que les autres personnes dans la pièce ne puissent rien remarquer de leur malaise. À l'autre moitié des volontaires, on donnait les consignes inverses : notez bien ce que vous allez ressentir physiquement, ne cherchez pas à contrôler ni à dissimuler. Les personnes qui avaient pour habitude de fuir leurs sensations physiques (c'est-à-dire les plus anxieuses habituellement) et qui avaient eu pour consigne d'éviter de penser à leurs sensations lors de l'expérience se montrèrent plus stressées que celles qu'on avait incitées à « laisser venir »[62]. Ne pas penser à ses sensations physiques ne « marchait » que chez les personnes déjà peu émotives et peu anxieuses...

➤ *Des évitements subtils qui aident à survivre mais pas à bien vivre. Et encore moins à vaincre la peur*

Les évitements peuvent aussi être des évitements subtils : à moins d'accepter un très lourd niveau de handicap social, il n'est pas toujours facile d'éviter certaines situations. Aussi beaucoup de patients phobiques s'y confrontent-ils sous certaines conditions. Soit ils se débrouillent pour que la confrontation soit incomplète : ils ne regardent pas ce qui leur fait peur, ils essaient de penser à autre chose, de se faire oublier dans les situations sociales, de faire leurs courses à des heures creuses, etc. Soit ils utilisent des stratégies dites « contra-phobiques » pour affronter leurs peurs avec une aide : ils prennent d'abord des tranquillisants (ou ils en ont toujours dans leur poche), ils se font accompagner par quelqu'un, etc. Mais pour subtils qu'ils soient, ce sont toujours des évitements, et leur rôle toxique et autoaggravant reste le même.

Souvent, ces évitements subtils sont inconscients aux yeux mêmes de la personne phobique, qui les confond alors avec des *préférences* : on transforme ainsi quelque chose de subi en un pseudo-choix de vie. « Je n'aime pas les week-ends à la campagne », au lieu de : « J'ai une peur bleue des insectes. » « Je n'aime pas m'asseoir dans les places de métro où l'on a des vis-à-vis, on est trop serré », au lieu de : « Je me sens mal lorsqu'on me regarde de près. » « C'est plus sympa de faire ses courses aux heures creuses », au lieu de : « Je panique quand je dois poireauter dans une file d'attente. »

On a pu montrer expérimentalement ce rôle toxique des évitements « subtils » : on exposait pendant environ une heure des patients zoophobes à leurs animaux anxiogènes (une tarentule, un python et un rat, tous dans des cages de verre à hauteur des yeux). Si, durant l'exposition, on offrait une distraction aux patients, leur peur avait paradoxalement moins diminué au bout d'une heure que s'ils n'avaient pas été distraits[63]. C'est-à-dire que l'évitement subtil représenté par la distraction rendait moins efficace l'habituation au stimulus phobique. Mais cela dépend aussi de l'intensité des peurs : pour des patients très anxieux, la distraction va pouvoir être nécessaire et même relativement efficace pour diminuer la peur dans les premières étapes des confrontations[64]. Mais il faudra à un moment donné s'en débarrasser, et se confronter « à fond ».

➤ Éviter d'éviter...

Bien que compréhensibles, tous ces évitements sont un des principaux problèmes des phobies, parce qu'ils maintiennent intacte la peur. Tant qu'une personne évite ce qu'elle redoute, même de manière subtile, son anxiété ne peut diminuer sur le long terme.

Par exemple, parmi les sujets paniqueurs, ceux qui sont agoraphobes (évitant de se trouver loin de leurs bases de sécurité) sont aussi ceux dont l'évolution spontanée sera la plus invalidante, et qui seront les plus difficiles à soigner : leurs évitements chronicisent leur maladie. De même chez les sujets phobiques sociaux, ceux qui ont une personnalité évitante, c'est-à-dire qui « obéissent » à leur phobie en cessant de lutter et en raréfiant leurs contacts sociaux (sous tout un tas de prétextes comme « les gens sont décevants », « les conversations m'ennuient »), sont plus difficiles à soigner.

L'ensemble des évitements phobiques représentera donc la cible privilégiée des efforts des personnes phobiques : pas de guérison possible d'une très grande peur sans confrontation. Mais cette confrontation doit se faire selon des règles très précises, permettant ce qu'on appelle une « désensibilisation » de la peur, qui peu à peu se voit désactivée. C'est ce que l'on appelle aussi une « habituation ».

Si ces règles ne sont pas respectées, il y a un risque important, au contraire, de « sensibilisation » : la peur est augmentée au fur et à mesure des contacts. Nous abordons ces règles dans le prochain chapitre.

Grâce à ces efforts de confrontation, émotionnellement coûteux, et qui nécessitent souvent le soutien d'un thérapeute, on découvre peu à peu que les dangers que l'on redoutait n'existent pas. Mais on le découvre par l'expérience sur le terrain, en affrontant l'émotion de peur, en non pas au calme, à distance du danger. Cette différence est fondamentale, nous le verrons, pour « convaincre » notre cerveau émotionnel, qui est un peu comme saint Thomas qui ne croyait que ce qu'il voyait. S'il faut se confronter pour vérifier qu'il n'y a pas de danger à le faire, ce n'est pas pour convaincre notre raison ou notre intelligence : elles le savent parfaitement. Tous les phobiques savent que leurs peurs sont, sinon imaginaires, du moins excessives. S'il faut se confronter, c'est parce que *vivre* l'absence de catastrophe lors des confrontations est infiniment plus fort que simplement l'*imaginer*. Notre cerveau émotionnel est un sceptique : il lui faut non seulement des arguments, mais aussi des preuves…

Pour autant, se forcer simplement à la confrontation ne peut suffire : il faut également changer son regard sur le monde et les dangers qu'il peut recéler. Or, en la matière, la vision du monde des phobiques est particulièrement problématique…

Mécanismes psychologiques : la peur a de grands yeux

« La peur a de grands yeux », dit un proverbe russe.

Ces grands yeux des phobiques leur servent à la fois de télescope : ils repèrent les dangers de très – trop – loin, et de loupe, voire de microscope : ils détectent les moindres détails, quitte à perdre leurs capacités de recul. Ils sont aussi extra-lucides : ils vont largement au-delà des faits, et n'hésitent pas à extrapoler et à anticiper les pires conséquences imaginables aux situations.

Ainsi, invité à une soirée, un phobique social va commencer à y penser plusieurs semaines à l'avance. Le jour venu, il va scruter les visages des personnes présentes pour y détecter le moindre signe de mépris ou d'agressivité. Et il va redouter de prendre la parole ou de donner son avis, pensant que cela pourrait aussitôt le rendre totalement ridicule et pour toujours, s'il avait l'inconscience de s'y risquer.

Les travaux modernes sur la manière dont les phobiques perçoivent leur environnement ont montré :

- que leur attention est focalisée de manière pathologique sur leurs peurs : ils ne regardent pas leur environnement, ils le surveillent ;
- qu'en cas de doute, ils préfèrent lancer l'alarme : plutôt avoir peur à tort que peur trop tard ;
- qu'ils construisent en permanence des scénarios catastrophe : pour se protéger, mieux vaut anticiper le pire, et même l'amplifier ;
- qu'ils se noient dans leurs sensations de peur.

Ces phénomènes psychologiques se déroulent de manière automatique, échappant à la volonté de la personne, et parfois même à sa conscience. D'où la nécessité de les connaître pour ne pas en être totalement dupe, à défaut de pouvoir en empêcher l'apparition, ce qui prendra un peu plus de temps.

➤ « Je ne regarde pas, je surveille »

Les personnes phobiques sont en général hypervigilantes envers tout ce qui peut évoquer un stimulus phobogène, et disposent d'une capacité accrue à extraire ces informations anxiogènes du contexte : dans une pièce, un arachnophobe va repérer la moindre toile d'araignée beaucoup plus vite que tout le monde. Dans une assistance, les phobiques sociaux vont tout de suite chercher quels visages sont sympathiques : il n'y aura pas à prévoir de danger venant d'eux *a priori* ; et lesquels témoignent d'une capacité à scruter, agresser, se moquer : il vaudra mieux s'en écarter et se tenir à distance, tout en les surveillant du coin de l'œil.

Mais il semble que cette hypervigilance porte également sur des perceptions inconscientes. Par exemple, en présentant à des phobiques de serpents des images de reptiles sur un écran, masquées très rapidement par des images neutres, comme des fleurs, on s'aperçoit que leur réaction physiologique de stress, mesurée de façon objective par la conductance cutanée, est équivalente à celle qu'ils présentent à la vue d'une image non masquée[65]. Leur cerveau émotionnel a « vu » le serpent, et lancé l'alarme. Le même type d'expérience a été conduit auprès de phobiques sociaux[66] : le stimulus subliminal utilisé était cette fois représenté par des visages humains manifestant des expressions faciales variées. Quand les expressions des visages subliminaux étaient hostiles, elles perturbaient la réponse des sujets au test sur écran, alors que les expressions neutres ou amicales ne les perturbaient pas. Les réactions de peur sont donc alimentées par des perceptions qui ne sont pas conscientes : c'est pourquoi les personnes phobiques peuvent parfois se sentir mal sans raison claire, avant de découvrir d'où venait le problème.

Le problème, c'est que cette hypervigilance automatique augmente aussi la durée du malaise, car, une fois le danger repéré, et s'ils ne peuvent pas fuir, les phobiques préfèrent détourner le regard : trop pénible[67]. Mais ce danger détecté, on ne peut pas non plus lui tourner le dos… D'où un inconfort notable et des allers-retours incessants entre surveillance et évitements visuels, avec ces trois séquences classiques : « 1) Je passe mon temps à chercher d'où pourrait venir le danger. 2) Une fois le danger détecté, c'est trop affreux et trop pénible de soutenir le regard sur cette horreur. 3) Je ne dois tout de même pas trop détourner mon attention de ce qui me fait peur car cela pourrait être dangereux. 4) Finalement, la meilleure solution serait tout de même de fuir pour ne pas avoir à supporter ce dilemme. »

Pour la petite histoire, une équipe anglaise a conduit récemment une étude avec de vraies araignées – des tarentules – placées dans un bocal à proximité de personnes phobiques volontaires. Le temps qu'elles passaient à regarder les tarentules dépendait de la position des araignées dans la pièce : si la bête se trouvait loin de la porte de sortie, les sujets évitaient de la regarder ; si elle était sur le chemin de la sortie, ils *ne pouvaient s'empêcher* de la regarder[68]. D'où peut-être l'expression « hypnotisé par la peur »…

Récapitulons :

– le sujet phobique ne peut s'empêcher de « scanner » son environnement à la recherche de ce qui lui fait peur, pour savoir s'il est en sécurité ou non (pour les phobiques, il y a seulement deux zones : danger ou sécurité). Pour lui, il n'y a que deux questions d'importance. Présence d'un danger ? Le phobique des chats arrivant dans une maison voit tout de suite les traces de griffes sur les fauteuils du salon, ou l'écuelle par terre dans la cuisine. Présence de solutions ? Le claustrophobe repère très vite, dès qu'il entre dans une pièce, les issues de secours, les systèmes de fermeture des portes et des fenêtres…
– en expert de sa peur, il détecte avant tout le monde la présence éventuelle d'un problème ;
– dans ce cas, il est partagé entre le besoin de ne pas regarder (car c'est pénible) et celui de regarder (car ce serait dangereux de ne pas surveiller) ;
– bref, sa vie est très compliquée, et dans ce cas-là il préfère quitter les lieux.

➤ « *On ne sait jamais…* »

En raison de son sentiment d'extrême vulnérabilité face à ce qui lui fait peur, le phobique se sent tenu d'être vigilant face à un environnement d'où les dangers peuvent surgir à tout instant. Au risque de s'épuiser par cette vigilance anxieuse. Et au risque aussi de déclencher de fausses alarmes. Car il est comme un guetteur convaincu de la dangerosité et de la sauvagerie de l'ennemi : il préfère lancer l'alarme au moindre doute.

Des travaux ont montré dans les très grandes peurs une tendance à interpréter les stimulations neutres de manière négative. Chez les phobiques sociaux, par exemple[69] : si on leur fait passer un questionnaire leur décrivant des situations « ambiguës » de toutes sortes (c'est-à-dire laissant place à une interprétation personnelle, positive ou négative), ces patients ne les interprètent négativement que s'il s'agit de situations sociales (des amis invités à dîner partent plus tôt que prévu), mais non s'il s'agit de situations non sociales (recevoir un courrier recommandé).

Les stimuli « ambigus » sont nombreux dans la vie quotidienne, et ils seront toujours interprétés négativement par les phobiques : un animal immobile pour le zoophobe (« il prépare son attaque et va se jeter sur moi sans prévenir »), un sourire pour le phobique social (« je dois inspirer de la pitié ou du mépris »), une palpitation cardiaque un peu forte pour le paniqueur (« ça y est, cette fois-ci, c'est l'infarctus »)…

La conséquence pratique, c'est que les phobiques ont *parfois* raison avant les autres, mais qu'ils se trompent *très souvent*. Par exemple chez les phobiques sociaux : s'ils doivent reconnaître rapidement des expressions de visage, sur des photos rapidement présentées[70], ils ne vont laisser passer presque aucun visage hostile (pas de « faux négatifs »), mais aussi se tromper en classant comme hostiles des visages reconnus comme neutres par les expérimentateurs et les sujets non phobiques sociaux (beaucoup de « faux positifs »). Cette tendance à l'interprétation négative est peut-être utile à la survie, mais elle l'est beaucoup moins pour la qualité de vie. Ne vaut-il pas mieux moins se méfier, et assumer les risques d'erreur, que verrouiller tous les risques mais ne plus profiter de l'existence ?

Hélas, les phobiques ont souvent le sentiment que renoncer à leur hypervigilance les met en danger. C'est souvent faux mais pas toujours. Qui peut me garantir que cette personne que j'ai guérie de sa phobie des chiens ne se fera pas à nouveau mordre un jour ? Moi qui ne suis pas phobique des chiens, j'ai été mordu à plusieurs reprises. J'aurais pu l'éviter si j'avais été phobique. Mais finalement, je pense qu'une morsure éventuelle dans l'existence est une gêne moins grande qu'une peur obsédante et la fuite devant le moindre chien qui s'approche. J'ai eu la chance de pouvoir tenir ce raisonnement par moi-même, car mon amygdale cérébrale me l'a « permis ». Sinon, j'aurais dû faire une thérapie pour en arriver là.

Pour les mêmes raisons – « mieux vaut s'inquiéter à tort que pas assez » –, les phobiques ont aussi tendance à percevoir les choses de manière dichotomique, c'est-à-dire à les répartir en deux – et seulement deux – catégories extrêmes : sécurité ou danger. Ce raisonnement en « tout ou rien » fait qu'ils ont du mal à introduire des nuances dans leur perception de l'environnement phobogène. Par exemple, un phobique des chiens percevra tous les chiens comme des mordeurs potentiels, là où un non-phobique sera capable de faire la différence entre un chien agressif (oreilles rabattues en arrière, crocs découverts, grognements) et un chien non menaçant. Un paniqueur agoraphobe aura de son côté du mal à se dire que ses soudains battements de cœur ne sont peut-être dus qu'à une marche un peu rapide, ou à une prise excessive de café, et non à un infarctus du myocarde en train de se constituer. C'est pourquoi il est nécessaire de développer une lecture graduelle et flexible de la dangerosité des situations. Entre le « c'est trop risqué » du phobique et le « tu ne risques rien » de son entourage, conviction contre conviction, le thérapeute essaie de faire avancer un discours nuancé : « On peut voir venir le danger, et apprendre à lui faire face. »

➤ *« Je me fais des films épouvantables »*

« J'ai une phobie du vide carabinée. Évidemment, il est hors de question de passer des vacances au ski ou à la montagne, ou de passer sur un viaduc, mais cela, on peut s'y faire. Le problème, c'est que même les balcons ou les fenêtres en étage me rendent complètement malade. Même en regardant les autres s'approcher, je ressens de la peur. Le pire du pire, c'est lorsque ma fille s'approche d'un balcon : instantanément, je la vois basculer dans le vide, tomber et mourir. Ça va tellement vite que j'en suis presque à l'imaginer dans son cercueil... »

« J'anticipe, j'interprète et j'amplifie » est en quelque sorte la devise psychologique des personnes phobiques. Ces tendances font tellement partie de leur paysage mental qu'elles finissent par ne plus attirer leur attention. Pour autant, cette force extrême de leur imagination doit être pour elles un objet de vigilance. Car elles peuvent même ne pas avoir besoin de « voir » l'objet de leur peur pour se sentir mal. En effet, la plupart des études sur les perceptions phobiques sont conduites sur des stimulations visuelles, car on tend à penser que l'image est le plus fort déclencheur de peur. Mais ce n'est peut-être pas si évident. Une étude sur les arachnophobes a voulu étudier si un stimulus visuel (une image d'araignée) pouvait représenter un meilleur aiguillon pour les sujets phobiques qu'un stimulus linguistique (le mot « araignée »). En fait, contre les attentes des chercheurs, c'est le mot plus que l'image qui engendrait la perturbation la plus importante[71]. Ce qui confirme le rôle majeur des représentations mentales, c'est-à-dire de l'imagination, dans les phobies : il est probable que le mot araignée, en l'absence d'autres informations, évoque immédiatement chez un phobique une araignée énorme, noire, velue, dotée de pattes musclées et griffues, vibrante et prête à sauter sur tout ce qui bouge... Bien plus terrifiant que n'importe quelle image d'arachnide sur un écran !

➤ *« Je me noie en moi-même »*

Les personnes phobiques ont tendance à focaliser leur attention sur elles-mêmes, en raison notamment de l'intensité de leurs émotions pénibles. À leur corps défendant, elles sont plus attentives à leur malaise intérieur qu'à la situation extérieure. À la suite d'un échange avec autrui, les personnes souffrant de fortes peurs sociales se souviennent de beaucoup moins de détails de cet échange que les personnes à faibles peurs sociales : durant la discussion, l'essentiel de leur énergie mentale était orienté vers l'autosurveillance, et consacré à la dissimulation de leur malaise[72].

Elles sont également victimes de ce que l'on appelle le *raisonnement émotionnel*, qui revient à juger de la dangerosité de la situation d'après ses réponses émotionnelles. Si mon cœur bat fort, c'est qu'il y a un danger. Si je me *sens* mal à l'aise, c'est que je *suis* mal à l'aise. Etc.

Cette tendance au raisonnement émotionnel est présente chez l'enfant[73] mais aussi chez l'adulte[74]. Elle aboutit à une interprétation non critique de ses propres sensations physiques comme des signaux valides de danger : en quelque sorte, on fait aveuglément confiance à sa peur. Parce que l'alarme s'est déclenchée, on pense que le danger existe vraiment. Or, dans les phobies, cette alarme est sévèrement déréglée…

Ce qui explique que les pensées liées à la peur, automatiques et très rapides, puissent conduire, dans certains cas, à une véritable spirale de panique : le phobique commence à se sentir mal physiquement (palpitations cardiaques, sensations vertigineuses, petite oppression respiratoire et besoin de soupirer, ou tout autre signe physique). À ce moment, il interprète ces signes comme une menace (« il va m'arriver quelque chose »), ce qui augmente encore sa peur, et aggrave les manifestations, qu'il se met alors à surveiller attentivement : en se focalisant ainsi sur elles, il les perçoit encore plus clairement, ce qu'il interprète comme leur aggravation (« depuis tout à l'heure, je les ressens de plus en plus, pas de doute, ça s'est aggravé, c'est mauvais signe »), d'où augmentation de l'angoisse, jusqu'à la panique.

➤ *Intelligence sous influence : peut-on agir ?*

Tous ces processus sont dits « préattentionnels », car ils ne dépendent pas de la volonté de la personne. Ils tendent à déclencher des alarmes souvent inutiles, et sont fatigants pour le sujet. Font-ils partie des causes ou des conséquences des très grandes peurs ? On l'ignore, mais ils peuvent s'améliorer. Certains travaux ont en effet permis de mettre en évidence l'effet bénéfique des psychothérapies adaptées sur ces perturbations attentionnelles : on a pu montrer qu'après une séance de thérapie comportementale par exposition, les sujets phobiques étaient significativement moins perturbés par des stimuli phobogènes subliminaux[75].

Il ne s'agit pas d'exercer un contrôle total sur ces processus : ce ne serait ni souhaitable ni possible. Comme ils représentent en quelque sorte les détecteurs de l'alarme qu'est la peur, il est utile qu'ils soient sensibles, mais pas trop : il faut pouvoir les régler correctement, en fonction des circonstances de vie, normales ou exceptionnelles. Je dois pouvoir régler à la hausse mon logiciel de peur des animaux dans certaines circonstances – si je marche dans la jungle amazonienne – et le régler à la baisse dans d'autres – si je me promène dans une campagne paisible.

Or le système d'alarme qu'est la peur est trop rigide dans les phobies : toujours réglé au maximum. On va alors essayer en thérapie d'apprendre au patient à moduler tout ça, au travers de techniques psychologiques spécifiques. D'une part en s'efforçant de regarder davantage ce qui fait peur, et de moins systématiquement surveiller l'environnement. Et d'autre part en apprenant à moduler ses interprétations automatiques. Ce n'est pas facile, car les capacités de raisonnement des personnes phobiques sont très fortement sous l'emprise de leurs processus émotionnels : notre intelligence est alors sous influence. Nous allons voir pourquoi. Et aussi comment, à côté des efforts comportementaux et des prises de recul psychologiques, doit prendre place tout un troisième type de travail, sur les émotions cette fois…

Mécanismes émotionnels : peut-on échapper à la psychobiologie de la peur ?

« Dans ces moments, je deviens comme folle. »
« J'ai peur de faire n'importe quoi sous le coup de l'émotion. »

« Mon corps et mon intelligence ne m'obéissent plus, je suis comme le conducteur d'une voiture dont ni le volant ni les freins ne fonctionnent : j'ai perdu le contrôle. »

« Je me sens démunie, paralysée, incapable d'agir ou de décider, comme un lapin pétrifié dans les phares d'une voiture, qui va se faire écraser, car il n'arrive plus ni à avancer ni à reculer. »

Toutes les personnes qui ont ressenti la morsure de la peur peuvent parfaitement décrire l'intensité de sa dimension émotionnelle. Et les sujets phobiques, qui la ressentent régulièrement, peuvent aussi raconter à quel point cette activation émotionnelle est à la fois pénible, difficile à contrôler et invalidante. Il est à peu près aussi facile à un phobique de contrôler une attaque de panique qu'à un allergique de calmer une crise d'asthme... La raison en est simple : la réaction de peur repose sur une réalité biologique d'une grande force. Il existe un centre cérébral de la peur, une zone du cerveau nommée « amygdale cérébrale ». Cette appellation vient du latin *amygdalus* : amande, en raison de la forme allongée de cette région[*]. C'est l'amygdale qui décide de lancer cette réaction d'alarme qu'est la peur. Dans des conditions normales, son fonctionnement est régulé par des structures cérébrales voisines, chargées à la fois de filtrer les informations qui vont être évaluées comme nécessitant, ou non, une réaction de peur, mais aussi de contrôler l'intensité de la peur, pour qu'elle ne soit pas contre-productive : si elle est trop intense, elle n'aidera pas à faire les meilleurs choix face au danger.

On a pu démontrer le rôle de l'amygdale de différentes manières. Chez des animaux de laboratoire, si on endommage ou si on anesthésie cette région précise, leurs comportements de

---

[*] Je parlerai de l'amygdale cérébrale au singulier, alors qu'il en existe deux, une dans chaque hémisphère cérébral. On sait de même que ces amygdales se décomposent en plusieurs noyaux, ayant chacun une fonction précise. Mais ces détails ne sont pas indispensables ici : pour les lecteurs intéressés, voir l'ouvrage de référence de Joseph LeDoux, *Psychobiologie de la personnalité*, cité en bibliographie.

peur se modifient considérablement. On fait alors disparaître la peur des serpents chez les singes, qui se mettent à s'approcher et à manipuler des reptiles sans appréhension. Il semble que même la mémoire de la peur soit altérée. Si ces singes avaient été mordus par les serpents, ils revenaient tout de même les examiner de près. Chez le rat, c'est la peur du chat qui s'envole : les rats à l'amygdale lésée s'approchent sans souci des chats, et osent leur mordiller l'oreille, ce qui leur poserait dans la nature de graves problèmes. Précisons que les chats ont été anesthésiés au préalable, sinon, le test ne pourrait avoir lieu ! À l'inverse, la stimulation par électrode de cette région de l'amygdale cérébrale entraîne des réactions de peur exagérée chez les animaux, même en l'absence de tout danger ou de tout contexte évoquant un danger...

➤ Le circuit cérébral de la peur : scénario biologique d'une séquence de frayeur

Le circuit cérébral de la peur est aujourd'hui assez bien connu dans ses grandes lignes.

Depuis plusieurs années maintenant, on sait qu'il existe sous notre cortex – zone des aptitudes mentales complexes, notamment dans sa partie frontale – un cerveau émotionnel un peu plus rustique, que nous partageons avec nos cousins animaux. Quand on confronte des phobiques à l'objet de leurs craintes, on observe une augmentation très significative du débit sanguin au niveau de cette partie du cerveau, siège de l'activation émotionnelle[76]. Comment décrire de manière simplifiée ce circuit cérébral de la peur ?

Nos organes sensoriels (vision, audition, olfaction...) reçoivent des informations de l'environnement signalant la présence ou la possibilité d'un danger : par exemple un serpent ou une branche au sol ressemblant à un serpent.

Ces informations vont activer l'amygdale cérébrale, qui lance une première alarme corporelle, sous forme d'une réaction d'éveil, de sursaut, de mise en tension.

Puis, la pertinence de cette alarme est évaluée par diverses structures cérébrales voisines de l'amygdale, impliquées dans le « circuit de la peur », notamment l'hippocampe, zone qui appartient aussi au cerveau émotionnel, agissant hors de notre volonté, et le cortex préfrontal, qui agit en partie – en partie seulement – en fonction de notre volonté.

Le noyau cérébral nommé « hippocampe » joue, entre autres, le rôle d'un comparateur avec nos expériences passées : « Ai-je déjà rencontré cette situation et cela m'a-t-il occasionné des problèmes sérieux ? » L'hippocampe est aussi capable de tenir compte du contexte autour de l'objet de la peur : par exemple un lion en cage nous provoque un discret frisson de peur (l'amygdale lance tout de même une petite réaction d'alarme), mais le fait qu'il soit en cage freine notre peur. Les phobiques ne peuvent bénéficier de ce freinage contextuel : pour eux toutes les stimulations phobiques sont prises au sérieux, et au premier degré. Le contexte ne joue qu'un rôle faible : par exemple les peurs des phobies sociales sévères peuvent survenir même avec des amis ou des proches, si les regards et l'attention se trouvent braqués sur eux.

Le cortex préfrontal fonctionne quant à lui comme le régulateur des réactions automatiques de peur. C'est lui qui doit intégrer toutes les informations sensorielles, émotionnelles, culturelles, personnelles… pour en tirer un plan d'action adapté aux besoins et au contexte de la situation rencontrée[*].

---

[*] Bien évidemment, les données d'anatomie fonctionnelle que je vous livre ici sont très simplifiées. Les connaissances scientifiques actuelles nous permettent de supposer une circuiterie encore plus complexe : certaines informations sensorielles notamment visuelles et auditives, subissent un premier traitement par le *thalamus*, une zone centrale du cerveau ; il y a deux circuits cérébraux capables de lancer l'alarme de peur, un court entre thalamus et amygdale, et un long dans lequel le cortex s'interpose entre ces deux structures ; il existe aussi d'autres parties du cerveau impliquées, comme *le noyau ventral de la strie terminale*, qui assurerait en quelque sorte le passage de la peur à l'anxiété, ou comme le locus ceruleus, qui obéit aux ordres de l'amygdale, et déclenche les réactions physiques de peur dans l'organisme… Je vous renvoie à nouveau au livre de Joseph LeDoux, *Psychobiologie de la personnalité*, et aussi à son site Internet, hébergé par le centre des neurosciences de l'Université de New York : cns.nyu.edu/home/ledoux

Reprenons notre exemple du serpent, ou de la silhouette de serpent, aperçu au sol lors d'une promenade. Nos yeux repèrent la silhouette : « Forme sinusoïdale au sol, sombre, apparemment immobile. » Ils transmettent l'information à notre amygdale cérébrale, qui lance une première alarme : « Attention, attention, forme suspecte ! » et déclenche même une première procédure de survie : « On ne bouge plus ! » Notre hippocampe fait alors tourner très vite notre stock de souvenirs : « Cette forme est-elle stockée dans ma mémoire collective ou personnelle comme source de danger ? » Pendant ce temps, notre cortex préfrontal essaie de prendre le commandement des opérations : « Continuez de me tenir au courant, mais en s'approchant doucement pour regarder, on va bien voir de quoi il s'agit sans prendre de risques exagérés. »

Si, pour une raison ou une autre, ces deux structures, hippocampe ou cortex préfrontal, ne freinent pas l'alarme lancée par l'amygdale, alors la peur ne connaît plus de barrière, c'est la panique qui s'installe : on va prendre la fuite devant une inoffensive couleuvre, ou un simple bout de bois. Ou bien, s'il y avait – ce qui peut arriver – un danger réel, on va être terrifié à la vue d'une vipère qui prend la fuite, et en retirer une peur encore plus grande pour la suite : « Dorénavant, mes enfants ne feront plus de balades en forêt, c'est trop dangereux. » Et, hélas, plus les paniques ou débuts de panique se répètent, c'est-à-dire plus la phobie reste longtemps aux commandes du comportement quotidien, plus ce circuit biologique de la peur se renforce et devient fonctionnel. Les crises de peur peuvent alors se déclencher seules, de façon apparemment absurde, un peu comme un logiciel devenu fou qui se lancerait tout seul sur votre écran d'ordinateur, à la suite d'une manœuvre à laquelle vous n'avez même pas prêté attention...

Le circuit cérébral de la peur

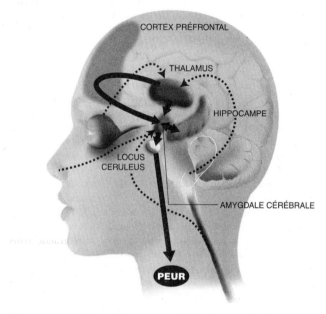

••••➤ Informations sensorielles pouvant déclencher la peur
➤ Circuit de la peur

➤ *Les rapports entre amygdale et cortex préfrontal : combat ou collaboration ?*

Dans les peurs pathologiques, c'est clairement l'amygdale qui a pris le pouvoir. Ce phénomène peut connaître plusieurs causes : le plus souvent, il s'agit de prédispositions tempéramentales (voir le chapitre précédent), ou d'expériences de vie traumatisantes. Car l'amygdale « apprend » et mémorise parfaitement les expériences et conditionnements de peur.

Grâce aux techniques de neuro-imagerie, qui permettent de visualiser quelles régions du cerveau sont impliquées dans différentes situations de vie, le rôle de l'amygdale a pu être démontré. Ainsi, la réactivité émotionnelle des patients phobiques sociaux à des photos de visages en colère ou méprisants est plus grande que celle des sujets non phobiques sociaux, et cette réactivité est objectivée par une plus grande activation (étude par résonance magnétique) de la zone de l'amygdale cérébrale[77].

Une très intéressante étude a récemment été conduite pour voir ce qui se passait dans notre cerveau lors d'une prise de parole en public[78]. Tout le monde a le trac dans une telle situation, mais, chez les phobiques sociaux, ce trac s'accompagne d'une incapacité totale à rassembler ses pensées, ses souvenirs, ou pire – en cas d'examen oral – ses connaissances. Ce que révélait l'imagerie cérébrale, c'est que chez les sujets traqueurs « normaux », la prise de parole en public s'accompagnait certes d'une augmentation de l'irrigation sanguine de la région de l'amygdale (ils ressentaient tout de même de la peur) mais surtout d'une consommation d'oxygène encore plus grande dans différentes régions corticales, correspondant à l'apport en énergie nécessaire pour la mobilisation de leurs ressources intellectuelles, afin de faire face à la situation. C'était l'inverse chez les phobiques : activation de l'amygdale très forte, et, en comparaison avec les non-phobiques, moins forte irrigation sanguine des régions corticales. Ces résultats correspondent exactement à ce que nous racontent nos patients à très grandes peurs sociales : « J'avais la tête vide, impossible de faire marcher mon cerveau, comme un énorme blanc. Mais j'étais paniqué, de façon excessive, absurde, animale... »

Cette impression d'une catastrophe qui arrive, d'un énorme malaise intérieur, c'est l'amygdale qui fonctionne à plein régime. La tête vide, ce sont les zones corticales, totalement déboussolées par l'alarme rugissante, omniprésente, terrifiante, lancée par l'amygdale...

➤ *Câblés pour la peur*

Pourquoi cette prise de pouvoir d'une zone cérébrale archaïque sur des zones plus « nobles » et plus « évoluées » ? Parce que notre cerveau nous est livré avec des réseaux synaptiques plus nombreux dans le sens amygdale-cortex préfrontal que l'inverse. Et que l'amygdale est toujours alertée la première : face à une menace, notre corps a toujours peur avant notre esprit[79].

Nous sommes câblés pour la peur dès notre naissance et c'est la vie qui va peu à peu nous apprendre à nous montrer sélectifs envers nos peurs : ce qu'on va nous apprendre, ce que nous allons observer autour de nous, ce qu'on va soi-même expérimenter... Notre cerveau, ce merveilleux ordinateur personnel, est donc équipé de série, par l'évolution, avec un logiciel nous préparant à ressentir le plus grand nombre de peurs possible. Il est probable que celui qui nous équipe est à peu près semblable à celui qui équipait nos ancêtres : mais les dangers rencontrés ne sont plus les mêmes, d'où la nécessité d'une modulation et d'une flexibilité. En fonction de son environnement, chaque être humain va procéder à des réglages de son logiciel de peurs : la sensibilité à certaines peurs sera réglée au plus bas ; les peurs utiles à la survie quotidienne, par contre, seront réglées de manière plus sensible. Et, dans tous les cas, nous pouvons modifier ces réglages, si nos besoins ou notre environnement changent. De plus, le déclenchement des réactions de peur ne « plante » pas à tout bout de champ notre ordinateur : nous ne ressentons pas constamment des attaques de panique face aux problèmes.

Ainsi, nous n'avons pas besoin d'*apprendre à avoir peur* (nous sommes équipés par la nature pour cela) mais d'apprendre *de quoi* avoir peur, et aussi de quoi *ne plus* avoir peur !

➤ *Dérèglements divers liés à la biologie de la peur*

Tous les travaux scientifiques que j'évoque ici n'ont rien d'abstrait, ils correspondent exactement à ce que décrivent les personnes souffrant de très grandes peurs…

D'abord, les peurs qui tournent très vite à la panique, et la peur de la peur : « Je fais tout pour ne pas me trouver en situation inquiétante, car si ma peur démarre, je sais que je ne pourrai rien faire pour la freiner. »

Ensuite, l'autoallumage des peurs, qui peuvent se déclencher toutes seules ou presque, à partir de rien ou de presque rien : une pensée, un regard ou un silence, un battement de cœur plus fort que les autres, un réveil en pleine nuit… Nous verrons que le système nerveux sympathique des patients phobiques est toujours à un niveau de fonctionnement trop élevé (en langage courant, ils sont toujours « sous tension »), ce qui explique ces embrasements, comme des éclairs de chaleur en plein été à la suite de journées caniculaires.

Enfin, le retour de la peur : la phobie a la mémoire longue. Même lorsqu'on aura fait des progrès, affronté victorieusement ses craintes, changé son regard sur le monde (moins de scénarios catastrophe), la peur peut toujours faire un *come-back*, comme une vieille vedette de la chanson que plus personne n'a pourtant envie d'écouter… C'est qu'en réalité notre cerveau n'oublie jamais ses peurs, et les garde archivées, en sommeil. Il peut donc suffire, alors qu'on avait vaincu ses craintes, d'une confrontation à une situation autrefois paniquante, ajoutée à une baisse de forme, pour qu'une onde de peur revienne. Cela peut décourager les plus fragiles : « Tous ces efforts pour rien »… Mais, en réalité, ces retours de la peur sont tout à fait contrôlables par les patients qui en ont été avisés, et surtout ceux qui ont travaillé par thérapie comportementale : ils savent parfaitement quoi faire pour en limiter l'extension, ct les faire rentrer dans l'ombre, si d'aventure les vieux réflexes émotionnels pointaient à nouveau le bout de leur nez.

➤ Comment « calmer » l'amygdale cérébrale ?

Ce n'est pas parce qu'un phénomène est ancré dans la biologie qu'il est inamovible.

Ce qui marche dans un sens – la sensibilisation de la peur – peut marcher dans l'autre – sa désensibilisation. Des travaux récents et passionnants ont montré que les anomalies cérébrales associées aux troubles phobiques pouvaient se normaliser sous traitement, que ce dernier soit médicamenteux ou psychothérapique[80]. Ce phénomène dit de « neuroplasticité cérébrale » est l'un des enjeux les plus passionnants de ces prochaines années pour la recherche en psychologie et en psychothérapie[81] : il rappelle tout simplement que notre cerveau évolue continuellement, en fonction des expériences que nous vivons. Je peux agir sur mon cerveau, je peux le reconfigurer, pour que les émotions pathologiques que je subis ne soient plus une fatalité.

Mais cela ne peut se faire que de manière progressive. Il s'agit d'un véritable apprentissage : si je souhaite jouer d'un instrument de musique ou parler anglais, je vais devoir y consacrer du temps. Et pas seulement apprendre la théorie, mais pratiquer régulièrement. Il en est de même pour ma lutte contre la phobie : je peux apprendre à dompter mes peurs excessives, mais cela va nécessiter des efforts, sur une certaine durée. Quelques semaines à quelques années, selon les phobies, et leur ancienneté. Attention, cela ne veut pas dire qu'il faudra tout ce temps pour commencer à aller mieux : les premiers bénéfices peuvent être rapides. Cela veut dire qu'il faudra tout ce temps pour se sentir vraiment en sécurité, c'est-à-dire non pas à l'abri de la peur (ce n'est pas possible ni souhaitable) mais capable de la réguler.

Un de mes patients m'avait un jour proposé la comparaison suivante : « Je suis aujourd'hui avec mes peurs comme un dompteur dans la cage aux fauves. Je continue de me méfier, mais c'est moi qui commande. Je ne passerai pas ma vie dans la cage, mais toutes les fois que je dois m'y rendre, je sais que je peux le faire. Et parfois, parfois seulement, j'avoue que dominer ma peur dans ces circonstances me procure un petit plaisir… »

Courage et discernement

La lutte contre les peurs phobiques obéit assez bien aux principes de la philosophie stoïcienne et de sa célèbre prière : « Donne-moi le courage de changer ce que je peux changer, la force de supporter ce que je ne peux pas changer, et l'intelligence de faire la différence entre les deux. »

Du courage, il en faut aux personnes phobiques, d'autant plus que les peurs contre lesquelles elles luttent sont invisibles aux yeux d'autrui. Personne, en dehors de leurs proches ou de leur thérapeute, ne les admirera à leur juste valeur. Elles mèneront leur combat dans l'ombre.

Elles auront aussi besoin de force d'âme, pour accepter les difficultés rencontrées en chemin, les échecs – même transitoires. La peur est un adversaire coriace, et il ne suffit pas de décider de lutter contre elle, et de le faire, pour que la partie soit facile. Les progrès se font en général en dents de scie plus que de manière linéaire. Ce n'est pas une bataille qu'il faut gagner, mais une guerre.

Elles devront faire preuve de ténacité, car nous avons vu que le travail de pacification émotionnelle qu'elles avaient à conduire était long : il ne s'agit rien de moins que de reconfigurer son fonctionnement cérébral, et de plus dans des zones particulièrement peu accessibles à notre volonté.

Il leur faudra enfin du discernement, afin que leurs efforts pour se confronter ne soient pas des violences faites à elles-mêmes : nous verrons qu'il faut se stimuler et s'encourager, et non se harceler ou se réprimander. C'est un mélange subtil d'exigence envers soi-même et de tolérance qui va s'avérer le plus efficace.

En la matière, c'est souvent le thérapeute qui montre la voie, en stimulant son patient, sans jamais oublier que ce qu'il lui demande de faire est difficile. Lorsque je pousse mes patients phobiques à affronter des situations qui les angoissent, il m'arrive d'avoir parfois des scrupules, car je vois bien que je leur fais passer un sale moment. Et que finalement nous serions bien plus tranquilles à discuter de leur enfance dans mon bureau qu'à nous balader dans le métro, à courir après des pigeons ou à demander notre chemin à tous les passants dans la rue.

Mais lorsqu'en fin de thérapie je leur demande ce qui les a le plus aidés, tous, sans exception, me répondent : « Que vous m'ayez poussé à affronter mes peurs... »

CHAPITRE 4

Comment
faire face à la peur :
premières pistes

Il faut rendre la vie impossible à nos peurs, sinon ce
sont elles qui rendront notre vie impossible.
Voici des conseils pour mener à bien cette recon-
quête de notre liberté. Voici des exercices pour mus-
cler nos capacités de confrontation à la peur. Voici
comment préparer et prolonger les traitements que
nous allons aborder dans un prochain chapitre.
Et voici surtout LA grande règle : il est impossible
de faire reculer la peur sans descendre dans l'arène.
Pour dominer ses peurs, il faut les affronter, très
souvent et très régulièrement.

« Au combat ! Je dois mettre à profit la vie, trouver de la joie, sinon je suis perdu. Mais comment, comment donc ? »

Alexandre JOLLIEN, *Le Métier d'homme*

« Si tu continues de faire ce que tu as toujours fait, ne t'étonnes pas d'avoir ce que tu as toujours eu. »

Philippe, mon patient, est très fier de me montrer cette phrase écrite sur un petit bout de papier : « J'ai trouvé cette citation et je me suis dit que cela vous amuserait, docteur. » Depuis quelques séances, nous travaillons ensemble à la modification de toutes ces habitudes quotidiennes qui nourrissent la peur, qui contribuent à la renforcer et à la faire durer. Philippe a bien compris le message : le plus important dans une thérapie, c'est ce qui se passe lorsque le thérapeute n'est plus là, aux côtés du patient. Même si nous voyons nos patients une heure par semaine, il reste tout de même une bonne centaine d'heures, durant lesquelles ils sont confrontés seuls à leur phobie…

Nous verrons dans le prochain chapitre ce qui se passe lors d'une thérapie, mais avant cela, nous allons passer en revue les efforts personnels indispensables à mettre en place au quotidien. Tous les conseils contenus dans ces pages ne pourront pas remplacer une véritable psychothérapie, si vous souffrez d'une peur sévère et ancienne. Mais ils sont l'indispensable accompagnement de cette thérapie, un complément et une prolongation des efforts que vous demandera votre thérapeute. Ils sont aussi, et surtout, la base de vos efforts de maintenance une fois que vous aurez atteint votre objectif : avoir fait reculer la peur dans des limites normales et acceptables.

Voici les dix commandements de la lutte antipeur que nous allons maintenant détailler :

1. Désobéissez à vos peurs
2. Informez-vous *vraiment* sur ce qui vous fait peur
3. N'ayez plus peur de la peur
4. Modifiez votre vision du monde
5. Confrontez-vous selon les règles
6. Respectez-vous et faites respecter vos peurs par les autres
7. Réfléchissez à votre peur, son histoire et sa fonction
8. Prenez soin de vous
9. Apprenez à vous relaxer et à méditer
10. Maintenez vos efforts sur la durée

1. Désobéissez à vos peurs

Imaginez qu'un jour quelqu'un s'installe chez vous sans que vous l'ayez invité. Il s'incruste, prend ses habitudes. Se sert dans votre frigo, dort dans votre salon, vous accompagne partout. Et commence à vous donner des ordres : « Gratte-moi le dos, apporte-moi le petit déjeuner au lit, cire mes chaussures, laisse-moi ta chambre et va dormir au salon… » Si vous lui obéissez, quelle raison aurait cette personne de partir de chez vous ? Aucune : plus vous vous soumettrez, plus l'hôte indésirable prendra ses aises chez vous, et n'aura aucune tendance à quitter votre domicile.

Eh bien, c'est exactement ce qui se passe avec la peur : si vous lui obéissez chaque fois qu'elle vous dit « ne fais pas cela », « baisse les yeux », « fais un détour », « prends la fuite », « ne sors pas sans te faire accompagner », alors elle n'a aucune raison de diminuer, encore moins de disparaître.

Je propose souvent à mes patients cette métaphore de « l'invité indésirable » pour les pousser à réfléchir au rapport de trop grande tolérance, de trop grande soumission, qu'ils entretiennent avec leur peur excessive, parfois sans s'en rendre clairement compte. Il faut considérer la phobie comme un hôte indésirable, dont on va tout faire pour qu'il n'ait pas envie de prolonger son séjour. Il faut rendre la vie impossible à la phobie ; car sinon, c'est la phobie qui rendra votre vie impossible.

Cette évidence n'est pas si claire aux yeux de beaucoup de personnes phobiques : après de longues années d'évolution, elles finissent par ne plus faire nettement la différence entre leurs intérêts propres et ceux de leur pathologie. Pourtant, cette réflexion et ce recul sont indispensables, car les intérêts des deux parties sont radicalement opposés : là où les personnes phobiques aimeraient redevenir autonomes et sereines, la phobie, elle, tend à les maintenir dans la dépendance et la peur. Il est donc capital que je me dissocie de ma peur, que je comprenne que mes intérêts sont divergents des siens. Sinon, au bout d'un certain temps d'évolution, les évitements, imposés par la peur, auront tendance à se présenter comme des pseudo-choix personnels. On se dira ainsi : « Je ne vais pas dans les soirées parce que je m'y ennuie, on n'y parle que d'argent et de choses superficielles. » Et non : « J'ai peur, je ne sais pas quoi dire, je crains de rester à l'écart ou de me faire remarquer par mon émotivité ou mon silence forcé. » Ou encore : « Je ne prends plus le métro parce que c'est sinistre et que ça sent mauvais », et non : « J'ai une peur bleue que la rame se bloque entre deux stations, et de me mettre à étouffer ou à paniquer. » Au bout d'un moment, les évitements sont habillés en choix de vie par la phobie, et passent inaperçus. Ils continuent pourtant d'être des renoncements toxiques.

Il faut donc oser désobéir à sa peur, du moins à ses excès, et lui déclarer la guerre.

Évidemment, elle ne va pas se laisser faire : en affrontant ce que la phobie nous ordonne d'éviter, on va ressentir automatiquement une augmentation de la peur et de l'inconfort émotionnel. Mais souvenez-vous qu'en obéissant à la phobie, par vos évitements, vous achetez au prix fort votre tranquillité : pour un peu de tranquillité sur le moment, vous sacrifiez votre avenir. Consentir à ce type de confort au présent, c'est renoncer à sa liberté future.

Nous le verrons, vos efforts pour vous confronter ne seront d'ailleurs pas si coûteux que cela : le plaisir de commencer à remporter de petites victoires sur la peur fait oublier le coût émotionnel des affrontements, surtout lorsqu'on commence à comprendre que l'on dispose d'une méthode cohérente, qui va assurer la pérennité de nos progrès.

Mais attention, la lutte contre une phobie n'est pas une bataille, c'est une guerre d'usure. Il ne suffit pas de remporter un combat, et de mettre ponctuellement l'adversaire en fuite : il faut peu à peu remporter toutes les batailles, jusqu'à son recul complet et durable. Repoussez l'adversaire là où il doit être : derrière les frontières de la peur normale. Et maintenez la capacité de le faire reculer chaque fois qu'il pourra lui venir à l'esprit de vous porter une nouvelle attaque (ce que l'on nomme le retour de la peur). Je suis désolé d'importer ce langage guerrier dans la psychologie, mais cela correspond à la réalité. Ne pactisez plus : bagarrez-vous ! Acceptez de ce fait que votre vie soit moins tranquille pendant quelque temps : de toute façon, la vie avec la phobie, ce n'est pas la vie dont vous rêviez, n'est-ce pas ? Aucune guerre n'est agréable, mais certaines sont nécessaires : cette guerre de libération l'est.

Nous l'avons vu durant les chapitres précédents : vous n'êtes pas coupable de votre phobie. Nul ne choisit d'être phobique, et nul ne se réjouit de l'être.

Vous êtes en revanche responsable de la lutte contre la phobie. Il est important que vous changiez votre attitude mentale : passez du subir à l'agir, de la position de victime à celle de combattant. Mais attention, nous allons voir que cet esprit belliqueux ne doit pas vous faire oublier une chose : ce n'est pas la peur que vous souhaitez faire reculer, c'est la phobie, c'est-à-dire l'excès de peur, et l'ensemble des réactions inadaptées à la peur. Le problème, c'est le dérèglement de ce système d'alarme naturel. Nous verrons qu'il faut paradoxalement accepter la peur, la sensation de peur. Ne plus en avoir peur. Mais n'acceptez plus la phobie, ne vous soumettez plus à elle. Plus vous collaborerez, plus le problème durera.

2. Informez-vous vraiment
sur ce qui vous fait peur

Une de mes patientes claustrophobes avait la conviction qu'elle pouvait mourir étouffée en quelques minutes dans un ascenseur bloqué, ou en avalant une pilule de médicament de travers. Une autre qui souffrait d'une phobie du sang, des piqûres et des injections me racontait ainsi ses peurs : « Quand on va me piquer, je ne vais plus pouvoir me contrôler, je bougerai et l'aiguille se cassera dans mon bras », « Un bout de l'aiguille va remonter jusqu'à mon cerveau et provoquer un accident vasculaire cérébral », « L'aiguille va traverser mon bras », « On va me prendre beaucoup de sang pour les examens, et je vais avoir un malaise. »

On retrouve de telles croyances dans la plupart des phobies. Elles paraissent évidemment absurdes et excessives aux yeux des personnes non phobiques. Le psychothérapeute américain Albert Ellis définissait d'ailleurs les troubles phobiques comme des « comportements stupides mis en œuvre par des personnes intelligentes[82] ». La formule fait mouche, mais le problème est en réalité un peu plus compliqué, vu de l'intérieur.

Ce n'est pas que les phobiques ne s'intéressent pas à ce qui leur fait peur. C'est plutôt qu'ils s'y intéressent mal : de façon trop partiale et trop superficielle.

Partiale, car ils tendent à ne collecter que les informations qui confirment leurs craintes. Les phobiques de l'avion ont souvent en mémoire les grandes catastrophes aériennes ; mais ils sont moins frappés par l'immense majorité des avions qui ne s'écrasent pas. Les phobiques des chiens se rappellent parfaitement les récits de personnes cruellement mordues dans leur entourage ; mais pas l'immense majorité des chiens paisibles ou des morsures bénignes. Celles et ceux qui craignent de rougir gardent parfaitement le souvenir des remarques moqueuses qui leur ont été faites à ce sujet ; mais oublient volontiers tous les échanges où personne ne s'est soucié de leur rougissement. Or, comme le rappelait le philosophe Hegel, il vaut mieux « écouter la forêt qui pousse, plutôt que l'arbre qui tombe ».

L'abord que les patients ont de ce qui leur fait peur est aussi superficiel, car, dans un réflexe compréhensible, ils évitent tout ce qui leur rappelle leur phobie. Beaucoup de phobiques des oiseaux ou des araignées, par exemple, ignorent tout de ces animaux : ils fuient soigneusement tout article de journal, tout livre, toute émission de radio ou de télé qui évoque ce sujet qu'ils redoutent tant. Mais en procédant ainsi, ils se maintiennent dans un état d'ignorance tel qu'ils peuvent continuer de fantasmer sur tout un tas de dangers : que les oiseaux, s'ils s'affolent, peuvent leur crever les yeux, ou que les araignées n'ont qu'une idée, attaquer férocement les humains. Beaucoup de personnes souffrant d'attaques de panique pensent qu'elles peuvent réellement devenir folles lors d'une crise d'angoisse, alors que les psychiatres savent que la « folie » n'a rien à voir avec la spirale de l'angoisse. Beaucoup de phobiques sociaux se sentent observés et jugés en permanence par les autres, alors que tous les travaux sur les interactions sociales montrent que nos interlocuteurs sont en général assez indifférents à nos états d'âme, et se révèlent de piètres observateurs d'autrui.

Il est donc important de se pencher différemment sur l'objet de vos craintes, et d'obtenir toutes les informations nécessaires. Aucune de vos questions n'est ridicule et vous devez oser les poser aux personnes qui détiennent les réponses. Peut-on mourir de peur ? Pourquoi les serpents tirent-ils leur langue ? Un chien peut-il tuer un humain ? Beaucoup de traitements de phobies doivent comporter cette phase de mise à plat des informations. Par exemple, plusieurs compagnies aériennes proposent aux phobiques du vol des visites à bord d'avions au sol, accompagnées par des pilotes ou des hôtesses qui leur expliquent comment un objet plus lourd que l'air peut voler, ce qui se passe en cas de panne de réacteur, etc. Une de mes patientes m'avait ainsi raconté sa première crise de panique lors d'un vol aérien : le pilote avait signalé aux passagers le survol du mont Blanc sur un des côtés de l'appareil. Tout un groupe de voyageurs s'était alors précipité sur le côté en question, terrifiant ma patiente, persuadée que cet afflux de passagers risquait de déséquilibrer l'avion comme une barque, et de l'entraîner vers le sol dans une chute irrémédiable et mortelle. Bien évidemment, vu la masse de l'appareil et sa vitesse, le risque était nul.

Beaucoup de patients ne prennent pas la peine d'aller jusqu'au bout de cette démarche de recherche d'informations, tout simplement parce qu'elle est émotionnellement pénible : elle représente déjà en elle-même un premier effort de confrontation.

Ces informations ne peuvent tenir lieu de traitement à elles seules, mais elles en représentent un préalable utile. Elles devront de toute façon être « vérifiées » sur le terrain : souvenez-vous que votre cerveau émotionnel n'écoute jamais votre cerveau rationnel. Comme saint Thomas qui ne croyait que ce qu'il voyait, lui ne croit que ce qu'il ressent…

Questions les plus fréquemment posées par les personnes phobiques, et quelques éléments de réponse

Type de phobie	Craintes possibles	Réponses rationnelles
Phobie de l'étouffement	Peut-on s'étouffer en avalant de travers ?	Non, à moins d'être très âgé, ou de souffrir de maladies spécifiques dont vous seriez informé.
Phobie des araignées	Une araignée peut-elle être agressive sous l'effet de l'affolement ?	Elle n'a qu'une envie, comme vous, celle de fuir. Aucunement celle de vous attaquer, surtout si vous vous tenez à distance : vous êtes une proie bien trop énorme !
Phobie d'impulsion	Peut-on perdre le contrôle de soi et faire du mal à quelqu'un, en le frappant ou en l'insultant ?	Seulement sous l'effet de la colère, et non de la peur, et cela n'a rien à voir avec la phobie.
Claustrophobie	Lorsqu'un ascenseur (ou une rame de métro) se bloque, y a-t-il un moment où l'on va manquer d'air ?	Non, l'air circule bien dans les ascenseurs et les tunnels. Ce n'est pas un air de première qualité, mais il est largement suffisant pour que vous puissiez y passer des heures sans danger, quoique sans confort. Il ne faut pas confondre inconfort et danger.

Type de phobie	Craintes possibles	Réponses rationnelles
Phobie de l'eau	Peut-on couler et se noyer si on s'affole ?	Un adulte normalement constitué a toujours des réflexes de survie qui lui permettent de surnager le temps que les secours arrivent.
Trouble panique (phobie du malaise et de la perte de contrôle de soi)	Peut-on devenir fou lors d'une crise d'angoisse ?	Non, on a cette impression, mais aucun cas de ce type n'a jamais été signalé dans l'histoire de la psychiatrie moderne.
Phobie des orages	La foudre peut-elle frapper quelqu'un à l'intérieur d'une maison ?	Non, elle ne peut vous frapper qu'à l'extérieur, si vous êtes debout en plein champ, ou sous un arbre. Elle peut frapper aussi – très rarement – vos appareils ménagers, en suivant les fils électriques, téléphoniques, ou l'antenne TV. Mais vous ne risquez rien si vous ne manipulez pas ces appareils durant un orage.
Phobie sociale	Juge-t-on plus négativement les gens qui rougissent ?	Non, dans la plupart des situations, les interlocuteurs ont une vision tolérante du rougissement[83]. Et encore faut-il qu'ils le remarquent…
Phobie du vide	Peut-on perdre la tête et se jeter dans le vide si on a un vertige trop fort ?	Jamais, bien évidemment. Mais la plupart des acrophobes le « voient » le faire : leurs craintes se transforment en images impressionnantes.
Phobie de la conduite	Peut-on avoir un malaise brutal, qu'on ne sente pas venir, et provoquer un accident ?	Il faudrait pour cela que vous souffriez d'une maladie particulière (épilepsie mal stabilisée par le traitement, narcolepsie…), et vous seriez, là encore, probablement au courant.
Beaucoup de phobies…	Peut-on mourir de peur ?	Non, malgré les nombreuses histoires qui courent à ce sujet. À moins que vous ne soyez atteint de maladie cardiaque, avec des coronaires en très mauvais état. Vous seriez au courant…

3. N'ayez plus peur de la peur

« Tu trembles, carcasse, mais tu tremblerais bien davantage si tu savais où je vais te mener. »

Cette phrase est attribuée au maréchal Henri de Turenne (1611-1675). Réputé pour sa bravoure, Turenne ressentait de la peur lors de chaque bataille, mais ne se laissait pas intimider par elle. Ce programme convient parfaitement aux personnes phobiques. Il est normal d'avoir peur. Le problème n'est pas de commencer à ressentir de la peur, mais notre réaction à la peur : paniquer face à celle-ci. Et la solution n'est donc pas d'éviter à tout prix que la peur ne survienne, mais d'apprendre à ne plus la craindre en s'entraînant régulièrement à la contrôler. Ce qui permettra de progressivement la désamorcer, et de faire diminuer son intensité.

La démarche de la personne phobique ne doit donc pas seulement être basée sur la confrontation avec la peur, mais aussi sur l'acceptation d'une certaine dose de peur. Rappelons qu'il faut concevoir la lutte contre la phobie comme une forme de rééducation de son allergie à ce qui fait peur, comme le recalibrage d'un système d'alarme déréglé. La peur est normale, répétons-le : le but n'est donc pas de la supprimer mais d'en faire bon usage et de la régler à un niveau qui soit utile sans être éprouvant.

Ce travail d'acceptation est d'autant plus utile et nécessaire que de nombreuses émotions négatives sont liées à la survenue ou au retour de la peur : accepter sa peur, c'est arriver à ne plus éprouver face à elle ni crainte, ni honte, ni tristesse. C'est ne plus considérer la peur comme un défaut de force ou de volonté, et ne plus porter un jugement moral sur sa survenue, mais simplement la considérer comme un problème et essayer de le résoudre semaine après semaine.

➤ *Ne plus avoir peur de la peur*

« Quand je sens revenir en moi ces sensations, le cœur qui cogne ou s'affole, l'écho de ses battements dans mes oreilles, le souffle court... je commence à paniquer. Je n'ai même pas besoin d'être dans la situation, il me suffit d'y penser suffisamment fort ou précisément pour commencer à ressentir la morsure de la peur, et à m'affoler... Je panique de ma propre peur, de ma peur naissante, comme un animal qui a peur de son ombre. »

Le phénomène de la peur de la peur décrit ce sentiment, très fréquent chez les personnes phobiques, de perte de contrôle en cas de survenue de la peur. De ce fait, elles essaient à tout prix de ne pas commencer à ressentir de la peur, car elles ne savent pas où finira une peur débutante. Ou plutôt, elles pensent le savoir : cela finira par la folie, un arrêt cardiaque, ou quelque chose de ce style... Nous allons voir que la seule solution, c'est de s'entraîner de nouveau à avoir peur, régulièrement, dans des circonstances contrôlées : c'est la thérapie par exposition, dont nous parlerons dès le prochain chapitre.

➤ *Ne plus avoir honte de la peur*

« Ce n'est pas normal d'être comme ça, à mon âge. Paniquer pour des bêtises pareilles. Dans ces moments-là, je me sens faible, minable, sans volonté... » Ce type d'autoverbalisations négatives est également très fréquent. Beaucoup de personnes phobiques ont honte de leurs peurs. Auraient-elles honte d'être myopes, ou diabétiques, ou hypertendues ? Non. Pourtant, elles ne sont pas plus responsables de l'existence de leurs phobies qu'elles ne le seraient de ces autres troubles. Ne portez pas un jugement moral sur votre peur. Considérez-la plutôt comme un problème à résoudre. La question importante n'est pas : « Pourquoi suis-je si faible, si peureux ? », mais : « Comment faire pour limiter peu à peu l'intensité de cette peur qui me dérange et que je désapprouve ? »

➤ *Ne plus être triste d'avoir peur*

« J'avais fait des progrès, et puis patatras, j'ai eu une nouvelle crise de panique. J'étais effondrée, je me disais que je ne m'en sortirais jamais, que mes efforts étaient condamnés à l'échec... »

Il existe encore trop de croyances erronées à propos du changement psychologique. On le perçoit encore comme fonctionnant par « déclic » : une fois que j'aurai compris pourquoi j'ai ce problème, ou que je l'aurai affronté, il sera réglé. Il s'agit évidemment d'une vision illusoire de la psychothérapie, popularisée par certains films hollywoodiens : le héros ou l'héroïne comprend tout à coup d'où venaient ses problèmes, ses yeux s'embuent de larmes (il y a en général des violons derrière) et tous ses soucis s'évanouissent, pour toujours.

Les vraies thérapies – hélas – ne fonctionnent pas de la sorte. Elles ressemblent davantage à des apprentissages, c'est-à-dire à ce qui se passe lorsque vous essayez d'arrêter de fumer ou d'apprendre à skier : on souffre, on essaie, ça marche puis ça ne marche pas, puis ça remarche... Un peu décourageant, mais si on persévère, on y arrive toujours : un beau jour, à l'occasion d'une confrontation imprévue, on réalise que les anciens réflexes ont complètement disparu...

Ce qui est vrai pour le début des efforts de changement – ce qui a marché hier ne marchera pas forcément aujourd'hui – l'est aussi pour les rechutes éventuelles. La peur a la mémoire longue, et peut se réveiller à des années de distance, même après un traitement réussi et une liberté de mouvements retrouvée. Il faudra alors resserrer les boulons, et non pas se dire, à propos de ce « retour de la peur » (le ROF des thérapeutes anglo-saxons : *Return Of Fear*) : « C'est fichu, je ne m'en sortirai jamais. » Mais plutôt : « Ce n'est pas un retour de la maladie, c'est juste un retour de la peur... »

4. Modifiez votre vision du monde

Le contraire de l'adjectif « phobique » est-il « courageux » ou « inconscient » ? Pour le philosophe français du XVIIᵉ siècle Helvétius, « le courage est souvent l'effet d'une vue peu nette du danger qu'on affronte ou de l'ignorance entière du même danger ». Ce risque de myopie psychologique envers le danger ne menace pas les personnes phobiques ! La phobie serait plutôt, pour reprendre les mots d'Helvétius, l'effet d'une vue *trop* nette du danger qu'on affronte ou de la *conscience extrême* du même danger...

Nous avons déjà parlé de la capacité des personnes phobiques à déceler très tôt les signes de danger éventuel. Cela souvent à tort, leurs réactions de peur s'apparentant alors à de fausses alarmes. Mais il faut comprendre que ces réactions s'inscrivent dans un contexte plus vaste encore, et dans une véritable vision du monde, qui repose sur trois grandes familles de craintes phobiques :

• *Le monde est dangereux*, et j'ai peur de tout ce qui peut se passer (le danger règne à l'extérieur).

• *Je ne suis pas fiable*, et j'ai peur de mes propres réactions (le danger peut aussi venir de l'intérieur).

• *Je ne suis pas capable* de faire face, et je ne peux pas me faire confiance (je ne peux survivre que par la fuite ou l'évitement).

➤ *Le monde est dangereux :*
le rôle des scénarios catastrophe

Si la personne phobique redoute tant de choses, c'est qu'elle adhère souvent à de nombreux « scénarios catastrophe » : ce sont des prédictions catastrophiques, le plus souvent erronées, de ce qui va *sûrement* se passer en cas de confrontation :

– « Le pigeon va s'affoler et se jeter sur moi en voulant s'enfuir. Il me crèvera un œil. Comme ces animaux sont

sales et souillés, la plaie s'infectera, je perdrai mon œil, j'aurai peut-être une septicémie… »
- « Si je ferme cette porte à clé, elle va se bloquer et je ne pourrai plus sortir et j'aurai un malaise. Personne ne pensera que je suis en train d'agoniser dans ces W-C. On ne retrouvera que mon cadavre… »
- « Si je pose une question, je vais rougir et tout le monde le remarquera et me jugera inférieur et stupide. Je serai peu à peu mis à l'écart. Mon entourage se moquera et se détournera de moi, je finirai seul et abandonné de tous… »

Ces scénarios catastrophe apparaissent comme hautement probables à la personne phobique, avec deux conséquences majeures : ils favorisent les évitements, et provoquent de la détresse. Une très belle évocation de telles anticipations catastrophiques est évoquée dans le roman *Le Pigeon*[84], de Patrick Süskind, qui raconte une incroyable histoire de phobie des oiseaux. N'osant plus retourner chez lui par peur de se retrouver nez à nez avec des pigeons croisés peu auparavant dans l'escalier, le héros se projette tout à coup dans un terrible scénario catastrophe sur son avenir : « Ta chambre, tu l'as de toute façon perdue depuis longtemps, elle est habitée par un pigeon, par une famille de pigeons qui salit et dévaste ta chambre, les notes de l'hôtel atteignent des sommes énormes, tu te soûles pour oublier tes soucis, tu bois de plus en plus, tu bois toutes tes économies, tu deviens définitivement esclave de la bouteille, tu tombes malade, c'est la déchéance, la pouillerie, la décrépitude, on te met à la porte de la dernière et la moins chère des pensions, tu n'as plus un sou, tu n'as devant toi que le néant, tu es à la rue, tu dors et tu habites dans la rue, tu défèques dans la rue, c'est la fin, Jonathan, avant moins d'un an ce sera la fin, tu seras un clochard en haillons couché sur un banc de square comme cette loque, là-bas, qui est ton frère… »

Peu d'ouvrages donnent une vision aussi juste et troublante de la disproportion absurde, du moins vue de l'extérieur, entre le problème de départ et la souffrance entraînée par une « simple » phobie.

La confrontation à ces scénarios catastrophe, par la réflexion et surtout par l'action, ce que les thérapeutes cognitivistes appellent joliment des « épreuves de réalité », est évidemment un des fondements de toute thérapie des phobies.

Mais il arrive aussi que certains patients n'éprouvent pas de contenus ainsi « mentalisés » à leurs peurs : ils ressentent simplement une peur dévastatrice et viscérale, sans avoir clairement à l'esprit, du moins sur le moment, ce qui leur fait peur. Leurs phobies n'en sont pas moins pénibles.

➤ *Je ne suis pas fiable et mes réactions peuvent me desservir : le danger est en moi-même*

Nous avons déjà parlé du phénomène de la peur de la peur, cette crainte de perdre le contrôle de soi sous l'emprise de la frayeur. La spirale de la peur de la peur est assez largement alimentée par le « raisonnement émotionnel », qui consiste à interpréter ses réactions physiques de peur comme la preuve qu'il y a bien un danger : « Si je me sens mal, c'est la preuve que le danger est là, ou bien qu'il va arriver. » « Si je me *sens* ridicule c'est que je *suis* ridicule. » « Si mon cœur cogne comme ça, je suis probablement en train d'avoir un infarctus… »

Ainsi, à partir d'un malaise modéré, le phobique s'englue dans une spirale d'interprétations erronées ou excessives, basées essentiellement sur une foi excessive en ses sensations ou intuitions. Cette confusion entre ce que l'on ressent et ce qui est réellement en jeu illustre bien un autre des paradoxes phobiques : le mauvais usage d'une réelle hypersensibilité, qui nous précipite dans l'affolement plutôt que dans des stratégies d'adaptation à l'environnement.

➤ *Je ne suis pas capable :*
le sentiment de contrôle déficient

Les personnes phobiques ont le plus souvent la conviction qu'elles disposent de peu de ressources pour faire face à la situation.

Si elles ne peuvent éviter les situations, elles auront donc tendance à devenir dépendantes de solution externes, les rares fois où elles vont oser se confronter : être toujours accompagné, garder sous la main son téléphone portable, des médicaments au cas où…

C'est aussi ce qui explique qu'elles inspectent instantanément toutes les possibilités de recours dans les situations angoissantes : le claustrophobe entrant dans un cinéma recense les issues de secours et se débrouille pour ne pas en être trop éloigné ; le phobique social qui doit demander un renseignement à un vendeur passe des heures pour vérifier quel est celui qui a l'air le plus gentil et pour choisir le bon moment, afin de ne pas risquer de se faire rabrouer ; le phobique des oiseaux se faufile derrière quelqu'un de corpulent pour traverser une place fréquentée par les pigeons…

Une de mes patientes phobiques de l'avion, mais qui était obligée de le prendre de temps en temps pour aller voir sa famille en Afrique du Nord, demandait systématiquement aux hôtesses si par hasard il n'y avait pas un médecin embarqué lui aussi dans l'avion, ou à défaut, si elle pouvait être assise à côté de quelqu'un qui aimait bien parler, car bavarder la distrayait de ses peurs.

Ces précautions représentent en fait une forme atténuée d'évitements, et posent les mêmes problèmes : elles empêchent de vérifier que le danger n'existe pas. Elles seront donc peu à peu combattues elles aussi. Mêmes si elles ont l'avantage relatif, par rapport aux « vrais » évitements, de permettre un certain degré de confrontation.

➤ *Peur avant, peur pendant,*
peur après : peur toujours…

Plus une phobie est sévère et complexe, plus elle va habiter en permanence le quotidien de la personne, même en dehors des moments de confrontation : on sera mal avant, pendant, après les confrontations…

Avoir peur longtemps à l'avance lorsqu'on sait qu'on va devoir se confronter est un phénomène classique. Une de mes patientes me disait ainsi avoir un véritable calendrier dans la tête, où figuraient toutes ses sorties et les « risques » qu'elles impliquaient à ses yeux : « Dans ces cas-là, quinze jours avant, je commence à ne plus dormir. Donc, je ne dors pas souvent bien… »

Cette anxiété anticipatoire est bien connue, mais un phénomène reste encore à étudier, qui me semble très important, c'est la rumination postconfrontation. On sait depuis longtemps que les déprimés ruminent beaucoup, et que face à des situations d'échec, ils tendent à se rappeler tous leurs ratages antérieurs, ce qui aggrave encore leur humeur triste. La mémoire des pho-

Les séquences chronologiques de la peur excessive

Moment	Mécanisme psychologique prédominant	Conséquences
Avant la confrontation	J'anticipe tous les problèmes possibles (scénarios catastrophe).	Augmentation de la peur anticipée (anxiété) et du sentiment de vulnérabilité.
Pendant la confrontation	Je me focalise sur les signaux de danger (externes ou internes) et je fais une lecture négative des éléments ambigus.	Augmentation de la peur, diminution des capacités adaptatives à la situation.
Après la confrontation	Je me remémore les éléments angoissants ou dévalorisants de ce qui s'est passé.	Honte, maintien d'un sentiment de vulnérabilité pour les prochains affrontements.

biques semble, elle aussi, obéir à de tels mécanismes[85, 86]. Cela est manifeste lorsqu'on discute avec eux de leurs peurs : les phobiques ont des stocks quasi infinis de souvenirs et d'histoires de chasse confirmant leurs craintes.

5. Confrontez-vous selon les règles

« Dans le métro, ne pas aller me blottir dans un coin, ni rester tournée contre la porte, tête baissée. Mais monter par un bout de la rame, la traverser tête haute, en regardant tous les passagers, comme si je cherchais quelqu'un. À la station suivante, descendre, monter dans la voiture suivante et renouveler la même opération. Et ainsi de suite durant les trente minutes de mon trajet, matin et soir. Faire de même lorsque je voyage en train : traverser tout le train, remonter tous les wagons, en regardant les visages des passagers, comme si je cherchais une connaissance. En été, chaque fois que je passe devant une terrasse de café, m'arrêter devant, et là encore, regarder tout le monde, comme si je cherchais un ami… »

Nous prescrivons de tels exercices quotidiens à beaucoup de nos patients présentant une phobie du regard, dont nous reparlerons dans le chapitre consacré aux peurs sociales.

Ces exercices sont la première et la principale nécessité du travail sur sa phobie. Aucun progrès ne peut se faire sans confrontation avec la peur : c'est ce qu'on appelle en thérapie comportementale les techniques d'*exposition*. Si vous souffrez de phobie, il est probable que vous aurez à les mettre en place avec l'aide d'un professionnel de santé : nous détaillerons plus loin la manière dont elles sont conduites dans le cadre d'une thérapie. Mais voici déjà les bases que vous devez connaître et respecter pour en tirer le meilleur. Vous le verrez, la méthode n'est simple qu'en apparence : ces confrontations doivent obéir à des règles très précises pour être efficaces.

COMMENT FAIRE FACE À LA PEUR : PREMIÈRES PISTES • 113

➤ *Pourquoi se confronter ?*

Dans son roman *Les Faux-Monnayeurs*, Gide écrit : « L'expérience instruit plus sûrement que le conseil. » Pour guérir une très grande peur, l'intelligence et les bons conseils ne suffiront pas : vous allez devoir descendre dans l'arène. Pour apprendre à réguler les émotions liées à la phobie, au lieu de les subir. Pour mettre en place de nouvelles façons d'agir et de réagir, au lieu de fuir. Pour acquérir de nouvelles façons de penser et de percevoir les situations, au lieu de toujours n'y voir que du danger, sans jamais vérifier réellement si ce même danger survient réellement.

Nous avons déjà vu comment des évitements chronicisent une phobie. Les médecins avaient très tôt identifié comment certains patients, en se confrontant régulièrement à leurs peurs, arrivaient à s'en débarrasser. Dès le début du siècle, le grand psychologue français Pierre Janet avait proposé à ses patients phobiques des stratégies de confrontation progressive assez proches des actuelles thérapies comportementales par exposition[87]. L'intérêt de ne plus fuir ce qui angoisse relève d'une certaine logique, et n'échappe pas à l'entourage des phobiques, qui abreuve ces derniers de bons conseils ou les pousse, parfois vigoureusement, à se « jeter à l'eau ». Il n'échappe pas non plus aux patients eux-mêmes qui le plus souvent ont effectué, mais en vain, des efforts pour se confronter. Pourquoi ces efforts n'ont-ils pas marché ? Ces confrontations, spontanées ou obligées, ne sont pas toujours productives, car l'affrontement des peurs phobiques doit obéir à quelques règles assez strictes pour être durablement efficace.

➤ *Les règles à respecter pour éteindre durablement les peurs phobiques*

Pour qu'une confrontation soit efficace sur une très grande peur, il faut s'exposer selon quelques règles strictes.

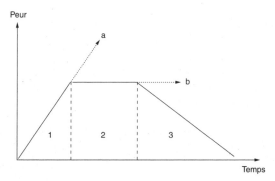

Intensité de la peur lors d'une séance d'exposition prolongée.

Phase 1 : montée. Phase 2 : stabilisation. Phase 3 : décroissance.
Pointillés : (a) anticipation d'une montée sans limites de la peur (scénario catastrophe) ; (b) anticipation d'un maintien sans fin de la peur à son niveau maximal.

L'exposition doit être longue : il faut rester dans la situation angoissante pendant un temps suffisamment long pour voir
sa peur commencer à diminuer. En pratique, on considère que
l'angoisse doit avoir diminué de 50 % au moins avant qu'un
exercice de confrontation puisse prendre fin. Les exercices
d'exposition peuvent donc difficilement durer moins de
45 minutes. Je recommande à mes patients, lorsqu'ils les effec-
tuent eux-mêmes, de toujours prévoir une heure ou deux devant
eux. C'est beaucoup ? Oui, c'est beaucoup. Mais pensez juste
que la phobie est une maladie à temps plein : si vous cherchez à
la faire reculer en dilettante et à temps partiel, vos chances sont
maigres… Les travaux expérimentaux sur le déroulement d'une
séquence de peur montrent en effet que si la personne reste suffisamment longtemps confrontée à la situation redoutée, sa
frayeur finit toujours par diminuer notablement. Le problème,
c'est que les patients ne se maintiennent en général pas dans la
situation angoissante, parce qu'ils anticipent que la peur va
indéfiniment monter et s'accroître, jusqu'à atteindre un niveau

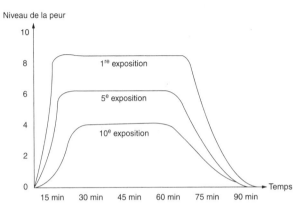

Évolution du niveau de la peur lors de séances répétées d'exposition.

insupportable ou dangereux ; ou bien qu'elle va rester à son niveau le plus élevé et ne jamais diminuer. Ils en arrivent donc à la conclusion qu'il faut fuir la situation, physiquement ou mentalement, pour survivre. Ces deux anticipations sont bien sûr erronées, mais tant que le patient n'ira pas jusqu'au bout pour les vérifier, le doute subsistera : « Si je n'avais pas pris la fuite, une catastrophe serait certainement arrivée. »

*L'exposition doit être complèt*e : il ne faut pas qu'il y ait, pendant l'exposition, d'évitements dits « subtils ». Chez les phobiques d'animaux, cela peut être détourner son regard, pour diminuer le sentiment de peur. Chez les paniqueurs, s'appuyer sur un meuble, pour prévenir la survenue d'un malaise. Chez les phobiques sociaux, beaucoup parler, pour éviter un silence et supporter alors un regard observateur sur soi. Il en existe bien évidemment une infinité. Chaque personne phobique doit apprendre à repérer ces petits trucages inconscients qui risquent sinon d'altérer l'efficacité des exercices.

Les expositions doivent être répétées : pour traiter efficace-ment une très grande peur, une fois ne suffit pas, et les exercices doivent être régulièrement recommencés. C'est cette répétition qui fera que peu à peu l'intensité et la durée de la peur baisseront, et ce durablement, parce que vos efforts auront un impact biologique, au travers de la neuroplasticité, cette reconfiguration de vos synapses cérébrales dont nous avons parlé au début de ce livre. Au fur et à mesure des expositions, l'anxiété montera moins haut, et durera moins longtemps. N'oubliez pas : vous devez peu à peu apprendre à votre cerveau émotionnel qu'il n'y a pas de danger, et cet apprentissage, comme tous les apprentissages, nécessite des répétitions régulières. En matière de phobie, une fois ne suffit jamais. Vous avez à « user » la réaction conditionnée de peur ; une de mes patientes me disait qu'au cours de ces exercices, elle s'attelait à « fatiguer la peur »... C'est pour cela que les thérapeutes prescrivent toujours des exercices à leurs patients, à réaliser quotidiennement entre les séances. Ces exercices sont l'équivalent des gammes que vous donnerait à faire un professeur de musique. Ils sont, comme elles, indispensables à vos progrès.

L'exposition doit être progressive : on recommande dans la plupart des cas de commencer par s'exposer progressivement à des situations de difficulté croissante. Inutile de se faire violence et de se sentir perdre pied : cela serait alors contre-productif. Si cela vous arrivait, cela voudrait dire que vous avez visé trop haut, et qu'il faut vous fixer un objectif plus modeste. Vous devez en effet établir une liste d'objectifs, qui représenteront autant d'étapes à franchir les unes après les autres. Par exemple pour un phobique des hauteurs : se mettre debout sur une chaise, puis sur une table, puis grimper à un escabeau ou une échelle, se pencher au-dessus d'un balcon, d'un pont, etc. Souvenez-vous que la phobie représente un ensemble d'habitudes anciennes, qu'on ne peut bousculer en une seule fois. Comme l'écrivait Mark Twain : « On ne se débarrasse pas d'une habitude en la flanquant par la fenêtre, mais il faut lui faire descendre l'escalier marche par marche... »

Voici à titre d'exemple la liste des objectifs établie avec l'une de mes patientes acrophobe (phobie des hauteurs et du vide) lors d'une thérapie par exposition graduée. Ces exercices reprenaient en gros ce que nous avions fait ensemble en séance, et la patiente devait les pratiquer régulièrement entre les séances. Ils sont classés par degré croissant de difficulté :

– regarder en bas dans la rue par sa fenêtre, depuis le troisième étage, tous les matins et tous les soirs, assez longtemps, en restant penchée au-dessus du vide jusqu'à ce que la sensation d'inconfort ait disparu, au lieu de se retirer précipitamment dès les premières secondes ;

– se tenir en haut de l'escalier de son appartement et rester face au vide, sans s'accrocher à la rampe, chaque fois avant de descendre ;

– dans la rue, s'arrêter pour regarder des monuments ou des immeubles élevés, en basculant la tête en arrière ; rester dans cette position même si des sensations vertigineuses arrivent ;

– monter debout sur une chaise sans se tenir avec les mains ; rester longtemps ainsi juchée ;

– se pencher sur la rambarde du balcon sans s'agripper férocement avec les mains ;

– monter sur un escabeau jusqu'à la dernière marche et ne pas s'accrocher avec ses mains.

Pour la fin de la thérapie, j'avais demandé à la patiente de fêter l'événement en montant avec son ami au dernier étage de la tour Eiffel. Mais là, il ne s'agissait plus d'un exercice à faire régulièrement, juste d'un symbole de sa victoire sur la peur. Ou plutôt du traité de paix signé avec elle. Car le but de ces efforts n'est pas d'asservir la peur comme elle vous avait asservi, mais juste de vivre en bonne intelligence avec elle : la peur peut vous rendre encore quelques services. Mais il faut la surveiller de près : elle a des tendances dictatoriales, du fait de son caractère un peu primitif…

6. Respectez-vous et faites respecter
vos peurs par les autres

Les efforts de confrontation que nous venons d'évoquer sont infiniment plus subtils et délicats qu'on ne pourrait le penser. Guérir de sa phobie, ce n'est pas seulement essayer de passer en force au travers de ses peurs, c'est reconstruire, sur la durée, un rapport différent à ces peurs allergiques que sont les peurs phobiques. Ce travail s'inscrit dans le temps, ce qui suppose de connaître ses forces, de savoir s'économiser, et surtout de se respecter : se stimuler sans se faire violence. Le mot d'ordre en matière de confrontation à ses peurs est d'aller toujours un peu au-delà de ce que l'on aurait fait spontanément, mais non de s'user dans des combats épuisants. Et de se souvenir que l'objectif n'est pas de devenir une personne sans peur, mais une personne qui ne se laisse ni diriger ni déborder par ses peurs.

Autre chose : pour les phobies complexes, qui ont tendance à envahir votre existence dans tous ses aspects, et à provoquer de sérieuses baisses d'estime de soi, et des états dépressifs[88], pensez à ne pas vous réduire à votre phobie. Voici à ce propos ce que je rappelle à mes patients sur nos groupes de thérapie : « Vous n'êtes pas *des* phobiques, et surtout pas *que des* phobiques ! Même si la souffrance tend à vous faire oublier tout le reste, comme dans les douleurs chroniques. Vous êtes simplement des *personnes normales qui souffrent de phobie*. Mais qui ont aussi tout un tas d'autres caractéristiques et d'autres capacités. » Ne vous occupez pas seulement de vos symptômes, mais aussi de votre personne !

Soyez respectueux envers vous-même. Cela vous permettra d'inciter les autres à se montrer respectueux envers vous. Sans que vous ayez, comme le croient beaucoup de phobiques, à dissimuler vos peurs. Agnès, une de mes patientes phobiques de l'eau, m'avait un jour raconté l'anecdote suivante… Comme elle avait peur de se noyer dès qu'elle n'avait plus pied, nous avions planifié ensemble une série d'exercices à réaliser à la piscine proche de chez elle : notamment s'éloigner de un ou deux mètres du bord, du côté le plus profond. Courageuse mais pas téméraire, elle avait tout de même demandé au maître nageur de jeter un œil sur elle : « Vous pouvez me surveiller un peu, s'il vous plaît ? J'ai peur quand je n'ai plus pied. » Le maître nageur, sympathique mais paternaliste, lui avait alors demandé si elle savait nager, ce qui était le cas, puis avait logiquement ajouté : « Alors il ne faut pas avoir peur ! » Ce à quoi Agnès, qui n'avait pas la langue dans la poche, avait rétorqué : « Écoutez, ce n'est pas d'un psy que j'ai besoin, mais d'un maître nageur. Je ne vous demande pas de me soigner mais de me surveiller, si je commence à me noyer. Vous avez déjà plongé pour sauver quelqu'un ? Très bien, alors, je lâche le bord... » Et elle avait effectué ses exercices sous l'œil déconcerté, mais devenu attentif, du maître nageur...

Agnès avait avec sa peur un rapport simple : elle estimait qu'il n'y a pas de honte à souffrir de phobie, que l'on peut demander de l'aide, sans avoir pour autant à supporter des attitudes paternalistes de la part des donneurs d'aide. Les personnes phobiques se demandent souvent si c'est une bonne chose de parler de ses peurs. S'il faut assumer ou dissimuler. Elles se demandent aussi comment parler de leur phobie. De façon générale, la règle la plus adaptée semble être de se simplifier la vie : en parler clairement et sans se dévaloriser.

Or beaucoup de personnes phobiques ont tendance à cacher leurs peurs : pour éviter un jugement moral, des conseils inutiles car cent fois entendus et pour le moment inapplicables, parce qu'elles se sentent infériorisées à cause de leur incapacité à surmonter leurs peurs, parce qu'elles considèrent que cela ne regarde pas les autres. Pourtant, il faut savoir que cacher quelque chose représente un surcoût émotionnel important. Une étude de psychologie expérimentale montrait ainsi que lorsqu'on donne à quelqu'un la consigne d'éviter de parler d'un sujet particulier lors d'un entretien, on élève très nettement son état de tension et d'inconfort émotionnel[89]. Vous avez déjà besoin de toute votre énergie pour lutter et faire face : ne la gaspillez pas inutilement en dissimulant à tout prix la réalité de vos peurs.

Mais alors, comment parler de sa phobie ? Cela est possible de manière simple, sans forcément se positionner en grand malade, ni en victime. Nous faisons assez souvent des jeux de rôle avec mes patients phobiques, pour tester les différentes façons possibles de parler de ses peurs, en fonction des contextes et des interlocuteurs. En général, le discours qui semble le plus adapté à la majorité des situations tourne autour des phrases suivantes : « Je sais que cela peut paraître un peu absurde ou étonnant, mais j'ai des peurs très fortes de telle et telle situation. Ces peurs sont vraiment difficiles à contrôler, à peu près autant qu'une crise d'asthme ou de migraine. J'essaie de les affronter peu à peu, car elles me gênent, mais, pour le moment, je n'en suis pas encore arrivé à un contrôle parfait. Vous pourriez m'aider en faisant ceci ou cela… » Une personne phobique est tout à fait en droit de demander à autrui de la respecter sans se prendre pour son thérapeute. Si vous avez peur des chats ou des chiens, vous pouvez l'expliquer tranquillement aux propriétaires de l'animal. Si vous redoutez les voyages en avion, vous pouvez en parler aux hôtesses. Si vous craignez de parler face à un public, n'hésitez pas à le dire, cela n'a rien d'anormal : à peu près 30 % de la population souffre du même problème. Et quand bien même cela ne serait que 1 %, vous en auriez encore le droit ! Mais n'abusez pas de ce droit à faire respecter vos peurs, il ne s'agit pas d'en profiter pour ne rien entreprendre contre elles. Le but de cette franchise envers l'entourage est plutôt de vous laisser libre des moments où vous allez programmer les confrontations, et de la « dose » de peur que vous vous inoculerez alors.

Je me souviens à ce propos d'une de mes patientes phobique sociale qui était visiteuse médicale pour un grand laboratoire pharmaceutique. Elle était à peu près à l'aise quand elle rencontrait les médecins, car faire face à une seule personne à la fois ne l'angoissait pas outre mesure. Par contre, elle devait tous les lundis matin participer à une réunion avec son directeur régional et une douzaine de ses collègues. Ces réunions l'angoissaient énormément. Elle n'y prenait jamais la parole, mais redoutait les moments où l'on pouvait lui demander son avis, ce qui arrivait parfois. Au bout d'un moment, elle commença à ne plus les supporter, et se préparait à donner sa démission. C'est à ce moment-là qu'elle vint me consulter.

Je tentai de la convaincre de ne pas démissionner pour cette raison, ce qui aurait été une forme de soumission à sa phobie, d'autant qu'elle aimait bien son métier et qu'elle y obtenait de bons résultats. Lors de la discussion, elle m'avoua qu'elle n'avait jamais osé parler à son supérieur de son trac pathologique. Nous fîmes donc un petit jeu de rôle pour envisager les différentes possibilités d'aborder le sujet. Puis, elle lui demanda un rendez-vous, où elle lui avoua ses peurs et où surtout elle lui expliqua que si elle ne pipait mot lors des réunions, c'était par peur plus que par absence de motivation pour le travail de groupe. À sa grande surprise, son directeur régional se montra très soulagé par ses propos, et lui avoua qu'il se doutait effectivement bien de quelque chose, mais qu'il pensait qu'elle était agacée par le travail en équipe. Et il lui parla à son tour de ses propres expériences de trac...

7. Réfléchissez à votre peur, son histoire, sa fonction... mais ne vous perdez pas en route !

Longtemps, les solutions proposées par les thérapeutes en matière de grandes peurs étaient toujours les mêmes : « Nous allons réfléchir à votre passé. » Pour beaucoup de patients phobiques que nous recevions dans le service, les thérapies qu'ils avaient auparavant suivies se résumaient souvent à « nous parlions de mon enfance ». Avec des bénéfices limités, en tout cas sur les peurs.

Notre passé est évidemment capital, et pour nous et pour la compréhension de nos craintes. Mais il existe un bon usage du passé en matière de travail sur sa phobie : il est toujours important d'y réfléchir, et tout aussi important de ne pas s'y enfoncer, s'y noyer ou s'y égarer…

➤ Il faut toujours réfléchir à l'histoire de ses peurs

En général, cela ne suffit pas à s'en débarrasser. Mais cela peut apprendre beaucoup sur les erreurs qui ont pu conduire à aggraver ses peurs, et comment ne pas les reconduire. Cela vous évitera aussi de les transmettre à vos enfants, par éducation ou par observation. Le combat contre ses peurs se gagne toujours au présent : ressasser son passé n'est jamais la solution pour se débarrasser de ses phobies. Ce qui ne veut pas dire qu'il faut complètement l'ignorer. Réfléchir à l'histoire de sa phobie est donc toujours une étape utile. Parce que cela permet de comprendre comment elle s'est installée et comment nous l'avons ensuite – inconsciemment – nourrie et maintenue. Toutefois, il faut savoir que l'histoire que nous nous racontons de notre propre phobie est toujours une reconstruction, incertaine et approximative. Elle n'est qu'un ensemble d'hypothèses explicatives : en matière de phobies comme de bien d'autres choses, nous préférons souvent nous raconter des explications simples et cohérentes. Tandis que la réalité est toujours plus compliquée : nous avons évoqué les origines multiples des peurs dans le chapitre précédent.

➤ Existe-t-il des avantages à être phobique ?

Lorsque j'étais jeune psychiatre, beaucoup de mes aînés étaient plus intéressés par la recherche de ce qu'on appelait les « bénéfices secondaires » de la phobie que par son traitement. Peut-être parce qu'ils ne disposaient pas de méthodes de traitement efficaces ? Et qu'ils étaient, de ce fait, des témoins plus que des acteurs de l'évolution des peurs de leurs patients ?

Le postulat de base de cette hypothèse des bénéfices secondaires consistait à supposer qu'il y avait plus d'avantages que d'inconvénients à être phobique. La peur excessive pouvait par exemple permettre d'être surprotégé, ou de punir ses proches en leur compliquant la vie. Selon ce type de théorie, les femmes agoraphobes pouvaient ainsi, grâce à leur phobie, avoir toujours quelqu'un de prêt à les accompagner partout et à rester à leurs côtés. Ou même pouvaient se sacrifier sur l'autel de l'agoraphobie, ce qui limitait totalement leur autonomie, pour faire – inconsciemment – plaisir à un mari jaloux…

Le recours systématique à ce genre de théories les a déconsidérées. C'était sans doute une erreur de leur accorder tant d'importance. Ce serait une autre erreur de ne leur en accorder aucune. Il existe parfois des bénéfices à être phobique. Mais je n'ai jamais rencontré de patient qui ne les aurait échangés avec bonheur contre une véritable guérison. Prudence donc avec les thérapeutes exclusivement obsédés par la mise au jour de ces fameux bénéfices secondaires.

➤ *Les peurs ont-elles un sens caché ?*

Pour certains, nos phobies auraient un sens : elles seraient un message de notre inconscient à propos de problèmes non réglés dans notre vie. Un peu comme dans les « clés des songes », où tel rêve aurait telle signification. On a démontré pour les rêves que cette vision était erronée, et il en est de même pour les phobies. Là encore, la psychologie a beaucoup abusé de ce type de réflexion, en la substituant à des démarches plus efficaces.

Les dérives de la psychanalyse lacanienne, et la mode des jeux de mots en guise de réflexion psychopathologique, ont apporté de nombreuses perles au petit monde de la psychologie[90]. Hélas, beaucoup de phobiques en ont été victimes, perdant parfois des années sur le divan.

Je me souviens d'une patiente qui présentait une peur de l'étouffement : un psychanalyste chez qui elle avait passé quelques années lui avait affirmé que sa phobie provenait sûrement du fait qu'elle avait vécu « quelque chose de dur à avaler ». Notons qu'il ne prenait d'ailleurs guère de risque en affirmant cela : quel être humain n'a pas connu de situations « dures à avaler » ? Mais la patiente avait cherché en vain sur cette piste, sans aucune amélioration à la clé.

Voici une autre histoire, racontée par mon ami le psychologue Jacques Van Rillaer[91] : « À l'époque où je travaillais dans un centre de psychologie clinique d'obédience psychanalytique, une étudiante était venue consulter un de mes collègues dans l'espoir de remédier à sa peur des examens. Dès le premier entretien, le psychanalyste avait expliqué cette peur par la masturbation. Son argument tenait en une phrase : "La peur des examens c'est la peur des sexes-à-main." J'ignore si cette brillante interprétation a permis à la patiente de se masturber sans culpabilité et "donc" d'obtenir son diplôme… »

Une de mes amies, qui souffrait d'une peur incontrôlable des araignées, s'était entendu dire par un thérapeute que sa phobie n'était qu'une représentation de son angoisse face au sexe masculin : noir et velu…

J'ai reçu récemment en consultation une jeune femme qui présentait une peur phobique de perdre ses selles dans un lieu public, peur fréquente dans certaines phobies sociales sévères. Elle avait, elle aussi, subi des interprétations sauvages, dès sa deuxième (et dernière !) séance chez un psy qui lui avait asséné : « Vous vous méprisez à ce point pour en arriver à vous chier dessus ? » L'effet thérapeutique avait été nul. En revanche, elle avait ensuite refusé de consulter pendant dix ans, persuadée que tous les psys ressemblaient à ce praticien. Ce qui est fort heureusement faux, tant chez les psychanalystes sérieux que dans les autres écoles de psychothérapie.

Cette vision de la phobie comme traduction d'un conflit intrapsychique représente un des piliers de la théorie psychanalytique. Bien que peu opérationnelle en thérapie, sa dimension poétique et mystérieuse a largement contribué à son très grand succès auprès de nombreux écrivains, dont le talent a ensuite permis de le populariser. Ainsi, dans sa nouvelle *La Peur*, l'écrivain autrichien Stefan Zweig, profondément influencé par les théories psychanalytiques, décrit les angoisses phobiques d'Irène Wagner, une grande bourgeoise se livrant à l'adultère[92] : «Lorsque Irène, sortant de l'appartement de son amant, descendit l'escalier, de nouveau une peur subite et irraisonnée s'empara d'elle. Une toupie noire tournoya devant ses yeux, ses genoux s'ankylosèrent et elle fut obligée de vite se cramponner à la rampe pour ne pas tomber brusquement la tête en avant... Dehors l'attendait déjà la peur, impatiente de l'empoigner et qui lui comprimait si impérieusement le cœur que dès les premières marches elle était déjà essoufflée... Crois-tu... que ce soit... toujours la peur... qui arrête les gens ? Ne serait-ce pas parfois... la honte... la honte d'ouvrir son cœur... de le mettre à nu devant tout le monde ? » La culpabilité d'Irène était, selon Zweig, la source des malaises phobiques.

Il est possible, là encore, que cette approche puisse être parfois valide. Mais il semble que ce soit loin d'être toujours le cas. Le problème, c'est que si l'on commence à rechercher des causes de conflits intrapsychiques, on va rapidement en trouver par dizaines. D'autre part, ces conflits peuvent jouer un rôle non spécifique, en tant que facteur global de stress, sans qu'il soit forcément besoin de leur attribuer un quelconque symbolisme. Si une personne phobique connaît des difficultés conjugales ou sexuelles, rien ne prouve que ces dernières soient à l'origine de ses peurs ; il est par contre clair qu'elles vont les aggraver.

8. Prenez soin de vous :
peurs, phobies et hygiène de vie

Voici un ensemble de *petits* conseils à l'efficacité modeste : ni réellement suffisants ni forcément nécessaires, tous ces petits détails sont simplement *utiles*. Comme dans une corde, chaque brin est insuffisant à lui seul pour produire un effet notable, mais accolés les uns aux autres, ils peuvent s'avérer efficaces. Le principe en est simple : tout ce qui est bon pour votre santé est bon pour votre phobie…

➤ *Exercice physique*

Tout exercice physique est bénéfique aux personnes qui souffrent de très grandes peurs.

D'abord pour des raisons générales : l'exercice physique régulier augmente le bien-être chez tout le monde[93].

Ensuite pour un effet favorable de l'activité physique sur l'humeur : on sait que l'exercice élève légèrement le niveau moyen de notre moral[94]. Légèrement : c'est-à-dire que l'activité physique devra être régulièrement répétée. Et qu'il ne faut en attendre aucun miracle, mais la comprendre comme un investissement sur le long terme.

Enfin, pour un effet spécifique sur l'hypersensibilité anxieuse, cette « peur de la peur » dont nous avons parlé[95]. L'exercice physique reproduit en partie les sensations physiologiques liées à la peur, comme l'accélération du rythme cardiaque, l'hyperventilation, la transpiration, etc. Se familiariser avec ces sensations rend ensuite moins réactif à la survenue des mêmes phénomènes dans les situations angoissantes. Chez les personnes souffrant d'une phobie de leurs sensations physiologiques, comme c'est le cas dans le trouble panique, des exercices assez intensifs seront nécessaires : mais c'est aussi chez ces personnes qu'ils seront le plus difficiles à accomplir, par peur de se déclencher un malaise. Le thérapeute doit parfois se transformer en prof de gym : je fais souvent faire de petites courses à pied à mes patients, du saut à la corde (excellent moyen d'accélérer son rythme cardiaque, comme le savent bien les boxeurs), ou je les envoie grimper quatre à quatre les cinq étages de l'immeuble qui abrite notre service. Ils croisent parfois dans l'escalier mes confrères, qui ne s'étonnent plus de rien de la part de notre petit groupe de comportementalistes…

La dose d'exercice souhaitable semble être l'équivalent de trois fois une demi-heure de marche par semaine, sur un rythme aussi rapide que possible. À vos baskets !

➤ *Alimentation*

Il n'existe pas à ce jour de régime alimentaire antiphobie.

Si l'effet sur la régulation émotionnelle des célèbres acides gras oméga 3[96] se confirme dans les études à venir, alors il sera légitime d'en attendre une efficacité sur les dérèglements émotionnels bel et bien présents dans les peurs excessives. Mais il est actuellement prématuré de l'affirmer. Rappelons que les oméga 3, que notre corps ne sait pas synthétiser, comme les vitamines, se retrouvent dans des aliments tels que les poissons gras (maquereaux, sardines, saumon, thon…), les noix, l'huile de colza, certains végétaux comme le pourpier ou les épinards, etc.

On sait par contre qu'il existe des aliments ou plutôt des « toxiques » à éviter. Certains sont nettement anxiogènes : c'est le cas du café, dont on a montré qu'il augmentait la sensibilité à la peur. Si vous avez consommé beaucoup de café, vous allez ressentir des montées de peur plus violentes et plus difficiles à contrôler. À fortes doses, la caféine induit par ailleurs une dépendance, et maintient un état de tension. En pratique, les personnes les plus phobiques l'évitent car elles ne supportent pas la sensation de tension physique qui en découle. Mais beaucoup d'autres en surconsomment, ce qui aggrave, souvent à leur insu, leur état émotionnel…

L'alcool et le cannabis sont eux aussi souvent utilisés par les patients pour tenter de réguler leurs peurs. Les deux vont calmer la tension psychique, mais au prix d'importants effets dommageables, dont une dépendance importante et rapide. Là encore, à côté de ceux qui en surconsomment comme s'il s'agissait de médicaments, certains patients ne supportent pas le sentiment de perte de contrôle qui peut découler de la prise d'alcool ou de haschich, et les évitent soigneusement. Ce qui confirme bien que chaque peur obéit pour partie à ses lois biologiques et psychologiques propres.

Enfin, en ce qui concerne le tabac, le phénomène est là encore double : les patients ont souvent l'impression que fumer les calme à court terme, mais en réalité on pense que le tabac est un facteur fragilisant sur le long terme. Les études disponibles montrent effectivement que de nombreux fumeurs présentent des troubles phobiques. Le tabac semble les aider à réguler leur humeur. Mais ses deux inconvénients sont qu'il augmente l'anxiété et qu'au sevrage les symptômes explosent : nervosité et insomnie sont alors de mise, et poussent souvent le patient à « replonger ».

Il est inutile de vous culpabiliser si vous avez du mal à vous sevrer d'un de ces produits, mais il est alors fortement souhaitable que vous recherchiez l'aide d'un thérapeute habitué à ces dépendances, afin qu'il vous explique la marche à suivre[97].

➤ *Le stress aggrave les peurs*

Tous les patients phobiques savent qu'il y a « des jours avec et des jours sans ». Des jours où, bizarrement, les peurs se font moins oppressantes. Et d'autres où elles redoublent d'intensité. Une des explications à ces fluctuations est souvent le niveau global de stress. Plus vous serez stressé par la vie de tous les jours, plus votre phobie s'exprimera et vous gênera.

On sait que l'activation du système nerveux sympathique, qui est une des composantes du stress, facilite nettement les conditionnements anxieux : si l'on est déjà stressé pour d'autres raisons, une expérience désagréable laissera en nous des traces plus profondes et plus durables. Beaucoup de patients paniqueurs décrivent ainsi qu'avant leur première attaque de panique, dont ils se souviennent en général avec une très grande précision car c'est pour eux un souvenir traumatique, ils ont traversé une période de stress existentiels importants, de ruptures réelles ou symboliques, de changements variés[98] . Donc, plus vous serez tendus, plus les occasions d'avoir peur se transformeront en expériences émotionnelles pénibles, et laisseront des traces durables et douloureuses. C'est une des raisons de l'efficacité – indirecte – de la gestion du stress chez les personnes phobiques.

9. Apprenez à vous relaxer et à méditer

Les phobies sont des maladies psychosomatiques au sens premier du mot : nombre de leurs symptômes s'expriment à travers le corps. Et ces manifestations somatiques nourrissent et aggravent à leur tour les phénomènes psychologiques. D'où l'intérêt d'interrompre ce cercle vicieux…

➤ *Pourquoi et comment se relaxer ?*

Les personnes phobiques ont tendance à être trop souvent en tension psychologique et physique excessives[99]. Les exercices de relaxation peuvent leur permettre de muscler le système de « freinage émotionnel » que représente le système nerveux parasympathique, car la tension physique dépend de l'activation du système sympathique, dont le parasympathique est l'antagoniste. La relaxation active le système parasympathique, celui qui facilite le ralentissement du rythme cardiaque, le relâchement des muscles, et autres manifestations opposées à celles que déclenche la peur.

La relaxation est donc très utile. Mais elle ne peut représenter la seule démarche thérapeutique : soigner une phobie uniquement par relaxation serait notoirement insuffisant. La relaxation est plus un outil de qualité de vie, de régulation émotionnelle, une forme d'investissement de long terme, qu'une méthode pouvant contrer les explosions de peur.

La relaxation peut se pratiquer à différents niveaux de complexité*.

À un premier niveau, elle peut consister en une simple prise de conscience de ses sensations corporelles, et en des exercices de détente simples (respiration ample et calme, position confortable) effectués le plus souvent possible, et dans les situations de vie, pour faire baisser le niveau moyen de tension anxieuse. C'est ce que l'on appelle des « mini-relaxations »[100].

À un niveau plus perfectionné, elle peut proposer des exercices plus complets, pour apprendre ce qu'est la détente physique, et mettre en place peu à peu des automatismes : plus souvent je me relaxerai, plus j'aurai de facilité à déclencher des états de relaxation. En effet, la mémoire du corps marche fort heureusement dans les deux sens, même si, hélas, il est plus facile et naturel de se crisper que de se détendre. Toujours la priorité naturelle envers les réflexes facilitant la survie par rapport à ceux facilitant la qualité de vie…

En abaissant le niveau moyen de son tonus sympathique, la personne phobique peut espérer s'éloigner de la zone dangereuse, où le niveau élevé des tensions physiques peut faciliter le déclenchement brutal de crises d'angoisse.

Attention : la relaxation n'a pas pour but de faire totalement disparaître la sensation d'anxiété. Il ne faut pas percevoir le retour de la peur comme la preuve de l'échec ou de l'inutilité de la relaxation. À la limite, vous devez considérer la relaxation comme un outil de qualité de vie globale plus que comme une démarche de thérapie.

---

* Vous trouverez des propositions d'exercices de relaxation et de méditation en fin d'ouvrage.

➤ *La méditation peut-elle être utile face aux peurs excessives ?*

Les techniques de méditation, d'introduction récente dans le champ des troubles phobiques, connaissent une certaine vogue. Leurs bénéfices sur le bien-être psychologique global sont avérés[101]. Dans le domaine des phobies et des troubles anxieux en général, il s'agit probablement d'un champ prometteur, mais à propos duquel on manque encore de certitudes quant à leur efficacité thérapeutique précise[102]. La méditation, notamment sous sa forme de « pleine conscience » (en anglais : *mindfullness*), consiste à entraîner peu à peu sa conscience à rester dans un état d'acceptation tranquille de ce qui nous entoure (par exemple les bruits autour de nous) et de ce que nous ressentons (par exemple, nos pensées, émotions et sensations).

La tâche est donc doublement difficile pour les personnes phobiques, qui sont habituellement en état de vigilance et de lutte vis-à-vis de l'environnement, et de leurs pensées et sensations physiques. Pour elles, les bénéfices de la méditation pourraient se situer à trois niveaux.

Le premier serait celui d'un effet facilitant la relaxation : beaucoup d'anxieux ont du mal à se relaxer car ils sont trop réceptifs au moindre dérangement, à la moindre sollicitation de leur attention. Ils n'arrivent à se détendre qu'au calme, sans bruit autour d'eux… Or ces conditions sont rarement remplies au quotidien. Apprendre à se détendre malgré les bruits extérieurs (« Ah ! ces moteurs de voitures ») ou les pensées parasites (« Quand je pense à tout ce que j'ai à faire après ma séance de relaxation… ») est donc précieux pour les phobiques.

Un deuxième bénéfice peut être retiré de ce travail quant à l'attention à la fois vigilante et dispersée des personnes phobiques. Nous avons déjà décrit à quel point les peurs phobiques étaient souvent associées à des troubles de l'attention, plus ou moins importants selon les personnes. La plupart des phobiques ont en général du mal à fixer leur attention : en effet, cette dernière est en général consacrée à la surveillance inquiète plutôt qu'à l'observation détendue. Les phobiques peinent pour abandonner leur réflexe de surveillance de l'environnement. Le paradoxe, c'est qu'en même temps, une fois que ce qui fait peur est dépisté, il leur devient au contraire très difficile de fixer leur attention sur l'objet de cette peur, par un réflexe d'évitement. Ce qui serait pourtant le seul moyen de s'y habituer peu à peu. Les séances de méditation peuvent donc représenter une sorte d'entraînement à mieux maîtriser ses processus attentionnels, dans le but de faciliter les confrontations aux images, pensées ou sensations inquiétantes.

Enfin, un dernier bénéfice psychologique peut être attendu des méthodes de méditation : développer les capacités d'acceptation des états émotionnels négatifs. C'est par exemple l'un des buts de la méditation bouddhiste[103]. D'où son utilisation par certains thérapeutes, notamment dans la prévention des rechutes dépressives[104], mais aussi, depuis peu, dans la prise en charge psychothérapique des différents problèmes de peurs et d'anxiété[105]. Pour les personnes phobiques, les exercices consistent à laisser arriver, puis à accepter les sensations, pensées, émotions, images désagréables qui peuvent survenir, sans chercher sur le moment à les repousser ou à les discuter. Juste se dire : « Ce qui me fait peur peut arriver. Ce n'est pas arrivé, cela peut ne jamais arriver, mais cela peut aussi arriver. Je dois apprendre peu à peu à supporter ces images ou ces idées. Et à agir si nécessaire pour empêcher la survenue des catastrophes que je redoute. Mais mon inquiétude, elle, ne servira à rien. Elle ne modifiera pas le cours des choses. Ce sont mes actes qui modifieront le cours des choses... » Avec mes patients, nous utilisons souvent dans ces moments l'image du bouchon de liège qui flotte sur l'océan : les vagues de la peur le font monter, descendre, mais il continuera de flotter. Même si les vagues sont énormes. Il suffit de les laisser passer...

10. Maintenez vos efforts sur la durée

Peut-on vraiment guérir d'une phobie ? Peut-on un jour se retrouver définitivement débarrassé de ses peurs ? Ou doit-on accepter un petit fond de tendances phobiques ? C'est tout le problème de la définition de la guérison d'une phobie, dont nous allons parler dès le prochain chapitre.

Il semble qu'en réalité on reste toujours, d'une certaine façon, un « ancien phobique ». L'expérience de la très grande peur s'étale en général sur plusieurs années de vie, et elle représente donc un morceau de soi que l'on ne peut effacer. D'autre part, les vulnérabilités émotionnelles qui ont été à son origine restent le plus souvent en place. Mais le plus important, ce n'est pas cela. Le plus important, c'est que si l'on a su surmonter sa phobie une fois, c'est comme faire du vélo, cela ne s'oublie pas. Mais cela s'oublie d'autant moins que l'on continuera à faire du vélo régulièrement...

Le suivi que nous avons de nos anciens patients phobiques montre que la plupart d'entre eux sont mieux protégés du retour des peurs pathologiques s'ils maintiennent sur la durée tous les efforts dont nous venons de parler. Cela leur est d'autant plus facile qu'avec le temps, ce qui était *effort* tend peu à peu à devenir automatisme et style de vie.

Continuer les exercices d'exposition à la peur sous forme d'une sorte de « gymnastique psychoémotionnelle » représente sans doute la méthode la plus efficace. Nous encourageons ainsi nos patients à pratiquer régulièrement des confrontations avec leurs « peurs préférées ». Par exemple pour les phobiques sociaux, faire du théâtre après la fin de la thérapie, ou s'inscrire à un club ou une amicale qui va leur permettre de prendre souvent la parole devant un groupe. Pour les personnes souffrant de trouble panique, continuer de s'immerger dans la foule, par exemple en faisant de temps en temps ses courses le samedi, et les soldes tous les ans. Pour les phobiques des pigeons, s'efforcer de leur donner à manger dans les squares...

Ces « piqûres de rappel » semblent jouer un rôle important en termes de maintien des progrès effectués, et représenter une très bonne arme antirechute. Elles consolident les mécanismes naturels de cicatrisation des peurs phobiques. Car au fond, le but de tous ces efforts, c'est bien cela : permettre aux expériences de vie de nous enrichir et non de nous fragiliser. Le destin « normal » d'une peur non justifiée (je ne parle pas ici des peurs liées à un danger objectif et immédiat), c'est de disparaître : même si une ou plusieurs expériences nous ont douloureusement marqués, s'apercevoir qu'ensuite, lors des confrontations ultérieures, le danger redouté n'apparaît pas, doit peu à peu nous guérir. C'est ce qui fait qu'à partir d'une morsure de chien la plupart des personnes ne deviennent pas phobiques des chiens. Or les mécanismes de ces maladies de la peur que sont les phobies ne permettent justement pas cette cicatrisation psychologique. C'est l'objectif des efforts que nous venons de décrire.

Ainsi, nos anciens patients-anciens phobiques deviennent de plus en plus robustes face aux retours de la peur. L'un d'eux, rescapé d'un trouble panique sévère, revenait tous les ans me voir pour un entretien annuel, rituel devenu peu utile vu ses progrès, mais qui le rassurait. Il avait un jour comparé le travail fait en thérapie à la construction d'un immeuble antisismique : « Autrefois, je m'écroulais sous les coups des attaques de panique. Maintenant, j'ai l'impression de m'être reconstruit comme un immeuble capable de résister aux tremblements de terre. Je sens la secousse arriver, passer, puis disparaître. Cela m'est arrivé plusieurs fois. Comme vous me l'aviez recommandé, je continue régulièrement de me tester face à la plupart des situations que je redoutais. Je vois que je tiens bon. Alors, je n'ai plus peur. J'ai décidé de ne plus avoir peur à l'avance. De ne plus vivre dans la hantise d'une rechute. Et de profiter de la vie… »

Tout savoir sur le traitement des phobies

Que signifie guérir de ses peurs ?

Guérir, c'est retrouver sa liberté de mouvements, et non pas s'adapter à ses peurs excessives, ou s'habituer à leur tyrannie.

C'est aussi avoir appris à leur faire face pour l'avenir. Car les très grandes peurs ont la mémoire longue, et cherchent souvent à revenir.

Elles ne sont pas des phénomènes immatériels : elles nichent au fond de notre cerveau. C'est pourquoi tout traitement doit prendre en compte la dimension biologique des peurs excessives.

Les médicaments savent le faire, bien sûr. Mais l'incroyable découverte de ces dernières années, c'est que les psychothérapies en sont aussi capables : nos efforts peuvent modifier l'architecture de notre cerveau. Cela s'appelle la neuroplasticité. C'est le traitement le plus écologique que l'on puisse imaginer contre les très grandes peurs. Et c'est une très bonne nouvelle pour les personnes dont la vie est gâchée par la peur...

> « La science qui instruit et la médecine qui guérit
> sont fort bonnes sans doute ; mais la science qui
> trompe et la médecine qui tue sont mauvaises.
> Apprenez-nous donc à les distinguer. »
>
> Jean-Jacques Rousseau, *Émile, I*

Si vous souffrez de peurs sévères, il est probable que vous aurez besoin de recourir à l'aide d'un thérapeute. Paradoxalement, de nouveaux ennuis vont alors commencer pour vous. Comment trouver la bonne thérapie, et le bon thérapeute ?

Imaginons que vous ayez des problèmes cardiaques : vous prendrez alors l'avis de dix cardiologues, et il est probable que la majorité de ces avis seront proches, ainsi que les propositions de traitement associées. Mais si, en raison de difficultés psychologiques, vous consultez dix psychiatres, psychologues ou psychothérapeutes, le tableau se complique. Il est probable que vous ressortirez des dix entretiens avec dix avis différents et une grande variété de propositions thérapeutiques.

Les optimistes diront que cette variété est une chance : il vaut mieux avoir plusieurs méthodes pour guérir qu'une seule. Les pessimistes souligneront que cela pose de nombreux problèmes.

Le tout premier d'entre eux, c'est que les patients se sentent souvent perdus dans un tel paysage, composé d'offres de soins variées, et obéissant à une logique totalement imprévisible. Ils vont aussi, à juste titre, se demander si ces différentes approches ont la même efficacité. De plus, de nombreux opposants à la psychologie s'appuient sur ce flou artistique pour en conclure qu'elle ne peut décidément pas être considérée comme une discipline scientifique fiable. Pour compléter le tableau, notons que beaucoup de thérapeutes aggravent joyeusement ce désordre en se comportant eux-mêmes de manière irresponsable : ils présentent souvent leur méthode comme la seule capable de guérir, toutes les autres étant inefficaces ou toxiques. Cela est dû à leur formation : dans les facultés de psychologie, certains enseignants endoctrinent leurs étudiants plus qu'ils ne développent leur tolérance et leur ouverture d'esprit. Et aussi à une erreur de perspective : lorsqu'on est thérapeute d'une école, on ne reçoit que les échecs des autres écoles. Un comportementaliste passe son temps à recevoir des patients chez qui la psychanalyse n'a pas marché ; car ceux qui s'en sont trouvés mieux ne viennent pas le voir…

Mais revenons-en à l'essentiel : les personnes qui souffrent de très grandes peurs. Leur attente est simple : guérir. Mais la définition de ce qu'est une guérison en psychologie n'est précisément pas toujours simple…

Peut-on guérir d'une phobie ?

Guérir quelqu'un, ce n'est pas seulement avoir fait reculer ses symptômes, ou même les avoir supprimés. C'est aussi lui avoir appris à leur faire face s'ils surviennent à nouveau.

En raison de ses racines biologiques, la phobie est une forme de vulnérabilité chronique, dont le traitement suppose tout un apprentissage destiné à juguler les peurs qu'elle engendre. Cela influence donc la manière dont on va définir ce qu'est la guérison d'une phobie.

➤ Guérir, c'est d'abord voir diminuer ou disparaître ses symptômes

La guérison d'une phobie suppose la très nette diminution de ses symptômes, en nombre et en intensité. Parmi ces symptômes, les plus gênants, ceux pour lesquels les patients viennent consulter et dont ils souhaitent être débarrassés, sont les manifestations émotionnelles (peur et parfois honte) et les manifestations comportementales (évitements).

Par exemple, guérir d'une phobie des pigeons, c'est ne plus avoir peur des pigeons, ou n'en avoir qu'une peur modérée, qui n'entraîne ni évitements : « je ne fais plus de longs détours pour ne pas avoir à traverser le square », ni incapacité à faire face : « si un pigeon plus intrépide que les autres s'approche trop de moi, ou de mon enfant dans le bac à sable, je suis capable de le chasser sans trembler de frayeur ».

Mais une autre question se pose alors aussitôt : faut-il faire *totalement* disparaître tous les symptômes de peur ? Est-ce que guérir d'une phobie c'est ne *plus jamais* être exposé au risque de ressentir de la peur ?

Non, le but d'une thérapie, c'est que la peur reste modérée dans son intensité : objectif quantitatif ; mais surtout qu'elle soit surmontable : objectif qualitatif. Car le problème des phobies, ce n'est pas seulement la peur en elle-même, mais l'incapacité de la contrôler. C'est la vulnérabilité à la peur.

➤ Guérir, c'est aussi avoir appris à faire face à ses peurs

C'est pourquoi le second critère indispensable pour parler de guérison, c'est la capacité à faire face au retour de la peur. Ce retour de la peur est souvent un facteur de découragement des patients : après avoir fait des progrès, ils se trouvent secoués par une nouvelle attaque de la peur, qui peut les pousser à nouveau à la fuite. Est-ce une rechute ? Ou la preuve que leurs efforts n'ont servi à rien ? Non, c'est simplement le processus normal de guérison : la peur ne disparaît pas en une seule fois, il y aura de nouvelles éruptions, mais qui peu à peu vont être plus rares, moins intenses, moins déstabilisantes.

Par exemple, dans le cas des attaques de panique, souvent associées à l'agoraphobie, guérir, c'est finir par ne plus en ressentir. Mais avant cette étape, c'est d'abord être capable de les freiner très vite si l'une d'entre elles redémarre, comme cela peut être le cas à l'occasion de périodes de vie fatigantes ou stressantes. Face au retour de la peur, les patients sont alors capables de ne pas s'affoler et de faire ce qu'il faut pour limiter la montée de la peur, et empêcher sa transformation en attaque de panique.

Cela suppose que la personne ait pris une part active à son amélioration, qu'elle ait compris les mécanismes de la peur, et qu'elle ait déjà expérimenté sur le terrain, avec l'aide du thérapeute, de quelle façon on pouvait lutter contre une montée d'angoisse. C'est pourquoi, nous le verrons, la simple prise de médicaments ou les rémissions spontanées rares mais possibles, peuvent soulager et permettre des rémissions (c'est ainsi qu'on désigne le recul des symptômes), mais non d'authentiques guérisons, selon nos critères.

➤ *De quels outils disposons-nous aujourd'hui pour guérir ?*

Il existe plusieurs portes d'entrée dans la guérison, ce qui n'est pas étonnant, vu la complexité des mécanismes des phobies. Il est probable que chaque méthode de thérapie est capable de guérir des patients phobiques. Il y a aussi toutes les personnes phobiques que ne voient pas les thérapeutes, et qui ont guéri par des démarches très personnelles.

Mais tout de même, les personnes phobiques ont le droit de savoir ce qui marche le mieux ou le plus souvent. C'est-à-dire ce qui devrait être essayé en premier.

Il faut donc des études d'évaluation, permettant de répondre aux questions que sont en droit de poser tous les patients.

Pour les médicaments, ces questions sont, le plus souvent : quels vont être les effets de cette molécule sur les différentes manifestations de la phobie ? Serai-je seulement calmé(e) ? Ou vais-je aussi pouvoir affronter les situations qui me font si peur aujourd'hui ? Vais-je ressentir des effets indésirables ? Y aura-t-il un maintien de mes progrès après l'arrêt du médicament ? La législation impose aujourd'hui à tout fabricant de médicament s'adressant aux phobies sévères de répondre à ces questions. Ce qui suppose de se soumettre à des études assez rigoureuses, avant de pouvoir affirmer l'efficacité d'une molécule dans le traitement de certaines phobies. Nous allons voir que, sur le plan médicamenteux, la tendance actuelle est de moins utiliser les tranquillisants, et de leur préférer certains antidépresseurs bien particuliers, qui agissent sur un neurotransmetteur appelé sérotonine, d'où leur appellation de « sérotoninergiques ». Ce sont ces médicaments qui ont été l'objet du plus grand nombre d'études quant à leur efficacité dans le traitement des phobies.

Du côté des psychothérapies, les questions sont les suivantes : quelle sera la durée du traitement ? En quoi consiste-t-il exactement ? Quelles preuves a-t-on de son efficacité ? Ses effets seront-ils durables ou non ? Quel pourcentage de patients souffrant du même type de phobie que moi est amélioré par cette thérapie ? Si étonnant que cela paraisse, il n'existait pas à ce jour de démarche d'évaluation des psychothérapies qui ait été portée à la connaissance du grand public dans notre pays. Alors que les psychothérapies sont apparues bien avant les médicaments modernes ! Pourtant, une telle évaluation est capitale pour les patients, qui sont sinon obligés de se fier au dire des thérapeutes qu'ils rencontrent. Fort heureusement, les choses commencent à changer, avec notamment la publication récente d'un rapport de l'INSERM, l'Institut national de la santé et de la recherche médicale, à propos de l'efficacité des psychothérapies[106]. Ce travail de synthèse de toutes les études disponibles rappelle ce que la communauté scientifique savait depuis plusieurs années : les psychothérapies à recommander en première intention pour le traitement des troubles phobiques sont les thérapies comportementales et cognitives (TCC). Ce qui ne signifie pas que les autres formes de thérapie sont inefficaces. Mais que, en tout cas, sous leur forme actuelle, elles le sont moins nettement ou moins souvent. Et qu'il est donc logique de commencer par une TCC avant de se tourner vers d'autres psychothérapies.

Si les TCC et les médicaments sont aujourd'hui les deux seuls traitements à avoir largement fait leurs preuves, c'est probablement parce qu'ils disposent de la même capacité à agir sur la dimension biologique des phobies[107]. Ce qui n'est pas étonnant pour des médicaments, molécules agissant sur la chimie du cerveau, mais qui est nettement plus révolutionnaire pour des psychothérapies ! Un des avantages des TCC sur les médicaments, c'est que les changements biologiques provoqués au niveau cérébral sont en quelque sorte « autoproduits », comme si on avait soi-même fabriqué un médicament endogène. Comment des démarches psychothérapiques peuvent-elles modifier le fonctionnement du cerveau ? C'est l'objet de l'une des plus grandes avancées de ces dernières années en psychiatrie...

Les nécessaires voies biologiques de la guérison

Nous en avons parlé dans les chapitres précédents, mais rappelons rapidement les données sur le « pourquoi » d'une phobie : 1) la nature nous a préparés à avoir normalement peur d'un certain nombre de choses (animaux, vide, noir, personnes inconnues...), 2) ces peurs reposent sur des circuits cérébraux propres à tout le genre humain, 3) les hasards de la génétique ou de la vie ont fait que certains d'entre nous vont ressentir de « très grandes peurs », 4) ces très grandes peurs que sont les peurs phobiques correspondent à un dérèglement des circuits cérébraux de la peur normale, trop d'activation et pas assez de régulation. Tout comme les allergies reposent sur un dérèglement de l'immunité normale, ou l'hypertension artérielle sur un dérèglement des mécanismes modulant notre pression sanguine.

➤ Guérir son cerveau pour guérir son esprit

Si complexe qu'il soit, le cerveau est un organe de notre corps, et nos pensées comme nos émotions reposent sur une base *matérielle*. Celle-ci est faite d'échanges d'informations entre nos neurones (les cellules de notre cerveau) par le biais des synapses (systèmes de connexion entre ces cellules). Un traitement efficace se doit obligatoirement d'agir sur cette dimension biologique, de façon directe, comme les médicaments, ou de façon indirecte, comme les TCC.

Souvenez-vous : nous avons évoqué dans le chapitre précédent comment les dérèglements de la phobie pouvaient être schématisés en un déséquilibre de l'harmonie du dialogue entre l'amygdale cérébrale, ce véritable centre de la peur, et le cortex préfrontal, dont un des rôles est de réguler nos peurs pour en permettre un bon usage[108]. Et ce que disent les neurosciences sur la guérison des troubles émotionnels par les psychothérapies[109], c'est qu'il est difficile de diminuer ses peurs phobiques simplement en y réfléchissant et en en discutant. C'est tout le problème des psychothérapies seulement verbales : leur influence est quasi nulle, ou très lente sur les phobies, car, pour faire simple, il est probable qu'elles n'exercent aucun impact sur l'amygdale, et qu'elles ne provoquent aucune reconfiguration synaptique, ce que l'on appelle la neuroplasticité, entre l'amygdale cérébrale et le cortex préfrontal. Or cette modification de l'architecture fonctionnelle cérébrale est sans doute une nécessité pour la guérison de ces troubles émotionnels sévères que sont les phobies.

➤ Modifier son architecture cérébrale par la psychothérapie ?

Il est donc probable que les psychothérapies les plus effica-ces sont celles où existe une activation émotionnelle, qui va permettre une reconfiguration, une mise en place de nouvelles connexions synaptiques. Toute thérapie prétendant agir sur les phobies doit être trempée dans l'expérience émotionnelle. Mais il ne s'agit pas seulement de « libérer ses émotions », ou de les ressentir violemment pour progresser. Il est indispensable que cette expérience de confrontation aux peurs, assez douloureuse par ailleurs, soit encadrée, et canalisée par des comportements et des styles de pensée adéquats. C'est ce que s'attachent à propo-ser les TCC : une fois les peurs réactivées, elles vont être l'objet de stratégies destinées à les neutraliser et à les désamorcer[110].

Les efforts demandés lors des TCC doivent être répétés. Car il existe une inégalité flagrante des échanges et connexions cérébraux en faveur de l'amygdale : les connexions de cette der-nière vers le cortex sont très nombreuses, alors que celles du cortex vers l'amygdale le sont beaucoup moins. En somme, l'amygdale peut beaucoup « parler » au cortex préfrontal et le commander, mais elle l'écoute peu...

Pour maîtriser ses peurs, il faut donc les convoquer, les susciter, et leur faire face différemment. Une fois, dix fois. Et peu à peu, de nouvelles connexions cérébrales se mettront en place, selon la théorie de la neuroplasticité. C'est le but des thé-rapies comportementales, qui vont aider le patient à se confron-ter à ses peurs, puis lui apprendre à muscler ses capacités à les contrôler, sous forme d'exercices quotidiens, qu'il continuera d'appliquer une fois la thérapie terminée, comme un diabétique, un hypertendu continuent de suivre leur régime alimentaire. Peu poétique, mais très efficace.

Ironie du sort : alors que les psychanalystes prédisaient autrefois que les TCC n'agiraient que superficiellement, et qu'il y aurait rechute, tandis que la psychanalyse allait, elle, en pro-fondeur, c'est l'inverse qui semble se produire. Car les psychanalystes ne raisonnaient qu'en termes de cerveau cortical, en négligeant totalement le cerveau émotionnel et les réactions corporelles en général, et n'ont vu les TCC que sous l'angle de thérapies d'apprentissage, d'un simple conditionnement. En réalité, les TCC sont certes des thérapies passant par l'apprentissage, mais par des apprentissages tellement nombreux et complexes, émotionnels, psychologiques, comportementaux, et bien d'autres encore, qu'elles s'avèrent à l'usage tout sauf les procédés simplistes qu'on leur reprochait parfois d'être. Et surtout, c'est le plus important, elles guérissent les troubles phobiques. Un de mes patients, qui avait suivi les deux types de thérapie, me disait un jour : « La psychanalyse séduit, mais le comportementalisme guérit… »

➤ *La preuve par l'image*

On peut aujourd'hui démontrer, grâce aux techniques de neuro-imagerie, l'impact biologique des psychothérapies, du moins des TCC, et le lien probable entre cette efficacité biologique et leur efficacité « de terrain ». Encore plus intéressant, on a pu aussi montrer qu'elles agissaient sur les structures cérébrales aussi efficacement, et parfois même plus efficacement, que les médicaments les mieux adaptés. Même dans le cas de pathologies aussi sévères que des états dépressifs majeurs[111] ou des TOC, ou troubles obsessionnels-compulsifs[112]. Et, bien entendu, dans les phobies : les premières études démontrant cela ont commencé à être conduites dans les phobies d'araignées[113] ou les phobies sociales[114]. Et d'autres sont en cours. Les résultats vont sans doute se vérifier peu à peu sur l'ensemble de ce que l'on nomme des « troubles émotionnels », ces dérèglements du fonctionnement normal et adapté des émotions : la dépression comme dérèglement de la tristesse, les phobies comme dérèglement de la peur. La psychothérapie peut donc bel et bien modifier l'architecture fonctionnelle du cerveau, celle-là même qui est à l'origine des réactions de peur excessives.

Des médicaments contre les phobies ?

Il n'existe pas de médicament « antiphobique » comme il existe par exemple des « antidépresseurs ». Mais de nombreuses molécules ont une action sur les peurs phobiques...

➤ *Les tranquillisants, calmants et autres anxiolytiques ne font qu'endormir la peur*

Les tranquillisants sont capables d'un effet rapide sur les sensations subjectives d'angoisse et de peur. Parmi les plus utilisés, citons le Lexomil (nom générique : bromazépam), ou le Xanax (alprazolam). Aujourd'hui encore, il s'agit des traitements psychotropes plus souvent prescrits, ou autoadministrés par les patients eux-mêmes.

Leurs bénéfices sont réels : ils diminuent rapidement la sensation de peur, et en limitent l'intensité. C'est pourquoi beaucoup de patients phobiques en ont toujours sur eux, « au cas où ». Mais ces médicaments posent aussi un certain nombre de problèmes.

D'abord, leur action est très incomplète, et loin d'être satisfaisante : nombre de phobiques les prennent avec le sentiment de « colmater » leur angoisse, sans plus. Ensuite, ils entraînent assez souvent une dépendance, et leur arrêt devient alors problématique car ils provoquent un syndrome de sevrage, avec le sentiment d'un véritable rebond de l'anxiété à l'arrêt du médicament ; bien que peu dramatique, celui-ci n'est jamais agréable. Enfin, et c'est peut-être le plus gênant, on suspecte la classe la plus prescrite de tranquillisants, les benzodiazépines, d'entraver les processus d'apprentissage de maîtrise de l'angoisse qui conduisent à la guérison. Autrement dit, lorsqu'on est phobique, prendre ces médicaments à forte dose pendant trop longtemps reviendrait alors à diminuer certes l'intensité de ses peurs, mais aussi à les chroniciser. De fait, la plupart des patients phobiques que nous voyons dans notre unité de soins prennent des tranquillisants depuis des années, ce qui les a sans doute aidés à survivre au quotidien, mais visiblement pas à se débarrasser de leur phobie.

Une étude conduite sur des patients phobiques du vol aérien l'avait ainsi suggéré[115]. Les chercheurs avaient proposé à 28 personnes phobiques de l'avion d'effectuer deux vols espacés d'une semaine. La moitié d'entre elles, choisie au hasard, recevait pour le premier vol une dose efficace de benzodiazépines, tandis que l'autre recevait un placebo. Pour le second vol, aucun médicament n'était distribué. Durant le premier vol, les patients sous tranquillisant présentaient une peur moins élevée que les autres ; par contre, lors du second, ils se montraient beaucoup plus anxieux, là où les autres voyaient leur peur diminuée par rapport au premier vol. Autrement dit : les benzodiazépines sont peut-être efficaces pour diminuer l'anxiété, mais à l'arrêt, celle-ci se remanifestera encore plus fortement, et la répétition des expériences d'exposition verra leur efficacité altérée. D'autres études de ce type seront nécessaires pour confirmer ces hypothèses, car ces travaux sont encore en trop petit nombre pour qu'on généralise leurs conclusions.

Cependant, la tendance actuelle des médecins est de ne plus prescrire systématiquement des benzodiazépines dans les phobies, et de n'en proposer un usage contrôlé, dans ses doses et sa durée, qu'aux personnes chez lesquelles les pics de peur sont trop intenses. D'autres médicaments anxiolytiques existent d'ailleurs, appartenant à des classes pharmacologiques différentes, pour traiter la tendance à une anxiété généralisée.

Un autre problème des benzodiazépines, c'est leur mode d'action. Des études d'imagerie cérébrale ont montré qu'elles désactivaient en partie, durant le sommeil, le système émotionnel amygdalien[116]. Or on sait que c'est durant la nuit que notre cerveau répète et stocke les apprentissages effectués pendant la journée… Peut-être ces travaux indiquent-ils une autre piste pour expliquer cette intuition de nombreux thérapeutes : les patients sous benzodiazépines progressent plutôt moins vite que les autres en thérapie comportementale…

Il semble donc que le bon usage des benzodiazépines soit le suivant : n'en faire qu'un usage ponctuel, en cas de peur intense, comme une attaque de panique, pour l'écourter et la limiter. Mais en éviter l'usage régulier, en raison de divers problèmes, comme le risque de dépendance : on a du mal à s'en passer ; le risque d'accoutumance : il peut exister à terme une baisse d'efficacité ; et peut-être, nous l'avons vu, le risque d'un maintien relatif du problème à un niveau intermédiaire : on est soulagé mais pas vraiment guéri. Il est possible que le mode d'action des benzodiazépines, les plus prescrits des tranquillisants, soit en cause : les récepteurs cérébraux aux benzodiazépines sont concentrés aux entrées de l'amygdale cérébrale[117] et bloquent donc l'activation de cette dernière tôt en amont. L'alarme ne se déclenche pas, ce qui est certes confortable, mais moins pédagogique que de permettre à l'alarme de se déclencher, mais plus faiblement, de manière à permettre d'apprendre ensuite à la réguler. C'est ce que me disait, en ses termes imagés, une jeune patiente : « Les tranquillisants shootent ma peur, l'anesthésient, mais quand l'effet est passé, tout est exactement comme avant. »

> ### ➤ *Certains antidépresseurs permettent de réguler la peur*

Une autre catégorie de psychotropes est par contre de plus en plus utilisée dans certaines phobies sévères, notamment les phobies sociales et le trouble panique : il s'agit des antidépresseurs.

Depuis des travaux conduits dans les années 1960[118], on s'est aperçu en effet que certains antidépresseurs avaient également une action antiphobique, même si le patient n'était pas déprimé : il s'agissait donc d'un effet spécifique sur la peur et l'anxiété, et non sur la dépression. Les antidépresseurs ayant cette action sont surtout ceux dont le mécanisme augmente les taux de sérotonine, un neurotransmetteur cérébral : c'est pourquoi ils sont appelés « sérotoninergiques ». Après avoir utilisé les antidépresseurs dits « tricycliques » (ainsi dénommés en raison de la structure chimique de leur molécule), les médecins prescrivent aujourd'hui plus volontiers ces antidépresseurs sérotoninergiques de nouvelle génération, qui ne sont pas forcément plus efficaces que les précédents, mais beaucoup mieux tolérés. Ces médicaments, qu'on appelle aussi des « IRS », ou inhibiteurs de la recapture de la sérotonine, peuvent être « sélectifs » (ils agissent surtout sur ce neurotransmetteur) ou non (ils agissent aussi sur d'autres neurotransmetteurs). Citons, parmi ceux qui disposent aujourd'hui en France de l'AMM (autorisation de mise sur le marché délivrée, par le ministère de la Santé) dans différents troubles phobiques : le Déroxat (nom générique : paroxétine), l'Effexor (venlafaxine) ou le Seropram (citalopram).

Lorsque les patients sont « répondeurs » à l'action de ces antidépresseurs (ce n'est pas toujours le cas, ce qui explique qu'il faille parfois en essayer plusieurs avant d'arriver à un bon résultat), ils voient alors leurs manifestations anxieuses diminuer en intensité et en fréquence, mais pas complètement disparaître. Il leur devient alors plus facile de se confronter à ce qu'ils redoutent, n'ayant à affronter qu'une peur, certes notable, mais n'allant pas jusqu'à la panique. Assez souvent, ces patients sous traitement sérotoninergique décrivent aussi une capacité accrue à prendre du recul par rapport aux pensées phobiques associées au sentiment de peur : « Au début du traitement, j'avais les mêmes craintes qui me venaient à l'esprit, mais j'arrivais à leur désobéir, à les critiquer, à ne pas m'y soumettre. Puis peu à peu, j'ai commencé à voir les choses différemment. » Cet effet de modulation émotionnelle rend donc possibles un recul et une critique envers les styles de pensée phobique, et permet ensuite au patient de s'exposer davantage aux situations redoutées[119].

Malgré leurs avantages sur les benzodiazépines, ces médicaments posent eux aussi quelques problèmes. Il y a d'abord celui de leurs effets secondaires : de par leur puissance, ils entraînent souvent, en début de traitement, des effets latéraux indésirables, par exemple des nausées, de l'irritabilité, ou tout simplement la sensation d'« être sous médicament ». Ces effets peuvent parfois pousser les patients à interrompre leur traitement, ou même déclencher des crises d'angoisse chez les personnes dont la phobie comporte une dimension intéroceptive, c'est-à-dire une inquiétude envers des sensations corporelles perçues comme anormales ou inhabituelles. Ensuite, un certain nombre de patients peuvent rechuter à l'arrêt du médicament. Pour finir, on ne sait pas exactement aujourd'hui quelle doit être la durée idéale d'un tel traitement. On pense qu'elle doit être d'au moins six à douze mois, comme pour le traitement d'une dépression sévère, le temps de permettre à la personne de changer son style de vie : plus d'évitements, et sa vision du monde : comprendre émotionnellement, en s'y confrontant, que les situations qu'elle redoutait ne sont pas si dangereuses.

Mais en réalité, ces changements de perspective semblent moins dus au médicament lui-même qu'aux efforts de la personne : en somme les médicaments jouent un rôle de béquille permettant d'affronter ses peurs, et d'en tirer les conclusions. C'est cet affrontement qui est lui-même thérapeutique. Les médicaments ne sont que des – bons – outils : sans l'implication du patient dans des efforts de changement, leurs effets resteront limités ou transitoires.

➤ *Existe-t-il des médicaments « bio » à effet antiphobique ?*

Depuis les confirmations récentes de l'intérêt du millepertuis (la traditionnelle « herbe de la Saint-Jean ») pour le traitement des états dépressifs modérés[120], un regain d'attention pour les médicaments d'origine végétale existe en psychiatrie. Quelques travaux ont été menés dans les troubles phobiques, mais pas suffisants à ce jour pour permettre de recommander ce type de traitement[121]. D'autant qu'il faut rappeler que « végétal » ou « bio » ne veulent pas dire inoffensif : des articles de toxicologie rappellent régulièrement dans les revues médicales des cas d'intoxication ou d'interaction avec d'autres médicaments. Ainsi,

le millepertuis ne doit pas être associé aux antidépresseurs sérotoninergiques, sous peine d'effets secondaires pénibles. Mais on
peut souhaiter que cette voie de recherche en direction de médicaments d'origine végétale continue de se développer : toutes les
aides sont les bienvenues dans la lutte contre les phobies sévères.

➤ *Le bon usage des médicaments*

Il est toujours préférable de présenter la prescription médicamenteuse non pas comme un traitement en soi, mais comme
une aide aux efforts personnels à accomplir pour modifier son
comportement phobique : ne plus éviter, affronter les situations
phobogènes, modifier sa vision du monde... Le traitement n'est
qu'une béquille, certes très précieuse, mais qui ne peut remplacer les efforts personnels. C'est d'ailleurs la même chose dans
tout un tas d'autres pathologies : l'hypertension artérielle nécessite autant d'efforts d'hygiène de vie, de même que l'asthme, le
diabète et l'ensemble des pathologies reposant sur une vulnérabilité chronique.

Toute prescription de psychotrope dans les phobies ne
devrait pas se concevoir sans un accompagnement psychologique minimal, basé sur des conseils de vie quotidienne issus
des thérapies actuellement les plus efficaces, les thérapies
comportementales. Et pour les cas sévères, d'une vraie psychothérapie comportementale.

Les thérapies comportementales
et cognitives

Longtemps présentées comme des thérapies de l'apprentissage, du « dressage » disaient leurs détracteurs, elles se sont
avérées les plus efficaces pour soigner les phobies. C'est même
sans doute dans ce type de troubles qu'elles creusent le plus nettement la différence avec toutes les autres formes de thérapie.

Les TCC augmentent la liberté d'action du sujet phobique, et son estime de soi. Elles diminuent nettement l'asservissement à la phobie. Mais ce sont aussi elles qui induisent le moins cet effet secondaire classique : la dépendance envers la thérapie et la personne du thérapeute.

➤ *En quoi consistent les thérapies cognitives et comportementales (TCC) ?*

Les TCC sont donc, depuis plus d'une décennie, les psychothérapies recommandées en première intention pour le traitement des états phobiques[122]. Elles reposent sur un ensemble de données issues de la psychologie scientifique et expérimentale, et adoptent elles-mêmes cette démarche en évaluant systématiquement leurs résultats. Ainsi, loin d'être un corpus de connaissances figées, leurs techniques évoluent régulièrement : certaines méthodes largement utilisées il y a dix ans le sont beaucoup moins aujourd'hui, d'autres sont apparues…

Les thérapies comportementales et cognitives accordent une priorité au travail sur les symptômes et sur l'adaptation au monde environnant, plutôt qu'à la compréhension des éléments du passé, centrée sur le seul individu. Le thérapeute y adopte un style relationnel directif, donne des informations et des conseils au patient, lui fait pratiquer des exercices en séance et entre les séances. Le but de la thérapie est que le patient puisse à nouveau affronter ce qui lui fait peur, et retrouver de ce fait une autonomie et une dignité satisfaisantes.

La logique des TCC est, en quelque sorte, de remettre les patients dans la bonne direction, dans le sens de la marche, c'est-à-dire des capacités d'autoguérison de leurs peurs. Souvent, la logique interne de la phobie les pousse, nous l'avons vu, à des comportements au contraire autoaggravants : éviter, amplifier ses peurs… Ce qui fait que plus aucune confrontation ne leur est bénéfique, tant ils sont pris dans l'étau de la phobie. L'objectif de la TCC, c'est que les confrontations se remettent à devenir des expériences dont on peut tirer profit, et non plus des traumatismes ou des confirmations de son impuissance à faire face. Le patient continue ensuite de progresser seul, sans son thérapeute. Ce dernier se positionne d'ailleurs comme un pédagogue, qui va apprendre à son patient à utiliser des méthodes efficaces : une fois que le patient a compris comment s'en servir, le thérapeute n'a plus d'autre fonction que celle de l'encourager à continuer. Il n'y a rien de plus simple qu'une TCC ! Le patient y entend souvent des choses qui lui ont été conseillées ailleurs ; mais, cette fois-ci, ces choses lui sont dites en situation, sur le terrain même de la peur. Un jour, une de mes patientes, en conclusion de sa thérapie, m'avait magnifiquement expliqué cela : « Tout ce que vous m'avez expliqué pendant notre travail, on me l'avait déjà *dit*. Mais c'est seulement ici qu'on me l'a *montré*. Et que je l'ai *compris*. »

➤ *Éloge du bon sens*

Les thérapies comportementales et cognitives peuvent apparaître d'une très grande simplicité aux yeux du profane : affronter l'objet de ses peurs et s'y prendre de préférence progressivement, qu'est-ce d'autre, au fond, que du bon sens ? C'en est, en effet. Mais bizarrement, ce bon sens n'a pas toujours été d'actualité en psychothérapie. Certains thérapeutes préféraient emprunter des voies beaucoup plus détournées, expliquant aux patients qu'il fallait surtout ne pas trop se focaliser sur la guérison et la disparition des symptômes, et allant même jusqu'à se moquer de la « rage de guérir » de quelques-uns de leurs confrères. C'est le philosophe Raymond Aron, éclipsé par Sartre, qui parlait pourtant du « sourire du bon sens ». Et un autre oublié de la littérature, Franc-Nohain, qui écrivait : « Le bon sens n'est pas là pour nous faire accomplir de grandes choses, mais pour nous empêcher de faire des bêtises[123]. » En matière de psychothérapie, le bon sens a très longtemps été mis de côté. Il est de retour, et c'est une bonne nouvelle.

Car de nombreuses idées reçues vont contre le bon sens, par exemple celle de la souffrance qui grandit ou qui rend plus créatif. Je me souviens d'avoir lu une interview de Woody Allen, grand anxieux devant l'Éternel, à qui l'on demandait si son anxiété n'était finalement pas le moteur de son talent. Et le bon Woody, maître en anxiété et en créativité, de répondre poliment mais fermement : « Je ne pense pas que plus vous êtes angoissé, plus vous êtes créatif. Au contraire, si vous êtes serein, votre travail n'en est que meilleur. Je n'ai jamais été angoissé à l'idée de ne plus l'être[124]. »

➤ *Le petit Peter, premier cas de phobie traité par thérapie comportementale en 1924*

On peut considérer que la première thérapie comportementale moderne d'une phobie spécifique, s'appuyant sur les données de la psychologie scientifique, a été effectuée en 1924 par la psychologue américaine Mary Jones auprès d'un enfant[125]. Peter était un garçonnet de 3 ans, phobique des lapins, et à un degré moindre des rats, souris et grenouilles. Mary Jones décida de le traiter par l'utilisation de deux techniques conjointes : le déconditionnement par habituation progressive, et l'imitation de modèles.

Durant les séances, l'enfant était installé sur sa chaise haute, et s'occupait à des activités agréables : jouer ou manger ses aliments préférés. Pendant ce temps, un lapin était amené dans une cage à l'autre bout de la pièce. Après des signes de peur initiale, Peter s'habitua peu à peu à la présence du lapin. Au fur et à mesure des séances, le lapin était progressivement rapproché de la chaise de Peter. À un moment de la thérapie, trois enfants de son âge furent invités à venir jouer devant lui avec le lapin tandis qu'il observait la scène. En une quarantaine de séances, l'enfant était capable de jouer affectueusement avec le lapin. Sa crainte des autres petits animaux avait également disparu. L'effet se maintint durant toute la période de suivi, sur plusieurs semaines.

Mais une histoire de guérison sur un seul cas, si convaincante soit-elle, ne peut tenir lieu de preuve d'efficacité généralisable...

➤ Comment évaluer scientifiquement une psychothérapie ?

Imaginons que vous ayez mis au point une méthode révolutionnaire pour soigner les phobies. Vous allez d'abord la tester sur un petit nombre de vos patients, qui vont vous sembler améliorés. Mais sont-ils vraiment améliorés ? Ce n'est pas seulement à vous de le dire (on ne peut être juge et partie), mais aux patients eux-mêmes (au travers d'autoquestionnaires validés) et aussi à d'autres psychothérapeutes (dits « évaluateurs »), utilisant également des échelles d'évaluation validées par la recherche. Puis, même si ces premiers résultats sont favorables, vous devez vérifier si ce qui a aidé ces patients, c'est bien votre nouvelle technique de psychothérapie (facteur spécifique) ou tout simplement le fait que vous ayez passé du temps à les écouter et les soutenir (facteur non spécifique). Vous allez donc faire une étude « contrôlée », c'est-à-dire que, sur un nombre suffisant de patients candidats à une psychothérapie, vous allez procéder à un tirage au sort en deux groupes : ceux qui bénéficieront de votre méthode et ceux qui bénéficieront seulement d'une thérapie de soutien (ils passeront le même temps que les autres avec un thérapeute, mais ce dernier ne fera que les écouter et les encourager). Si les résultats sont significativement meilleurs chez les patients ayant reçu votre psychothérapie, vous êtes sur la bonne piste.

Encore va-t-il maintenant falloir que vous soyez capable de décrire votre méthode de façon assez précise pour que d'autres équipes de thérapeutes arrivent à reproduire vos résultats, auprès du même type de patients ! Ce qui montrera que l'efficacité de votre technique ne dépend pas seulement de votre charisme personnel en tant que thérapeute. À ce moment-là, la communauté scientifique reconnaîtra que votre méthode est novatrice et efficace. La route est donc longue avant qu'une psychothérapie accède au rang de technique validée par la recherche !

À ce jour, ce sont les thérapies comportementales et cognitives qui ont été l'objet du plus grand nombre de telles validations scientifiques.

➤ *Preuves et débats*

Il existe en effet plusieurs dizaines d'études contrôlées attestant l'efficacité des TCC dans le traitement des phobies[126]. Les travaux de suivi[127] montrent qu'après plusieurs années ces bons résultats s'avèrent durables. Ils soulignent aussi dans certains cas la nécessité de programmes de « maintenance », avec un suivi régulier du patient, qui est encouragé à appliquer régulièrement les stratégies psychologiques et comportementales apprises durant la thérapie, et à dépister précocement les éventuels symptômes de fragilisation, avant qu'ils ne s'organisent en une rechute avérée. Confronté à des difficultés, un ancien phobique risque en effet de ressentir à nouveau des manifestations débutantes de son trouble. Mais en appliquant les stratégies déjà apprises en thérapie, il aura toutes les chances de pouvoir les endiguer et les contrôler beaucoup plus facilement.

Dans tous les cas, les réserves émises au début par les psychanalystes sur la possibilité de substitution de symptômes (« supprimez la phobie et le patient se couvrira d'eczéma ») ou sur les rechutes systématiques (« tant que le problème de fond ne sera pas réglé, les symptômes reviendront ») n'ont jamais été confirmées par la moindre étude. Si de tels cas peuvent exister, il semble clairement qu'ils ne soient pas une majorité représentative, loin s'en faut. Notons qu'ils concernent d'ailleurs toutes les formes de psychothérapie, y compris la psychanalyse, puisque les recherches minutieuses ont montré que les patients « historiques » de cette discipline, dont les cas sont depuis des lustres présentés comme des preuves par les psychanalystes, ont presque tous été des échecs thérapeutiques, avec une absence d'amélioration, ou des rechutes rapides, ou même des aggravations[128].

➤ *Les techniques utilisées dans les TCC*

Les principales techniques sont l'exposition (se confronter à ses peurs) et la restructuration cognitive (modifier et critiquer ses systèmes de pensée). D'autres outils thérapeutiques sont parfois associés à ces deux « ingrédients » de base : la relaxation et le contrôle respiratoire (lorsque la peur est très forte, on entraîne les patients à la diminuer par ces techniques au moment d'affronter les situations), et l'affirmation de soi (qui consiste à apprendre par des jeux de rôle à exprimer ce que l'on veut ou ce que l'on ressent). Ces deux méthodes, on le voit, ont pour but d'aider la personne phobique à reprendre en partie le contrôle des situations, au lieu de se sentir débordée par ses sensations physiques, perçues comme totalement incontrôlables, et soumise aux autres personnes, imaginées plus fortes que soi.

En quoi consiste la thérapie par exposition ?

Nous avons déjà évoqué un certain nombre des principes de la démarche d'exposition dans le chapitre précédent. Cette technique consiste à proposer au patient d'affronter une série de situations phobogènes d'intensité croissante, sans chercher, du moins au début, à se sentir détendu durant l'exposition, mais simplement en restant face à ce qu'il redoute, jusqu'à ce que la peur décroisse d'au moins 50 %.

Cette exposition peut avoir lieu en imagination (exposition à des images mentales) avant de pratiquer des exercices *in vivo*. Mais l'exposition directement *in vivo* a la faveur des thérapeutes. C'est actuellement la technique recommandée dans le traitement des phobies.

Chaque séance d'exposition doit être assez longue, souvent une heure. Il est important que le patient ne quitte pas la situation avant que sa peur ne soit redescendue de manière significative. Durant l'exposition, le patient doit se concentrer sur le stimulus phobogène, et avoir recours le moins possible à des stratégies de distraction (penser à autre chose, regarder ailleurs, etc.) : celles-ci semblent de nature à altérer les bons résultats de l'exposition[129]. Il est donc capital que le thérapeute veille à ramener régulièrement l'attention du sujet sur l'exercice en cours, l'objet phobogène et les sensations de peur, surtout dans les situations les plus anxiogènes.

Par ailleurs, durant les séances d'exposition, il est fréquent que le thérapeute serve de « modèle », et précède le patient dans les tâches à accomplir, pour lui proposer un exemple de comportement confrontatif face à l'objet des peurs.

Pour simples qu'elles puissent paraître, les techniques d'exposition nécessitent beaucoup de savoir-faire de la part du thérapeute. Et ce dernier ne doit jamais oublier qu'elles représentent un stress très important pour les patients, d'où la règle de progressivité que nous rappelions dans le chapitre précédent.

Je me souviens d'une histoire assez émouvante à ce sujet, qui m'était arrivée lors d'une formation que je donnais à des thérapeutes sur la phobie sociale. Alors que je venais de terminer ma séquence consacrée à l'exposition et à ses règles, une des participantes demanda la parole, assez troublée, et commença à raconter son histoire : « Je vois bien ce que vous voulez dire. Mon père était phobique social. Un jour, ma mère est morte. Il a eu un chagrin terrible. Et aussi, il a tout à coup compris qu'il ne pourrait pas continuer de se protéger derrière elle, comme il le faisait jusqu'alors. Cela a très vite commencé, puisque le jour de l'enterrement, il a dû serrer la main aux deux cents personnes qui étaient venues assister à la cérémonie. » Tout le groupe, moi y compris, commença alors à anticiper une fin heureuse à l'histoire, du style : « Le lendemain de cette épreuve, sa phobie avait disparu. » Mais la collègue avala un sanglot et continua : « Le lendemain matin, lorsque je me suis rendue chez lui, il était mort. Je crois que c'est surtout le chagrin qui l'a tué. Mais ces deux cents mains à serrer, ces deux cents visages à regarder dans les yeux, ces deux cents réponses à donner aux condoléances ont sûrement précipité les choses. Depuis, je fais toujours attention d'aller tout doucement et progressivement lorsque j'expose mes patients… » Comme tous les traitements efficaces, la thérapie par exposition ne doit pas être l'objet de surdosage, surtout chez les personnes vulnérables.

Les principales méthodes d'exposition

Il existe plusieurs types possibles d'expositions, que nous détaillerons à nouveau en abordant chaque type de phobie, plus loin dans cet ouvrage. Le but commun à toutes ces expositions est de « désensibiliser » la personne à la peur, en lui inoculant avec son accord de « petites doses » de peur, tout comme on désensibiliserait une personne allergique.

Les expositions situationnelles sont les plus classiques : le patient est invité à se confronter à ce qu'il redoute. On l'invite par exemple à manipuler une seringue s'il est phobique des injections, à s'approcher de l'animal dont il a peur, à prendre un ascenseur, à faire un exposé en public… D'où le caractère très concret et vivant des TCC, qui conduisent patients et thérapeutes à descendre régulièrement sur le terrain, dans l'arène des peurs. Il est fréquent en effet que le thérapeute soit amené à sortir du cabinet pour accompagner le patient sur les lieux d'exposition : un chenil, un pont, un grand magasin… C'est même souhaitable en début de thérapie. L'exposition accompagnée présente en effet de nombreux avantages : elle permet au thérapeute de vérifier sur place comment se comporte son patient face à la peur, elle lui offre aussi une occasion de travailler sur les réactions « à chaud » en situation de peur. Mais elle est contraignante pour les thérapeutes, qu'elle oblige à quitter le confort de leur bureau !

Les expositions intéroceptives : l'intéroception désigne l'ensemble des sensations physiques venant du corps. Beaucoup de personnes phobiques redoutent en effet de commencer à ressentir ces sensations, signes avant-coureurs d'une montée de panique. Ces sensations physiques sont associées à un réflexe conditionné de peur : c'est ce que l'on nomme « phobie intéroceptive ». Le thérapeute va chercher à déclencher ces sensations physiques en séance pour apprendre au patient à les supporter sans angoisse, et à les maîtriser : on propose au patient d'hyperventiler (respirer très rapidement et profondément pendant plusieurs minutes), on le fait tourner rapidement sur un fauteuil pour induire de légers vertiges, monter des marches d'escalier quatre à quatre pour avoir des palpitations, rester debout longtemps pour déclencher de légères sensations d'hypotension orthostatique, trop se couvrir pour rougir ou transpirer devant le regard d'autrui…

Les expositions en imagination sont adaptées aux patients dont l'angoisse est trop forte pour qu'ils puissent se confronter directement à leurs peurs. Dans ce cas, avant de passer aux expositions dites *in vivo*, on leur propose une désensibilisation en imagination, dite encore « désensibilisation systématique ». Elle consiste à affronter progressivement, en imagination et sous relaxation, la situation phobogène, préalablement décomposée en étapes de valeur anxiogène croissante. Le sujet est allongé, les yeux fermés, et alors qu'il est relaxé, il commence à s'imaginer progressivement dans les situations qu'il redoute. Ce qui déclenche souvent (mais pas toujours) une montée réflexe de peur. Cette technique fut la première à être utilisée à grande échelle dans le traitement des phobies. En raison de sa longueur et de sa lourdeur, elle tend actuellement à être délaissée au profit de techniques d'exposition *in vivo*. Mais elle garde son intérêt dans le cas de phobies où la charge de peur est très forte et où les confrontations ne sont pas immédiatement possibles. Elle doit de toute façon être suivie par de véritables exercices d'exposition, *in vivo*.

Les expositions par imagerie virtuelle. Les expositions *in vivo* ou accompagnées sont parfois difficiles dans le cas de certaines phobies, comme celle de l'avion. C'est pourquoi les techniques d'imagerie virtuelle suscitent un grand intérêt chez les comportementalistes : en équipant correctement les patients, il va devenir possible de leur faire vivre les sensations redoutées, en restant sur place. Ces thérapies ont déjà été testées avec succès auprès de patients acrophobes, ayant peur du vide ou des hauteurs[130], auprès de patients arachnophobes[131], phobiques de l'avion[132] ou phobiques sociaux[133, 134]. Pouvant s'avérer suffisantes pour certains patients présentant des phobies modérées, ces thérapies par imagerie virtuelle peuvent dans tous les cas servir de préparation aux TCC « pour de vrai ».

Modifier ses pensées automatiques

« Si je me penche, je serai attirée par le vide », « Si je rougis, tout le monde va le remarquer et je vais me couvrir de ridicule. »

Les modes de pensée des patients phobiques représentent une cible importante des interventions psychothérapiques[135]. Dans le jargon des thérapeutes, on appelle « cognition » une pensée automatique survenant à l'esprit d'une personne. C'est sur ce type de pensées, souvent subconscientes (c'est-à-dire non conscientes mais accessibles à un petit effort d'introspection) que vont porter les thérapies cognitives.

Leur première étape, dite d'auto-observation, va consister en une prise de conscience claire de ce fonctionnement mental, ce qui n'est pas toujours facile, car les patients ont naturellement tendance à rationaliser leurs façons de voir : « Je ne prends plus les ascenseurs car c'est plus sain de monter par les escaliers », « Tous les chiens sont potentiellement dangereux, cette espèce descend du loup, c'est normal d'en avoir peur »… Dans certains cas également, penser à ce qu'on redoute fait peur, et par exemple les patients paniqueurs n'aiment pas « écouter » leurs peurs : ils évitent par exemple de penser ou de prononcer certains mots comme « malaise », « angoisse », qui leur déclenchent des crises anxieuses… Ces patients ont alors recours à des stratégies de fuite mentale (dites « évitements cognitifs »), par exemple en laissant toujours la radio allumée ou en étant toujours en train de faire quelque chose (parler, lire…) quand la peur s'approche.

Après cette étape d'auto-observation, on entraîne le patient à réfléchir sur ses cognitions, et à en analyser la pertinence : il ne s'agit pas ici de lui rappeler que ses peurs ne sont pas « raisonnables » (son entourage s'en est déjà chargé), mais de l'aider à les observer en face, et à analyser ses scénarios catastrophe. De quoi a-t-il peur précisément ? Que va-t-il se passer selon lui s'il affronte la situation ? Quelles seront ses réactions ? Quelles pourraient être les conséquences à long terme ? Est-ce que toutes ces prédictions sont réalistes ? Comment en vérifier la pertinence ?

Puis, ultime et indispensable étape, le thérapeute va inciter son patient à procéder à des « épreuves de réalité » destinées à vérifier si ses prédictions phobiques sont fiables. Par exemple, à un paniqueur qui prédit qu'au-delà de dix minutes coincé dans une file d'attente il présentera un malaise ou une attaque de panique, le thérapeute va proposer de tester cette prédiction, en accompagnant son patient dans un bureau de poste ou un magasin aux heures de pointe. C'est uniquement en associant cette approche cognitive à de telles démarches de mise en situation que les modulations cognitives deviendront « crédibles » pour le cerveau émotionnel du patient.

➤ *Une nouveauté au sein de l'approche TCC des phobies : l'EMDR*

L'EMDR est une forme de thérapie brève, qui consiste à faire évoquer au patient des moments émotionnellement pénibles de son existence, durant lesquels ses symptômes ont pu se révéler ou apparaître : par exemple un souvenir de début de noyade chez une personne présentant une phobie de l'eau ou de l'étouffement.

Pendant que le patient se replonge, psychologiquement et sensoriellement, dans ces souvenirs douloureux, le thérapeute lui fait suivre des yeux son doigt ou un objet quelconque, qui effectue des mouvements latéraux rapides. Cette manœuvre est supposée provoquer une désactivation puis une reprogrammation des émotions douloureuses associées au souvenir. D'où son nom d'EMDR : *Eye Movement Desensitization and Reprocessing.*

Bien qu'on ne sache pas clairement par quel mécanisme exact agit l'EMDR, elle s'est montrée efficace dans le traitement des traumatismes psychologiques[136].

Une des conséquences les plus fréquentes des chocs psychologiques réside en la persistance de peurs paniques de se retrouver dans la situation où l'on a vécu le traumatisme : si l'on a été agressé dans un parking ou si l'on a subi un accident de voiture, on peut s'avérer ensuite incapable de se confronter de nouveau à ces situations. Il s'agit en quelque sorte de phobies secondaires, induites par le traumatisme. C'est pourquoi quelques travaux ont été conduits pour tester l'EMDR auprès de patients souffrant de troubles phobiques[137,138]. Les premiers résultats sont intéressants, mais il faut attendre d'en savoir plus avant de recommander systématiquement cette méthode aux phobiques.

Selon mon expérience personnelle, l'EMDR peut être utile si certains souvenirs de peur ou de honte sont insoutenables, ou restent douloureux à des années de distance. Cela est fréquent chez les phobiques sociaux qui ont vécu des humiliations en public, et qui ne peuvent les évoquer sans un sentiment de très profond malaise et de grande détresse. Ou aussi chez les patients qui ont ressenti de violentes attaques de panique, et qui en général évitent de penser à ces souvenirs.

Phobies et psychanalyse

La psychanalyse a longtemps été la seule méthode de psychothérapie disponible. Et le cas du petit Hans, rapporté par Freud en 1909, est sans doute l'un des plus célèbres de l'histoire de la psychiatrie. Hans présentait une phobie des chevaux, après avoir assisté à la chute d'un cheval tirant un tramway dans la rue. Le récit de la cure du petit Hans, conduite par le père d'après les conseils de Freud, est devenu un classique de la littérature psychanalytique. Freud reconnaît lui-même n'avoir rencontré qu'une fois le jeune garçon âgé de 5 ans, l'essentiel des données ayant été transmises par le père, un admirateur passionné des thèses psychanalytiques, à l'époque très novatrices.

Voici un extrait d'une lettre du père de Hans à Freud : « Sans doute le terrain a-t-il été préparé de par une trop grande excitation sexuelle due à la tendresse de sa mère, mais la cause immédiate des troubles, je ne saurais l'indiquer. La peur d'être mordu dans la rue par un cheval semble être en rapport d'une façon quelconque avec le fait d'être effrayé par un grand pénis – il a de bonne heure, ainsi que nous le savons par une observation antérieure, remarqué le grand pénis des chevaux et il avait alors tiré la conclusion que sa mère, parce qu'elle était si grande, devait avoir un fait-pipi comme un cheval… En dehors de la peur d'aller dans la rue et d'une dépression survenant chaque soir, Hans est au demeurant toujours le même, gai et joyeux[139]… » Freud faisait l'hypothèse que Hans vivait une rivalité œdipienne angoissante avec son père : trop pénible à vivre consciemment, cette angoisse était l'objet d'un *refoulement* dans l'inconscient. Puis, pour plus d'efficacité, un second mécanisme intervenait : un *déplacement* de l'objet de l'angoisse du père vers les chevaux, ce qui permettait une relative extériorisation du conflit œdipien… Car la peur d'être mordu par un cheval représentait alors une menace moins redoutable que celle liée à l'angoisse de castration (crainte d'être puni par le père pour avoir voulu prendre sa place auprès de la mère).

Bien que leurs thèses aient initialement séduit, les psychothérapies psychanalytiques ont beaucoup reculé en matière de prise en charge des phobies, du fait de leurs résultats décevants dans ces indications. Un des grands psychanalystes d'enfants contemporain, Serge Lebovici, évoquait « le cas d'une phobie scolaire qui durait depuis quinze ans en dépit d'une psychothérapie très longtemps poursuivie dans d'assez bonnes conditions[140] ». De plus (ou à cause de cela ?), les psychanalystes n'ont jamais considéré la diminution ou la disparition des symptômes phobiques comme un but en soi, alors que c'est souvent une demande prioritaire des patients. On se souvient de la devise célèbre de Lacan : « La guérison viendra en sus. » Ainsi, dans un des ouvrages consacrés à la vision psychanalytique des phobies, dans une collection grand public de référence, seulement 3 pages sur 128 sont consacrées au traitement : 2,3 %[141] !

Dans son récit autobiographique *Une saison chez Lacan*, le journaliste et écrivain Pierre Rey, qui fut une des figures du Tout-Paris mondain, raconte ses dix ans de psychanalyse. Son livre est passionnant, car il permet de comprendre comment a pu fonctionner l'incroyable snobisme de l'époque autour de la « nécessité d'une analyse chez Lacan ». Mais il montre aussi comment la question d'une guérison ne se posait alors même pas : « L'avouer aujourd'hui me fait sourire : je suis toujours aussi phobique. Mais entre-temps, j'ai négocié avec mes phobies. Ou je ne me mets plus en position d'avoir à les éprouver, ou, le dussé-je, je les subis avec la résignation ennuyée qu'appellent les fatalités extérieures[142]. »

Beaucoup d'analystes reconnaissent aujourd'hui que si la demande du patient est de ne plus souffrir de ses symptômes phobiques, alors l'analyse n'est pas une solution à proposer en première intention. Beaucoup, mais pas tous... Je me souviens ainsi d'un patient qui me disait : « J'en veux à mon psychanalyste, il m'a gâché mon analyse. Cela aurait pu être passionnant de bout en bout, mais les trois quarts du temps, je ressassais mes peurs, mes échecs, mes évitements, mes frustrations liés à la phobie. Alors qu'en dix mois de traitement dans votre service, nous avons fait reculer le mal. Pourquoi ne m'a-t-il pas orienté vers vous dès le début, afin que je puisse conduire correctement ma psychanalyse, dont j'avais besoin par ailleurs ? »

L'autre problème connu par les thérapies d'inspiration psychanalytique est peut-être lié à leur absence d'évolution depuis longtemps, comme si elles s'étaient figées dans le respect d'un dogme qui n'aurait dû être qu'un point de départ. Des tentatives très intéressantes ont été faites ces dernières années pour inventer de nouvelles formes de thérapie basées sur le modèle psychanalytique[143].

Tous les chemins mènent à Rome, mais plus ou moins vite...

On oppose souvent la psychanalyse aux thérapies comportementales et cognitives. En fait, ces dernières se sont aussi développées en réaction à une certaine conception « molle » de la psychothérapie, vue comme une série de rencontres où un thérapeute laisse simplement un patient parler de son passé, sans trop savoir où cela va les conduire l'un et l'autre. Pour les comportementalistes, « la psychothérapie ne doit pas être une technique non définie, s'adressant à des problèmes non précisés, avec des résultats non mesurables[144] ». Or c'est souvent ce qui est proposé à de nombreux patients phobiques, le postulat sous-jacent des thérapeutes étant que parler de ses problèmes devrait déjà apporter une amélioration. C'était peut-être vrai il y a un siècle, aux temps héroïques de la psychologie, où l'on ne parlait pas de « ces choses-là ». Mais dans une société comme la nôtre, où la parole a été beaucoup libérée, un thérapeute digne de ce nom ne peut plus seulement s'en remettre aux vertus de la discussion et de l'échange, du moins pour le traitement de troubles émotionnels aussi ancrés dans la biologie que peuvent l'être les très grandes peurs.

L'un des meilleurs spécialistes mondiaux des phobies, l'Anglais Isaac Marks, avait un jour comparé le problème du choix d'une thérapie d'un trouble phobique à celui d'un itinéraire[145]. Choisir une thérapie, c'est comme choisir le chemin par lequel on va se rendre d'un point à un autre, de la souffrance à la non-souffrance, de l'esclavage à la liberté. On peut vouloir prendre l'autoroute, et souhaiter aller à l'essentiel, sans trop regarder le paysage : on choisira alors pour se soigner les techniques basées sur l'exposition. On peut préférer suivre des itinéraires secondaires, routes nationales ou départementales, plus confortables et agréables, mais nettement moins rapides : on utilisera alors surtout des approches cognitives, de la relaxation, la méditation. On peut enfin décider de passer à travers champ, en délaissant la rapidité au profit de tout un tas de découvertes effectuées en chemin, avec aussi le risque de complètement se perdre en route : c'est alors le choix de la psychanalyse.

Je présente souvent cette comparaison à mes patients. Elle rappelle que la méthode qui va le plus vite n'est pas forcément la plus agréable ni la plus instructive sur soi-même. Elle rappelle aussi que toutes les thérapies peuvent conduire à la guérison, comme on disait jadis que « tous les chemins mènent à Rome ». Le choix d'une voie lente ou d'un chemin de traverse est d'autant plus légitime que les peurs phobiques sont peu sévères, et que les patients sont peu pressés, ou ont d'autres attentes en parallèle (« régler mes relations difficiles avec mon passé »).

Mais on peut aussi prendre le problème différemment : choisir les thérapies les plus brèves et les plus efficaces sera la solution préférée par la plupart des patients, parce que subir des peurs pathologiques est une souffrance, et que la souffrance nous ferme souvent au monde. Et une thérapie ne doit rester qu'une étape dans la vie, au lieu d'en représenter un but. Pour profiter de l'existence, nul besoin d'un thérapeute à ses côtés...

CHAPITRE 6

Peurs et phobies : un peu d'histoire et un portrait de famille

Les trois mousquetaires étaient quatre. Il y a, de même, trois grandes familles de peurs... Plus une quatrième.

D'abord, les peurs de tout ce qui fait notre environnement naturel, comme les animaux, le vide, l'eau, le noir, et bien d'autres choses encore. Ensuite, les peurs sociales, peur des regards, des jugements, des échanges avec nos semblables. Enfin les peurs, souvent paniques, des malaises si l'on est enfermé, si l'on se sent coincé, si l'on se retrouve loin de chez soi : on parle alors de claustrophobie ou d'agoraphobie. La quatrième famille, ce sont toutes les autres peurs, que nous aborderons à la fin de ce livre. Mais quelle que soit la peur dont vous souffrez, ne laissez plus personne vous dire que vous êtes névrosé : la névrose n'existe plus. Vous êtes simplement une personne qui souffre de peur excessive...

« Qui creuse une fosse tombe dedans,
Qui sape un mur, un serpent le mord,
Qui extrait des pierres peut se blesser avec,
Qui fend du bois court un danger… »

L'Ecclésiaste, 10, 8

Dans l'Europe chrétienne du Moyen Âge, la peur était considérée comme souhaitable, et saint Augustin rappelait que la crainte du châtiment divin était une grâce. On était alors sensible aux vertus de la peur, qui écartait les hommes des dangers, et surtout des péchés. Aujourd'hui, nos sociétés, plus hédonistes et individualistes, perçoivent plutôt la peur comme une entrave : elle est, selon les masques qu'elle va revêtir, ce qui nous empêche d'aller vers les autres, de voyager, de découvrir, de nous détendre, d'atteindre nos buts, bref, de profiter de la vie[146]. Mais quel que soit le jugement moral ou religieux que l'on porte sur elle, la peur a toujours existé et toujours fait souffrir.

On retrouve bien entendu des descriptions de peurs excessives et de phobies depuis l'Antiquité. Dans la Bible, un passage de l'Ecclésiaste évoque ainsi une description d'agoraphobie : « Quand on se lève au chant de l'oiseau et que les vocalises s'éteignent, alors on a peur de la montée, on a des frayeurs en chemin… » Hippocrate, mais aussi Descartes et Pascal rapportent dans leurs œuvres les appréhensions irrationnelles de certains de leurs contemporains. Dans ses *Essais*[147], Montaigne décrit comment « nous tressuons, nous tremblons, nous pallissons et rougissons aux secousses de nos imaginations… », tandis que Robert Burton rapporte le cas de « quelqu'un qui n'osait pas sortir de chez lui de peur de s'évanouir ou de mourir », dans sa célèbre *Anatomie de la mélancolie*, publiée en 1621[148]. Le philosophe anglais John Locke décrit le premier en 1690 les mécanismes de formation d'une phobie, tandis que le chirurgien français Le Camus en propose une classification en 1769[149]. Au cours des siècles, les observations médicales ou les récits littéraires relèveront régulièrement le cas de patients éprouvant une peur anormale dans certaines circonstances.

C'est au XIXᵉ siècle que les premières phobies seront analysées en termes « modernes », à la suite de la description de l'agoraphobie par Westphall en 1871. Une avalanche de néologismes grecs permit alors aux psychiatres de nommer tous les types de phobies, dans un esprit très entomologiste. Certains de ces néologismes fleurent bon l'idéologie sociale de l'époque qui les a vus naître. Ainsi, la phobie de la captivité, ou drapétomanie, du grec *drapeta* : esclave évadé, qui sévissait chez les esclaves noirs du sud des États-Unis au siècle dernier[150]...

Dès 1896, Théodule Ribot, un des ancêtres de la psychologie française, notait devant ce déferlement[151] : « ... Une véritable inondation de phobies, ayant chacune son nom spécial... Toute manifestation morbide de la crainte est aussitôt dénommée par un vocable grec ou réputé tel... »

Freud, lui aussi, ironisa à ce propos dans son *Introduction à la psychanalyse*[152] : « Cette série de phobies présentées sous de pimpants noms grecs... ressemble à l'énumération des dix plaies d'Égypte, avec cette différence que les phobies sont beaucoup plus nombreuses. »

Il proposa alors sa propre classification des états anxieux – névrose phobique, névrose obsessionnelle, névrose d'angoisse... – qui traversa allégrement le siècle jusqu'aux années 1970. À ce moment, après avoir rendu de bons et loyaux services, la vénérable terminologie freudienne commença à rentrer dans l'ombre, à la suite des travaux de psychiatres comme l'Américain Klein[153], qui démontra l'efficacité de certains antidépresseurs dans le traitement du trouble panique, ou du Sud-Africain Wolpe[154] et de l'Anglais Marks[155], qui mirent au point les premières thérapies comportementales efficaces sur les troubles phobiques.

Quelques peurs et phobies originales

Friande de néologismes basés sur le grec, la psychiatrie du XIXᵉ siècle fut à l'origine d'une profusion de savoureuses appellations, spécifiques à chaque type précis de phobie :

Acrophobie : peur des hauteurs (*akron* : le plus haut), équivalente à la *kénophobie* (*kenos* : vide), et sans doute à la *cremnophobie* (peur des précipices) et à l'*orophobie* (peur des lieux en pente et des montagnes)

Aérodromophobie : peur des voyages en avion

Algophobie : peur de la douleur

Apopathodiaphulatophobie : peur de la constipation

Astrapéphobie : peur des éclairs, souvent associée à la *bronthémophobie* (peur du tonnerre) et à la *chéimophobie* (peur des orages et des tempêtes)

Hématophobie : peur du sang, proche de la *créatophobie* (phobie de la viande) et de la *bélonéphobie* (peur des épingles et aiguilles)

Monophobie : peur de rester seul

Oïcophobie : peur de revenir chez soi (*oïkos* : maison) après une hospitalisation

Zoophobie : peur des animaux. Elle peut comprendre l'*ornithophobie* (peur des oiseaux), l'*ailourophobie* (peur des chats), la *cynophobie* (peur des chiens), la *musophobie* (peur des souris), l'*arachnophobie* (peur des araignées), etc. La *trichophobie* est la crainte des poils et la *ptérophobie,* celle des plumes

Phobophobie : peur de ressentir de la peur

Sidérodromophobie : peur des voyages en train (étymologiquement : « chemin de fer »)

Taphophobie : peur d'être enterré vivant

Et si cette liste vous a indisposé, c'est peut-être que vous êtes atteint d'une *hellénologophobie* (*hellenos* : grec, et *logos* : mot) : la peur des termes grecs utilisés pour faire savant…

La phobie n'est pas une névrose

Les « névroses phobiques », terme dont l'usage est aujourd'hui en déclin, étaient initialement appelées dans la terminologie psychanalytique « hystéries d'angoisse », ce qui en soulignait la nature sexuelle. Selon les psychanalystes, les phobies étaient donc l'expression d'un conflit inconscient (qu'il fallait d'abord résoudre pour prétendre voir les symptômes disparaître) et représentaient aussi un rempart contre des peurs plus sévères (et à ce titre, ces symptômes devraient être « respectés » au risque de voir le sujet débarrassé de sa phobie décompenser plus gravement encore). Bien que révolutionnaire à son époque, à la fin du XIXᵉ siècle, et bien qu'ayant permis l'émergence de la psychothérapie moderne, cette vision des phobies a vieilli. En partie à cause des maigres résultats des thérapies d'inspiration analytique dans les troubles phobiques, mais aussi du fait des résultats nets et durables, sans réapparition ni substitution de symptômes, des thérapies comportementales, aux bases théoriques radicalement différentes.

Une des constatations qui m'aura le plus marqué dans ma pratique psychothérapique avec les personnes phobiques, c'est qu'elles sont le plus souvent normales... en dehors de leur phobie bien sûr ! C'est pourquoi je n'aime guère l'ancienne façon dont on désignait leurs troubles, par ce terme de « névroses phobiques ».

Je pense qu'il est préférable de renoncer à cette appellation de « névrose » pour deux raisons. La première, c'est que le mot « névrose », après avoir été un terme médical (néologisme inventé au XVIIIᵉ siècle par le médecin écossais William Cullen), est devenu un jugement de valeur. On parle aujourd'hui d'une personne « névrosée » pour désigner quelqu'un de compliqué, qui s'écoute trop. À un moment, le prêt-à-penser psychiatrique faisait porter le diagnostic de « névrose hystérique » chez toute femme déprimée ou anxieuse. Comme le disait en plaisantant un de mes amis psychiatres : « Moi, je n'ai jamais rencontré de

patiente hystérique. Je n'ai vu que des femmes malheureuses. »
La deuxième raison qui doit nous pousser à la prudence avec la
« névrose », c'est que ce mot est étroitement associé à la théorie
freudienne des phobies, aujourd'hui battue en brèche. Toutes les
intuitions de Freud n'étaient pas fausses, mais beaucoup
l'étaient. Il est normal qu'on le respecte en tant que figure historique, mais non que l'on continue de suivre aveuglément ses
préceptes et d'en appeler de manière récurrente à ses écrits ou à
ceux de ses disciples, au nom de l'incantation récurrente :
« Freud l'a écrit, Lacan l'a dit. » Freud souhaitait fonder une
science. Hélas, il a aussi engendré chez certains de ses disciples
une vision religieuse de la psychothérapie : écritures sacrées,
sacrilèges, excommunications, guerres de religion... Mais tout
cela ne concerne que le petit monde des thérapeutes, et ne devrait
pas interférer avec l'aide à apporter aux personnes phobiques.

Voici pour ma part ce que je rappelle à mes patients à propos de leur trouble : « Vous n'êtes pas des *névrosés*. Vous
n'êtes pas des *phobiques*. Vous êtes des personnes qui souffrent
de phobies. Comme il y a des gens qui souffrent de diabète ou
d'hypertension. Ne perdez pas tout votre temps à savoir d'où ça
vient et pourquoi vous êtes comme ça. Il faut le faire, car cela
est important de savoir d'où partent nos souffrances, pour éviter
de reproduire indéfiniment nos erreurs, mais il ne faut pas s'y
éterniser. Ce qui est important, c'est de savoir que vous avez
cette fragilité, et qu'il va falloir trouver ensemble comment la
faire reculer. Parfois, il sera possible de la supprimer : vous ne
serez plus phobique. Parfois, nous ne pourrons que la faire reculer : vous serez simplement plus inquiets que la moyenne des
gens, mais tout en étant cependant capable d'affronter la situation qui vous faisait peur auparavant. Par exemple, pour une
phobie du vol aérien, vous pourrez reprendre l'avion, mais vous
ne serez pas tout à fait détendu pendant le vol, à l'image,
d'ailleurs, de beaucoup d'autres personnes dans l'habitacle ! Il
est toujours possible, en bref, de ramener vos peurs phobiques à
un niveau de peurs normales ; il n'est pas toujours possible de
les faire disparaître. »

Mais la demande des patients se présente rarement comme cela, sous la forme d'un désir de voir totalement s'effacer la peur. Je n'ai jamais eu de phobiques de l'avion venus me voir parce qu'ils voulaient devenir pilotes de ligne... Ils souhaitaient juste pouvoir prendre l'avion avec un niveau de peur raisonnable.

Les trois familles de phobies

La classification scientifique actuelle des phobies, la plus largement utilisée par les équipes de recherche du monde entier[156], sépare les phobies en trois groupes principaux, issus chacun d'un type assez précis de peurs :

• *Les phobies spécifiques* regroupent notamment les phobies des animaux, des éléments naturels, du sang et des blessures. Ces phobies, auparavant appelées « phobies simples », entraînent un handicap assez limité, car les conduites d'évitement qui leur sont associées restent compatibles avec une vie à peu près normale.

• *Les phobies sociales* consistent en une peur intense du regard et du jugement d'autrui. Ces phobies sont souvent considérées comme les plus invalidantes, car les évitements sociaux privent la personne phobique d'un nombre plus ou moins grand d'activités relationnelles, essentielles à son équilibre et à son développement personnel.

• *Le trouble panique avec agoraphobie* est marqué par la crainte de ressentir un malaise, surtout dans certains lieux publics. Elle est très handicapante, car ses violentes et déstabilisantes crises d'angoisse entraînent très vite des évitements qui sapent les capacités d'autonomie de la personne phobique : tout déplacement hors de chez soi peut alors devenir un problème.

Ces deux dernières familles, phobies sociales et trouble panique, sont aussi appelées « phobies complexes », car à la différence des « phobies simples » ou spécifiques, elles peuvent survenir dans des contextes variés et subtils. Et surtout, elles ne se laissent pas facilement contrôler par le patient : on peut toujours éviter de croiser des pigeons ou d'être confronté au vide. Cela est beaucoup plus difficile d'éviter ses semblables, ou d'éviter de sortir de chez soi… D'où, nous le verrons, le plus grand nombre de complications associées à ces phobies complexes, comme la dépression, le recours à l'alcool et de nombreux autres dégâts sur la qualité de vie…

Nous aborderons enfin dans un dernier chapitre des peurs et phobies plus rares que les précédentes, ainsi qu'un certain nombre de troubles psychologiques qui se sont vu attribuer l'appellation « phobie » alors qu'ils relèvent de mécanismes psychopathologiques différents.

La tentation est grande en effet, pour les psychiatres et psychologues, mais aussi pour le grand public, d'accoler le mot « phobie » à une racine grecque pour désigner des appréhensions et aversions diverses : la xénophobie ou l'homophobie désignent plus des aversions ou des méfiances envers étrangers ou homosexuels que des peurs paniques. La triskaïdekaphobie renvoie plus à une crainte superstitieuse du chiffre 13 qu'à une phobie authentique. Quant à la néophobie, fréquente chez les enfants ou les personnes âgées, elle fait plus référence à l'aversion pour toute forme de changement (alimentaire, relationnel ou autre) qu'à un besoin de fuir devant la nouveauté.

La fortune du mot « phobie » est sans doute liée au besoin que nous avons de pouvoir utiliser un terme général pour désigner toutes les émotions associées au désir de mettre de la distance entre nous et quelque chose qui est à nos yeux, à tort ou à raison, désagréable ou inquiétant. Alors, attention, si vous êtes heptaphobe : nous allons maintenant aborder le chapitre 7…

Peurs et phobies « simples » : animaux, avion, sang et eau…

Ces peurs naturelles qui s'emballent ne sont « simples » que dans les nomenclatures des psychiatres. Simples à comprendre, sans doute : on a très peur de quelque chose, et l'on fait tout pour l'éviter.

Mais la simplicité s'arrête là. Ces peurs, si elles sont excessives, compliquent considérablement l'existence : détours, renoncements, subterfuges…

Elles peuvent, parfois, mettre notre santé en danger, comme c'est le cas de la phobie du sang et des piqûres. Mais elles ne menacent en général pas notre survie : elles altèrent – simplement – notre qualité de vie.

Heureusement, il existe des solutions – simples – face à ces grandes peurs de choses naturelles. Si simples que parfois les thérapeutes les oublient…

> « J'étais en proie à de grands tourments : quelques
> pensées très actives et très aiguës me gâtaient tout
> le reste de l'esprit et du monde. »
>
> Paul VALÉRY, *L'Idée fixe*

La première chose que fait Francesca, en entrant dans mon bureau, c'est de regarder les fenêtres. Son visage inquiet s'est soudainement détendu lorsqu'elle a vu qu'elles étaient fermées. C'était la première fois qu'elle venait me consulter, ce matin du mois de juillet. Comme toujours à Toulouse, il faisait alors très chaud. Et, du coup, les fenêtres restaient souvent ouvertes. Mais pas dans mon cabinet : pour pouvoir travailler sans être accablé par la chaleur, je venais de m'acheter – la veille ! – un petit appareil à climatisation. Ce petit détail a permis à Francesca de me raconter tranquillement son histoire, sans craindre qu'un pigeon ne rentre brutalement dans la pièce. Car son problème, c'est cela : la peur des pigeons.

Francesca est une belle et plantureuse jeune femme de 27 ans, mariée à un ingénieur italien venu travailler à Toulouse pour deux années, dans l'industrie aéronautique. Elle présente depuis son enfance une peur panique des oiseaux. Son premier souvenir à ce sujet est assez précis : à l'âge de 3 ou 4 ans, elle était gardée dans la journée par une tante qui élevait de nombreux oiseaux dans des cages. Cette vieille dame, adepte de méthodes pédagogiques à l'ancienne, la menaçait souvent d'ouvrir la cage pour que les oiseaux viennent lui piquer les oreilles et lui tirer les cheveux, si elle ne mangeait pas sa soupe… Un jour, devenue insensible à la menace, Francesca résista, et sa tante alla effectivement chercher une tourterelle pour lui faire peur : mais l'oiseau s'échappa et voltigea dans toute la pièce, se cognant aux murs et aux fenêtres, provoquant un état de panique chez l'enfant, et un certain affolement chez la tante. Depuis ce jour, Francesca ne supportait plus la présence d'oiseaux, même en cage. Un dimanche, ses parents sont revenus du marché avec une poule vivante, gagnée lors d'un tirage au sort : terreur de Francesca jusqu'à la disparition de l'animal. Durant son enfance et son adolescence, elle fut l'objet de nombreuses plaisanteries de la part de son entourage à ce propos. Un de ses frères aînés lui offrit même un jour un faux cadeau, en fait une boîte renfermant un oiseau : ce dernier s'envola alors que Francesca ouvrait le paquet...

Une fois devenue adulte, elle réussit à organiser sa vie pour ne pas avoir à affronter d'oiseaux. Son mari, à qui elle a expliqué sa phobie, accepte ses évitements. Mais lorsque ce dernier est nommé à Toulouse, pour conduire un projet aéronautique international, Francesca découvre avec horreur la présence de nombreux pigeons dans le centre-ville, où se trouve leur logement de fonction. Sa phobie prend alors un nouveau départ, centrée principalement sur la peur des pigeons.

Lorsqu'elle se présente à la consultation, elle est légèrement déprimée, du fait de son isolement en France, et très handicapée par ses peurs. Elle ne peut plus désormais voir une image d'oiseau, sur un livre ou un magazine, moins encore à la télévision, sans ressentir de montée d'angoisse. Elle doit éviter certains quartiers du centre-ville, riches en pigeons, et ne peut emmener ses enfants au square, car les personnes âgées y donnent à manger aux oiseaux. Elle ne peut utiliser le distributeur bancaire en bas de chez elle, car le trottoir est en permanence occupé par des pigeons...

« Je suis surtout dégoûtée par leur aspect physique : leur œil sans paupière, leurs affreuses pattes rouges et leurs griffes sales, le bruit de "clac-clac" de leur envol. De quoi j'ai peur précisément ? Je ne sais pas bien. Peut-être qu'ils me crèvent un œil avec leur bec, en s'envolant pour s'échapper, ou qu'ils s'emmêlent les pattes dans mes cheveux, et qu'ils s'affolent, tellement ils sont stupides. Ils me dégoûtent, aussi, je ne peux pas imaginer le contact avec leurs plumes. Le plus souvent, j'ai une peur réflexe, qui va plus vite que ma pensée. »

Tout à coup, je vois Francesca devenir blême et s'arrêter de parler. Elle fixe un point derrière moi : un pigeon s'est posé sur l'appui de la fenêtre, et nous observe d'un œil rond, en tournant sa tête de droite et de gauche. La fenêtre est fermée, mais Francesca commence à suffoquer. J'assiste à un début de panique en direct. Je me lève pour chasser le volatile. L'anxiété de Francesca n'a rien de simulé : lorsque je lui prends le pouls, son cœur bat à plus de 140 ! Après l'incident, elle fond en larmes : « C'est absurde, c'est idiot, vous avez vu dans quel état ça me met ! Et encore, votre fenêtre était fermée ! Si elle avait été ouverte, je serai partie en courant, il m'est impossible de me contrôler. »

Elle se remet alors à me raconter sa vie de phobique : « Je suis à la merci de milliers de pigeons, tous plus imprévisibles les uns que les autres. Je ne suis tranquille que la nuit, lorsqu'ils dorment. Pour mon voyage de noces dans le nord de l'Italie, nous n'avons pu visiter Venise que *by night*… Quand je suis obligée de sortir là où ils règnent en maîtres, je dois recourir à tous les subterfuges imaginables pour éviter le contact avec eux : je me faufile au milieu des gens, que j'utilise comme boucliers humains. Jamais je ne porte une valise ou des sacs, afin de garder perpétuellement les mains libres, pour pouvoir me défendre si un nuage de pigeons s'abattait sur moi. Dès que le ciel est vaguement gris, je prends le prétexte du risque d'averse pour emporter avec moi un parapluie, dont je peux me servir pour les repousser en cas d'attaque… Tout cela est absurde et humiliant. Mais c'est plus fort que moi. Pouvez-vous m'aider ? »

Je vous raconterai bien sûr comment Francesca a surmonté sa phobie. Mais penchons-nous maintenant sur ces peurs et phobies dites « spécifiques »…

Peurs intenses et phobies « spécifiques »

Cette famille de peurs est sans doute la plus simple à comprendre : une personne redoute terriblement quelque chose de précis, et fait tout pour l'éviter.

Les objets ou situations pouvant s'avérer source de peurs spécifiques sont multiples, mais on peut en gros les regrouper en quatre grands types : peurs des animaux, des éléments naturels, des situations, du sang et des blessures. Nous les détaillons un peu plus loin.

Rappelons qu'environ une personne sur deux souffre de peurs excessives et invalidantes de ce type. L'appellation « spécifique » rappelle que les peurs y sont en général assez circonscrites : en dehors des moments de confrontation à ce qui lui fait peur, ou de leur anticipation immédiate, la personne se sent en sécurité. On appelait précédemment ces peurs et phobies « simples », en raison de leur caractère limité. Mais en réalité, elles peuvent parfois compliquer considérablement la vie des personnes qui en sont atteintes.

Comme pour les autres formes de peurs excessives, la question du seuil entre peurs normales et peurs phobiques repose sur plusieurs éléments : l'intensité de l'émotion de peur ressentie (jusqu'à l'attaque de panique dans les phobies), l'obligation impérieuse de fuir ce qu'on redoute (et pas seulement une simple gêne à l'affronter) et aussi la dynamique autoaggravante dans les phobies (le temps qui passe et les confrontations qui se répètent n'apportent pas d'améliorations). Il est nécessaire de définir de tels critères de seuil entre peurs normales et peurs maladives, mais la réalité est tout autre : il n'existe pas de frontière nette, et on considère que les peurs intenses représentent un handicap à peu près équivalent à celui des phobies, même si elles n'atteignent pas tous les critères permettant de poser médicalement ce diagnostic.

Selon les études et les outils d'évaluation, on retrouve qu'environ 10 à 20 % des personnes en population générale présentent des phobies spécifiques[157]. Ces troubles phobiques touchent en général deux fois plus de femmes que d'hommes, sauf pour la phobie du sang et des blessures, où il y a égalité des sexes[158].

Les principaux types de peurs et phobies spécifiques

Peurs et phobies des animaux	Oiseaux (pigeons surtout), insectes (araignées, cafards et guêpes), chiens, chats, serpents…
Peurs et phobies des éléments naturels	Eau, vide, orages, obscurité…
Peurs et phobies des situations	Claustrophobie (espaces clos, ascenseurs, magasins bondés, tunnels…). Moyens de transport (avion, train, voiture).
Peurs et phobies du sang et des blessures	Piqûres, prises de sang, soins dentaires…

Les peurs et les phobies spécifiques sont sans doute celles qui apparaissent le plus tôt dans la vie. Souvent, la réaction de peur excessive est présente dès la première confrontation. Plus rarement, il existe des événements de vie précis à l'origine de la phobie. Mais ils posent tout de même le problème du terrain vulnérable : en effet, une peur excessive des chiens peut certes survenir après une morsure, mais tous les enfants mordus ne deviennent pas phobiques des chiens… Les résultats de la plupart des études plaident en faveur d'une influence génétique importante pour ces phobies spécifiques, secondairement renforcée par les événements de vie et les modèles parentaux (un des deux parents a souvent les mêmes peurs).

Il existe aussi des variations d'intensité en fonction de l'âge : ainsi, les peurs d'animaux sont plus fortes et gênantes chez les personnes jeunes, tandis que celles des vols en avion suivent le destin inverse, et s'aggravent avec le temps. Plusieurs explications sont possibles, mais la plus probable est qu'il est plus facile d'apprivoiser peu à peu ses peurs animales : on peut contrôler son temps de confrontation à des photos, des films, de vrais animaux, en cage ou sous cloche. Au pire, on prend la fuite si on en croise un alors qu'on ne se sent pas prêt à la rencontre !

Alors que la peur de l'avion est davantage une peur en tout ou rien : impossible de commencer par cinq minutes de vol la première fois, puis dix, puis quinze... En avion, on vole ou on ne vole pas, et une fois le décollage survenu, hors de question de sauter, même en parachute...

Toutes les peurs excessives ne permettant pas des confrontations progressives et régulières ont naturellement tendance à s'aggraver, chaque confrontation, forcément rare et massive, étant un traumatisme de plus. Nous verrons que c'est aussi le cas, par exemple, pour certaines phobies de la prise de parole en public.

➤ *Les phobies spécifiques sont-elles des maladies ?*

Lorsqu'elles en arrivent au stade de la phobie, ces peurs spécifiques n'entraînent la plupart du temps qu'un handicap limité : les évitements qu'elles imposent aux personnes qui en souffrent n'empêchent pas, le plus souvent, une vie quasi normale. C'est pourquoi ces phobiques viennent consulter les psychiatres ou les psychologues plus rarement que les autres (comme les agoraphobes ou les phobiques sociaux).

Parmi les facteurs qui poussent les patients à venir consulter dans les phobies spécifiques, on retrouve[159] :

– Une phobie des chiens, des chats, des ascenseurs ou de différents moyens de transport. C'est-à-dire que la demande de soins est liée à la fréquence des rencontres avec ce qui fait peur. Une phobie des kangourous ne devrait pas vous conduire en thérapie de ce côté-ci du globe.

– Souffrir de plusieurs phobies en même temps. Ce cas de figure est assez fréquent, et conduit à une augmentation du handicap quotidien.

– Ressentir des attaques de panique très violentes dans les situations redoutées, au point de craindre d'y perdre la raison ou d'y avoir un infarctus.

Le plus souvent, nous voyons nos patients venir consulter à la suite d'un changement qui perturbe l'aménagement du mode de vie de la personne souffrant de peurs excessives : tel cadre phobique de l'avion, qui faisait jusque-là ses trajets en voiture ou en train, se voit proposer une promotion internationale qui impose de fréquents déplacements en avion. Telle jeune femme phobique du sang, qui fuyait piqûres et prélèvements, a rencontré l'homme de sa vie et veut avoir un enfant, d'où la nécessité d'examens médicaux. Telle personne phobique des pigeons vient de déménager, et découvre que la rue où elle va habiter est infestée de pigeons, attirés par les personnes âgées du quartier qui les nourrissent. Telle autre, phobique des serpents, est invitée à un voyage en pays tropical…

➤ Un peu de science à propos des peurs et phobies spécifiques

Les phobiques amplifient en général les caractéristiques inquiétantes de ce qui leur fait peur. À leurs yeux, toutes les araignées sont énormes et très rapides, la moindre pente est vertigineuse, etc. Ces erreurs perceptives[160] sont bien évidemment liées à l'intensité de leurs craintes ; peut-être témoignent-elles de la résurgence, dans ces moments où ils se sentent menacés, d'un mécanisme de survie de type « effet de loupe » avec un grossissement automatique du danger. Quoi qu'il en soit, l'entourage ne doit jamais oublier ceci : dès qu'il s'agit de leurs peurs, les phobiques n'évoluent pas tout à fait dans le même monde que les non-phobiques. Un saut d'un plongeoir de deux mètres procure les mêmes frayeurs à un acrophobe qu'à vous depuis dix mètres de haut. Après thérapie, ces erreurs perceptives disparaissent.

Ces distorsions ne se limitent pas à des questions de taille ou de hauteur : en approchant des animaux redoutés, le zoophobe les « voit » accourir vers lui, et les « sent » tactilement. En se penchant dans le vide, l'acrophobe se sent basculer... Ces activations sensorielles confirment le rôle de l'imaginaire dans les peurs phobiques, mais elles sont aussi retrouvées à l'imagerie cérébrale, qui suggère une activation des aires corticales, notamment le cortex visuel, bien au-delà de la classique zone limbique, siège des émotions anxieuses[161]. Chez des phobiques d'animaux, surtout des araignées, des insectes ou des serpents, l'activation du cortex temporal antérieur, dit « somato-sensitif », semble indiquer la mise en jeu possible de sensations tactiles associées à l'appréhension ressentie.

Enfin, les phobiques procèdent souvent à une décontextualisation des informations : c'est-à-dire qu'en se focalisant seulement sur ce qui leur fait peur ils en oublient de voir ce qui peut être rassurant[162]. Ainsi, face à un chien, ils ne seront pas forcément rassurés par le fait que ce dernier soit de petite taille, tenu en laisse ou qu'il ait l'air amical. Tous ces éléments contextuels ne pèseront pas lourd face au stimulus central : la présence ou l'absence du chien. Plus la phobie est sévère, plus ce fonctionnement en « tout ou rien » est flagrant : d'où certaines montées d'angoisse juste à l'évocation d'un simple mot ou d'une banale image de ce dont on a peur. Notre cerveau rationnel sait qu'il n'y a pas de risque, mais notre amygdale cérébrale, qui réagit encore plus vite, a déjà lancé l'alarme...

Peurs et phobies des animaux

« C'est seulement en haut, en approchant du sixième étage, qu'il eut le cœur serré en songeant au terme du trajet : là-haut, le pigeon l'attendait, la bête atroce. Il allait la trouver posée au fond du couloir, sur ses pattes rouges et crochues, entourée d'excréments et de duvet flottant alentour, elle serait là à l'attendre, avec son œil épouvantablement nu, et elle prendrait son essor en claquant des ailes et l'effleurerait, lui, Jonathan, impossible d'esquiver, dans le couloir exigu... Il avait penché sa tête de côté et fixait Jonathan de son œil gauche. Cet œil, un petit disque rond, brun avec un point noir au centre, était effrayant à voir... Sa première pensée fut qu'il allait avoir un infarctus ou une attaque, ou pour le moins une syncope... Alors il entendit à nouveau, sans aucun doute possible, un battement d'ailes bref et sec, et là il fut saisi de panique... Tout lui était égal, il ne songeait qu'à partir, partir, partir. »

Dans son roman *Le Pigeon*[163], l'écrivain allemand Patrick Süskind décrit une hallucinante histoire de très grande peur des pigeons frappant un homme d'une cinquantaine d'années. Son récit souligne parfaitement à quel point les phobies nous sont proches : nos peurs banales nous aident à les comprendre. Et combien elles peuvent s'avérer éloignées de nos propres réactions : la phobie de Jonathan, le héros de Süskind, va le conduire à une désinsertion sociale et à des idées suicidaires, qui vont, fort heureusement, disparaître aussi mystérieusement qu'elles étaient venues.

Largement représentées au cinéma (*Les Oiseaux*, *Les Dents de la mer*, *Arachnophobia*...), les peurs excessives d'animaux sont les plus fréquentes des phobies, notamment chez les femmes, qui représentent 75 à 90 % des sujets zoophobes. Les animaux le plus souvent sources de peur sont dans l'ordre : les insectes, les souris et les serpents. Les phobies des oiseaux, chiens, chats et chevaux sont aussi fréquemment retrouvées. Les craintes liées à ces phobies sont soit celles d'une attaque par l'animal (morsure ou piqûre), soit un sentiment de dégoût et de répugnance. D'après les études comparant plusieurs cultures, il semble d'ailleurs que ces sentiments de dégoût soient encore plus universels que ceux de peur[164] : par exemple, les Indiens ont moins peur que les Occidentaux des araignées, mais en éprouvent le même dégoût.

Notons qu'on ne parle de phobies qu'à propos de la crainte d'animaux non dangereux : les peurs concernant les animaux objectivement dangereux (tigres, crocodiles, requins...) sont considérées dans toutes les cultures comme normales et utiles.

En Occident, le handicap lié aux phobies des animaux est le plus souvent modéré, du moins en milieu urbain. Cependant, une certaine gêne peut en découler, notamment pour la phobie des chiens ou des oiseaux (pigeons en particulier) qui va entraver les déambulations des citadins, ou celle des insectes, qui les poussera à éviter la nature et les maisons de campagne !

L'histoire regorge de personnages célèbres phobiques d'animaux : l'empereur romain Germanicus ne supportait pas les coqs, l'astronome Tycho Brahe avait peur des renards et des lièvres, Ambroise Paré s'évanouissait à la vue des anguilles, et Napoléon Bonaparte était phobique des chats, comme son vieil ennemi Wellington. Le poète Ronsard a même décrit en vers sa propre phobie des chats :

« Homme ne vit qui tant haïsse au monde
Les chats que moy d'une haine profonde.
Je hay leurs yeux, leur front et leur regard.
En les voyant je m'enfuy d'autre part,
Tremblant de nerfs, de veines et de membres... »

Shakespeare a pour sa part évoqué la peur des animaux dans sa comédie *Le Marchand de Venise*[165] : « Il y a des gens qui n'aiment pas voir bâiller un porc, d'autres qui deviennent fous à regarder un chat... »

Il m'a été donné de rencontrer des personnes phobiques d'à peu près tous les animaux existants. Une animatrice de radio m'avait un jour parlé de sa peur des crabes, dont elle ne supportait même pas de voir une image. Les phobiques des guêpes viennent souvent consulter en été, parce qu'il leur est compliqué de prendre leurs repas en plein air : pour ne pas attirer les bestioles qui les paniquent, ils doivent se débrouiller pour qu'il n'y ait surtout pas de melons ou de salades de fruits lorsqu'on déjeune dehors, ou de confitures au petit déjeuner sur la terrasse. Pas facile ! Il existe même des personnes phobiques des inoffensifs papillons ; une de mes patientes ainsi atteinte pensait automatiquement aux chenilles en voyant un papillon, et elle commençait à se sentir mal.

Une étude conduite auprès de personnes souffrant de phobies sévères d'animaux avait décomposé les éléments de leurs peurs[166] :

– Le mouvement de l'animal (77 %). Lorsqu'on fait des exercices d'exposition avec des animaux, les patients sursautent dès que l'animal bouge. Beaucoup redoutent le vol en zigzag, imprévisible, de certains insectes.
– L'aspect physique (64 %). L'œil sans paupière des pigeons, les abdomens des grosses araignées, les dents des chiens… Les phobiques des serpents sont quant à eux très réactifs aux formes : une branche au sol, ou même une ceinture de robe de chambre tombée sur le parquet et évoquant une forme de reptile, et ils sursautent de frayeur.
– Le bruit (27 %) : le claquement des ailes des pigeons, les aboiements des chiens, le bourdonnement des guêpes…
– Dans la même étude, 40 % des patients déclaraient redouter effectivement que la rencontre avec l'animal entraîne de sérieux problèmes (devenir fou ou être attaqué).

Les phobies d'animaux sont souvent assez spécifiques : on a peur des pigeons et non des moineaux, des guêpes et non des abeilles. Mais elles sont parfois généralisées à tous les représentants d'une espèce donnée : oiseaux, insectes volants ou rampants.

Peurs et phobies des éléments naturels

Comme pour les phobies d'animaux, les sujets phobiques d'éléments de l'environnement naturel se recrutent principalement chez les femmes (75 à 90 %). Seule exception : la phobie des hauteurs (acrophobie) qui ne compte qu'une petite majorité de femmes (50 à 70 %). Les principaux éléments phobogènes sont les hauteurs et le vide, l'eau, l'obscurité, les orages et le tonnerre… Là encore, des personnages célèbres ont apporté leur contribution à ce type de phobies : le grand empereur romain

Octave Auguste avait une peur terrible du noir, et le philosophe anglais Francis Bacon était paniqué par les éclipses de lune.

Le degré de handicap est variable selon les contraintes sociales du sujet : pour un *phobique des hauteurs,* il est en général impossible de s'approcher d'une fenêtre en étage, et encore moins d'un balcon, mais aussi de faire de la randonnée en montagne, ou du ski, de passer sur un pont, etc. La peur du vide, communément appelée « vertige », concerne environ 12 % de la population : mais les véritables acrophobies sont sans doute moins nombreuses. Cette peur, plus que toute autre, peut aussi se ressentir par procuration : voir une personne s'approcher du vide suffit à déclencher un malaise anxieux chez la plupart des acrophobes. Les mères de famille ne peuvent en général pas accompagner leurs enfants lors de balades en montagne ou sur des falaises en bord de mer, de visites de châteaux forts, ni supporter de les voir s'approcher d'une fenêtre ou d'un balcon...

La peur de l'eau est elle aussi fréquente : elle toucherait 2 à 5 % des personnes. Elle entraîne un certain handicap en matière de loisirs : piscines et bords de mer deviennent alors des lieux menaçants ; les croisières en bateau sont évitées ; mettre sa tête sous l'eau lors d'un bain ou d'une douche est parfois impossible. En réalité, l'aquaphobie n'est pas tant la peur *de* l'eau que la peur *dans* l'eau. Les patients peuvent boire de l'eau sans état d'âme ! Mais ils ne peuvent supporter l'idée de se retrouver immergés. Ils imaginent alors pouvoir s'affoler et se noyer très facilement[167]. Voler en avion au-dessus de l'océan peut leur procurer de profondes angoisses, alors qu'ils se sentiront à l'aise en volant au-dessus de la terre ferme.

Voici l'histoire de Rosemarie, professeur de français. Âgée de 48 ans, elle a toujours eu peur de l'eau. Élevée en milieu rural, elle n'a vu la mer qu'à l'âge adulte ; durant son enfance, elle n'a jamais fréquenté de piscine. Elle ne sait pas nager. Elle dit au médecin n'avoir jamais été à l'aise sur un bateau : « Quand je pense à toute la profondeur d'eau que j'ai sous les pieds, ça me donne la chair de poule. » Lors de ses vacances au bord de la mer, elle ne s'éloigne jamais du bord, et les rares fois où une vague l'a déséquilibrée, elle a ressenti une forte angoisse. Rosemarie a voulu apprendre à nager il y a quelques années. Elle sait effectuer les mouvements correctement, mais n'a jamais accepté de s'éloigner du rebord de la piscine : hors de question pour elle de traverser le bassin sans pouvoir à tout instant se rac-crocher à quelque chose. En général, elle évite de prendre un bain si elle est seule à la maison, craignant de se noyer à cause d'un malaise. Mais les douches ne sont pas confortables non plus, car elle n'aime pas avoir la tête complètement sous l'eau, ni la sensation de l'eau qui « cherche à entrer » dans les oreilles, le nez, les yeux. De sa vie, elle n'a jamais mis la tête complète-ment sous l'eau. Rosemarie dispose d'un très imposant réper-toire d'histoires de noyades : un de ses cousins a perdu un petit garçon noyé dans la piscine qu'il venait de faire construire, une de ses connaissances lui a parlé de quelqu'un qui s'est noyé parce qu'il n'était pas arrivé à remonter sur son bateau lors d'un bain au large, etc. Son mari et elle ont été invités par de proches voisins à faire une croisière en Méditerranée l'été prochain, et elle s'imagine très mal passer quinze jours sur les flots...

Un de mes patients me racontait que sa mère, *phobique des orages*, embarquait toute la famille en voiture pour rouler jusqu'à ce que l'orage cesse, car elle avait un jour lu que les voitures ne pouvaient être frappées par la foudre : l'isolation de leurs pneus en fait ce que les électriciens appellent des « cages de Faraday ». Il n'était pas devenu lui-même phobique des ora-ges (il était venu consulter pour autre chose) mais se montrait très nerveux lorsque la foudre tombait et refusait toute randon-née en montagne par temps couvert, pour ne pas avoir à affron-ter un orage de montagne, dont beaucoup de récits lui avaient dressé un tableau terrifiant : « Des étincelles d'électricité stati-que sur les piolets, c'est l'arrêt cardiaque assuré pour moi ! » Nous avions tout de même, à sa demande, travaillé sur ses peurs, qu'il craignait de transmettre à son tour à ses enfants. Le travail avait consisté notamment à l'exposer à des flashes d'appareil photo en écoutant des bruits d'orage enregistrés (oui, cela existe ! c'est un des intérêts à soigner des phobies spécifiques : cela muscle curiosité et créativité...). Nous avions aussi recherché toutes les informations disponibles sur les mythes et les réalités du risque d'être foudroyé, les conseils de prudence en la matière. Nous nous étions enfin lancés dans la lecture de récits à propos de personnes foudroyées, en commençant par *Tintin et les Sept Boules de cristal*...

La peur du noir est évidemment répandue chez les jeunes enfants, mais d'authentiques phobies de ce type existent aussi chez les adultes. Ces personnes ne peuvent alors jamais dormir sans lumière, et redoutent particulièrement de se réveiller dans la nuit au milieu du noir total. Les craintes ne sont pas toujours les mêmes que celles qui sont retrouvées chez les enfants : à côté de la peur des assassins et autres voleurs nocturnes, on retrouve assez souvent des peurs « indicibles », sans contenu mental précis, que les patients associent souvent à la peur de la mort. « Comme si je me retrouvais dans ma tombe », me racontait l'un d'eux. Il y a aussi la peur de cauchemars récurrents dès que l'on s'endormira, fréquente chez les victimes de traumatismes. J'avais eu une fois l'occasion de rencontrer un jeune homme phobique du noir qui vivait avec une compagne qui ne pouvait pas s'endormir si elle n'était pas dans le noir et le silence quasi complets. Leurs premières nuits ensemble furent assez cauchemardesques, jusqu'à ce qu'ils arrivent à un compromis, lui faisant soigner sa phobie, et elle acceptant de ne pas fermer porte, volets et rideaux dans leur chambre...

Peur de manquer d'air et claustrophobie

La claustrophobie consiste en une peur panique de l'enfermement sous différentes formes : pièces trop petites ou privées de fenêtres ; ascenseurs, surtout s'ils sont étroits et sans surfaces vitrées (les « ascenseurs-cerceuils », disent volontiers les patients), etc. Il semble qu'environ 2 à 5 % de la population adulte présente ce type de phobie, qui s'avère assez handicapante au quotidien[168]. Les radiologues y sont souvent confrontés, avec de 4 à 10 % de leurs patients qui ne peuvent supporter d'entrer dans certains appareils d'imagerie médicale, comme les scanners ou les IRM dits « corps entier »[169]. Lorsque ces personnes ont besoin de bénéficier de ce type d'examen, en raison de suspicion de maladies somatiques graves, il m'arrive de demander à disposer de la salle de radiologie de l'hôpital où je travaille, pour les entraîner à affronter progressivement la situation.

Dans ses formes sévères, cette peur se généralise à de nombreuses autres situations que les lieux clos et les ascenseurs : ce sont alors les cols de chemise ou les vêtements trop serrés, les masques de beauté ou les combinaisons et masques de plongée, que l'on ne peut en aucun cas supporter. Car ce que redoutent en général les patients claustrophobes, c'est l'asphyxie, par écrasement dans des lieux surpeuplés (comme des files d'attente de concerts ou les transports aux heures de pointe) ou par manque d'oxygène (comme dans une cabine d'ascenseur bloquée, ou un métro immobilisé entre deux stations). On peut noter que cette peur est partagée par un certain nombre de sujets non phobiques : beaucoup de personnes ont tendance à surestimer leurs besoins en oxygène dans une pièce close. En fait, une personne peut survivre quasi indéfiniment dans un espace non ventilé avant d'en épuiser les réserves en oxygène.

Lors de l'ouverture du tunnel sous la Manche, les journaux populaires anglais avaient fait état de statistiques témoignant de la grande fréquence du phénomène : selon eux, six Anglaises sur dix ressentaient de l'anxiété à l'idée de voyager sous la Manche[170]. Mais la claustrophobie a quelque chose d'instinctif, proche sans doute de l'angoisse ressentie par l'animal capturé et immobilisé entre les griffes d'un prédateur, ou pris sous un éboulement de terrain, et c'est pourquoi elle est présente à des degrés divers chez chaque être humain. Personnellement, je n'ai jamais pu m'imaginer un instant faire de la spéléologie, et m'engager dans un étroit boyau à des dizaines de mètres en dessous du sol...

Enfin, il faut signaler que beaucoup de claustrophobes sont aussi des patients souffrant de trouble panique, que nous abordons dans un chapitre suivant, la claustrophobie n'étant alors qu'un des éléments d'une phobie plus généralisée encore.

Peurs et phobies des moyens de transport

« Dès que je suis dans un avion, je surveille le moindre détail. Je déteste par exemple voir que le pilote va aux toilettes : s'il avait un malaise et si le copilote était incompétent ? Je demande toujours s'il n'a pas trop fait la fête la veille ou s'il n'a pas un peu trop bu avant de décoller. Est-ce qu'on fait passer des alcootests aux commandants de bord ? Le plus petit bruit dans l'habitacle ou sur la carlingue, et j'ai besoin de savoir ce que cela peut être. Je suis aux aguets de la moindre variation de régime de moteur des réacteurs. Je surveille la tête des hôtesses pour y déceler des signes d'inquiétude... » (Paule, 42 ans.)

La peur de l'avion alimente la plus fréquente des phobies des transports, et toucherait 8 à 11 % des personnes. Mais les patients qui ont peur de l'avion semblent se répartir en trois groupes distincts, aux caractéristiques bien différenciées[171].

- Un premier sous-type réunit les personnes redoutant de « se trouver en l'air, suspendues dans le vide ». Elles ne présenteront pas durant un vol de crises d'angoisse suraiguës (dites attaques de panique), mais se sentiront très inquiètes avant le trajet et pendant toute sa durée. Le plus souvent, elles seront tout de même capables de prendre l'avion.
- Un deuxième sous-groupe rassemble des sujets à haut niveau d'anxiété et qui, se sentant coincés dans l'habitacle, redoutent de perdre le contrôle d'eux-mêmes au cours

d'une crise d'angoisse aiguë. Ils font en général tout pour ne pas se retrouver dans un avion.

– Un troisième sous-type correspond aux personnes redoutant de se retrouver face aux autres passagers, et chez lesquelles la dimension d'anxiété sociale est importante : ce qui leur fait peur, c'est plutôt le fait d'être entassées dans un avion, d'être regardées par les autres passagers lorsqu'on marche dans le couloir, d'être assises très près des autres, etc.

La simple peur de l'avion est quant à elle encore plus fréquente. Dans sa chanson *J'ai peur de l'avion*, le chanteur Francis Cabrel met en musique les inquiétudes d'un aérodromophobe :

« Tous les bruits sont bizarres/Toutes les odeurs suspectes/ Même couché dans le couloir/Je veux qu'on me respecte/ J'aimerais faire comme tout le monde/Trouver ça naturel/D'être expulsé d'une fronde/Jusqu'au milieu du ciel/Rien à faire, rien à faire/J'ai peur de l'avion… »

La peur de l'avion est très intéressante à de nombreux égards, notamment parce qu'elle représente un cas d'école à propos de la psychologie du contrôle. Bien que les trajets en voiture entraînent un risque quotidien bien plus élevé, la plupart des personnes se sentent plus en danger dans un avion parce qu'elles ne contrôlent pas la situation : c'est un inconnu qui me conduit, je ne le vois pas, je ne sais pas ce qui se passe dans l'habitacle… Alors qu'en voiture, c'est moi qui tiens le volant, contrôle la vitesse, la trajectoire… De plus, comme beaucoup d'autres, la situation de vol aérien n'est effectivement pas sûre à 100 %. Alors, phobique de l'avion ou simplement prudent ? Dans un ouvrage destiné au grand public[172], Mary Schiavo, inspecteur général du ministère des Transports aux États-Unis, affirme qu'une attitude trop confiante envers les transports aériens n'est sans doute pas la meilleure des choses. Elle y donne un certain nombre de recommandations, qui risquent assurément de renforcer certains comportements phobiques (mais la phobie n'est-elle pas au départ un moyen d'augmenter ses chances de survie ?) :

– évitez les vieux avions ;
– renseignez-vous sur les modèles dangereux (l'ATR franco-italien, l'Embraer brésilien, et tous les avions russes sont ainsi épinglés ; aucun modèle américain dans la liste, est-ce un hasard ?) ;
– ne volez pas sur les compagnies trop récentes, qui n'ont pas fait leurs preuves et assis leur réputation ;
– choisissez les places près du couloir et des sorties de secours (nombre d'accidents ont lieu lors des phases d'atterrissage ou de décollage, et beaucoup de passagers y meurent en fait par asphyxie, coincés dans l'habitacle) ;
– achetez-vous un masque à fumée et emportez-le toujours dans votre bagage à main ;
– si vous remarquez quelque chose d'anormal dans l'avion, dites-le haut et fort, même si le personnel vous invite à vous taire...

On le voit, le livre n'est peut-être pas à recommander si vous êtes phobique de l'avion, sauf s'il s'agit d'un exercice thérapeutique...

Le voyage en avion a un autre intérêt pour les théoriciens de la peur, c'est que tout le monde pourra y ressentir la peur à un moment donné. Mais que de différences selon les individus ! Différences dans le *seuil de déclenchement* de la peur : certains auront peur plus tôt, même avant d'embarquer, ou pour des signaux minimes, comme le grincement d'un coffre à bagages de cabine. Différences dans l'*intensité* de la peur ressentie : pour une même situation, comme un trou d'air, certains paniquent, là où les autres sursautent simplement de surprise. Différences dans la *durée* de l'émotion de peur : certains, incapables d'éteindre leur alarme, ont peur plus longtemps, pendant tout le vol, et même, longtemps après. Différences enfin dans les *réactions* à la peur, que les passagers ne gèrent pas tous de la même manière. Pour l'oublier ou la limiter, certains essaient de s'endormir, d'autres de lire, de boire de l'alcool, de parler à leur voisin, de se relaxer, de méditer sur la vie, voire à certains moments de prier...

Pour terminer sur la peur de l'avion, c'est aussi celle qui peut permettre à des non-phobiques de ressentir sur un seul vol ce que vivent les phobiques à chaque vol. Un de mes confrères m'avait ainsi raconté un souvenir de voyage en avion assez agité :

« C'était sur un vol Nice-Lille. Peu après le décollage, nous avions compris, d'après le ballet des hôtesses, qu'il y avait un problème. Et voilà effectivement le commandant de bord qui nous annonce sobrement : "En raison d'un petit incident, nous allons devoir nous poser sur l'aéroport le plus proche…" Pas d'autres informations.

Sur le moment, l'heure n'est pas aux explications, mais à l'urgence : appels fermes à tous les passagers de rester assis, de boucler leur ceinture, et de relever sièges et tablettes. Les hôtesses s'attachent comme pour un atterrissage. Et tout à coup, comme je suis assis près d'un hublot, je m'aperçois que nous avons perdu de l'altitude, et que sommes en train de survoler une autoroute. Comme si l'avion risquait de devoir se poser à tout moment. Il règne un silence de mort dans l'habitacle. Cette fois-ci, nous comprenons qu'il y a quelque chose de sérieux.

J'ai peur. Je pense instantanément à mes enfants. Que deviendront-ils orphelins ? Je suis aux aguets, attentif aux moindres détails suspects : une modification de notre altitude de vol, un changement de régime des réacteurs, le visage des hôtesses… Je surveille tout, et je commence à penser aux suites de ma mort pour mes proches.

Nous nous rapprochons de plus en plus du sol. Je commence à blêmir, mais ma voisine me souffle, comme pour se rassurer elle-même : "Nous arrivons, c'est un aéroport." Effectivement, on voit maintenant les pistes, les bâtiments, et… des camions de pompiers ! Un peu plus loin, des ambulances… L'appareil se pose sans dommages. Le pilote nous rassure et nous demande de quitter calmement l'appareil. Alors que je me serais attendu à des scènes de panique, tout se passe comme dans un film de démonstration de compagnie aérienne : les gens attendent leur tour, pas de bousculade. Un calme anormal. Et une énorme tension. Je suppose que tout le monde était dans une sorte d'état second, comme moi. Nous sortons finalement sans encombre ni affolement. Il y a même une cellule d'assistance psychologique qui arrive sur les lieux. Deux passagers font une crise de nerfs. Une dame a un malaise. On nous expliquera plus tard qu'il y a eu un début d'incendie dans la soute à bagages.

Lorsqu'on nous a demandé si nous souhaitions reprendre l'avion suivant, j'ai préféré rentrer en train : j'étais épuisé, physiquement et nerveusement. Comme passé à tabac par la peur… »

Mon confrère avait vécu ce vol dans la peau d'une personne phobique : hyperattention portée aux petits détails, conviction intime que sa dernière heure allait arriver, fatigue physique après cette très grande peur… Il a ensuite pu reprendre d'autres vols, et peu à peu, la trace de cette peur a été non pas effacée, mais soignée et recouverte par les expériences répétées de vols obéissant à des scénarios plus habituels. Chez une personne plus vulnérable, nul doute que cet incident aurait laissé des traces émotionnelles plus profondes.

Comme la peur de l'avion, *la peur de la conduite automobile*, elle aussi fréquente, regroupe des profils de sujets aux histoires assez différentes[173]. Certains ont été victimes d'un accident automobile qui leur a laissé une empreinte traumatique : dès qu'ils se remettent au volant, ils sentent monter un malaise lié au souvenir de l'accident. Il semble qu'environ 20 % des personnes qui ont été victimes d'accidents de la circulation présentent ensuite des peurs de la conduite, et ce pendant plusieurs années[174] ; ces peurs n'en arrivent pas toujours à un stade phobique, mais en cas de survenue d'un nouvel accident, les risques de conditionnement phobique augmentent. Ces personnes doivent alors être traitées comme les victimes de traumatismes psychologiques : par exposition prolongée au souvenir traumatique[175]. D'autres souffrent d'une peur de perdre le contrôle d'elles-mêmes au moment où elles conduisent : elles redoutent soit un malaise et de perdre connaissance, soit une impulsion qui leur fasse faire un écart ou précipiter leur véhicule dans le bas-côté ou sous le semi-remorque qui arrive en face. Il s'agit alors souvent de personnes souffrant de trouble panique (voir le chapitre correspondant). Des cas particuliers peuvent être retrouvés, indiquant que la phobie de la conduite est la consé-quence d'une autre phobie : peur de conduire dans les tunnels pour les claustrophobes, peur de conduire en montagne pour les acrophobes, etc.

Voici l'histoire de Marianne, secrétaire médicale âgée de 44 ans, qui ne peut quasiment pas prendre le volant d'une voi-ture. Après avoir obtenu son permis de conduire à grand-peine, au bout de cinq tentatives, elle a totalement renoncé à conduire elle-même le véhicule d'occasion que son mari lui avait acheté. Peu gênée tant qu'elle vivait en région parisienne, elle devint soudainement handicapée à l'occasion d'un déménage-ment en province, où tout déplacement nécessitait la posses-sion – et la maîtrise – d'une voiture. Elle essaya alors de reprendre le volant, mais s'aperçut assez rapidement qu'elle était devenue totalement incapable de conduire une automo-bile : elle ne pouvait entreprendre le moindre trajet si quelqu'un ne l'accompagnait pas ; au volant, elle se sentait extrêmement tendue, et devait en général s'arrêter au bout de cinq minutes, tant ses muscles étaient raidis sous l'effet de la peur. Son mari avait au début essayé de l'accompagner et de l'aider à reprendre confiance, mais très rapidement, les sorties automobiles en couple avaient tourné en dispute, le conjoint ayant du mal à comprendre et à accepter les appréhensions de son épouse. Elle s'arrêta donc de conduire... Voulant évaluer le problème, le thérapeute consulté demanda à faire avec elle un petit trajet en voiture, qui confirma la dangerosité poten-tielle de la patiente : en cinq minutes, celle-ci cala à deux reprises au milieu de carrefours fréquentés, changea plusieurs fois de file ou de direction sans utiliser clignotant ou rétrovi-seur, et se montra très crispée et fébrile. Marianne ne présen-tait par ailleurs aucune manifestation d'agoraphobie : elle était capable de se déplacer sans difficulté par tout autre moyen de transport que l'automobile, et n'avait jamais souffert d'attaques de panique isolées.

La sidérodromophobie, littéralement *peur des chemins de fer*, ou des voyages en train, est relativement peu étudiée et peu connue. La peur inspirée par les premières locomotives et les premiers voyages par voie ferrée était particulièrement répandue au XIXe siècle. Certains savants de l'époque prédisaient que le corps humain ne pourrait résister à des vitesses de plus de trente kilomètres à l'heure, et les premiers accidents ferroviaires frappèrent beaucoup les imaginations, à l'image de nos actuels accidents aériens. Puis, les humains s'habituèrent au train, du moins jusqu'à l'arrivée du TGV. En effet, ce dernier semble susciter plus de phobies que le train de modèle classique, dont on peut toujours ouvrir les fenêtres, et dont les arrêts en gare sont fréquents. Avec le TGV, on se rapproche davantage de l'ambiance d'un voyage en avion : on n'ouvre pas les fenêtres, on ne s'arrête pas ou peu en chemin... Et l'Eurostar, avec son passage dans le tunnel sous la Manche, n'a pas arrangé les choses. D'où une augmentation des demandes de soins de la part de sidérodromophobes redevenus assez nombreux. Des amis thérapeutes comportementalistes ont d'ailleurs développé un partenariat avec la SNCF en ce sens, cette dernière leur permettant d'accompagner leurs patients phobiques sur des trajets Paris-Lille, puis Paris-Londres pour de belles séances d'exposition *in vivo* !

Peurs et phobies du sang et des blessures

Marc est conducteur de travaux. À 32 ans, il vient consulter pour une phobie du sang. Son père a toujours souffert du même type de problèmes : comme Marc, il s'évanouissait systématiquement, lorsqu'il recevait une injection ou devait subir une prise de sang. Il y a un an, Marc voulut braver ses appréhensions pour assister au premier accouchement de sa femme : mal lui en prit. Sentant monter le malaise, il tenta de rester stoïque et debout, mais finit par tomber à la renverse, entraînant dans sa chute l'appareil de monitorage, et s'ouvrant le cuir chevelu ; il fit une seconde syncope lorsqu'on lui posa dans le bloc chirurgical voisin six points de suture. Lorsque ses aventures médicales furent terminées, sa petite fille était née... Depuis cet épisode, Marc a vu sa phobie s'aggraver : il n'a pu aller chez le dentiste alors qu'une de ses dents s'est cassée, ni rendre visite à son grand-père hospitalisé (« rien que l'odeur de l'hôpital me fait tomber en syncope »). Récemment, il a dû demander à des amis de changer de sujet, alors que ceux-ci lors d'une soirée racontaient des accidents de la route auxquels ils avaient assisté. Avant de regarder un film, il s'informe soigneusement pour vérifier que celui-ci ne contienne aucune scène de violence ou de médecine. Il s'aperçoit qu'il a tendance à changer de trottoir lorsqu'il passe devant des laboratoires d'analyse médicale. Il commence à ne plus pouvoir supporter la vue de la viande rouge, et évite d'entrer dans les boucheries, tant l'odeur fade de la viande le met très mal à l'aise. « J'ai honte d'être comme ça, je ne donne pas une image très virile de moi. Ma femme veut que nous ayons un autre enfant, mais je ne peux pas imaginer assister à l'accouchement. Ce n'est pas normal... »

L'ensemble des craintes gravitant autour du sang, comme la peur de la vue du sang, des injections, des blessures, des interventions médico-chirurgicales, représente une famille de phobies bien particulières. Le stimulus visuel est le plus souvent en cause, mais ces patients sont aussi très sensibles aux odeurs associées, comme celles du sang frais, des produits désinfectants ou anesthésiants, des couloirs d'hôpital, ainsi qu'à certaines sensations douloureuses comme celles des piqûres et injections... Ils peuvent se trouver mal à la vue du sang des autres, ou parfois de leur propre sang, et pour certaines femmes, de leurs propres menstruations. La phobie des soins dentaires peut être liée à celle du sang mais aussi à celle de l'étouffement : les patients ne supportent alors pas d'avoir quelque chose dans la bouche.

Cette phobie spécifique très répandue (4 % de la population) présente des caractéristiques physiologiques la différenciant nettement des autres : là où la plupart des stimuli photogènes provoquent une accélération du rythme cardiaque (tachycardie) et entraînent très rarement un évanouissement, contrairement aux craintes de certains patients, les phobies du sang et des injections s'accompagnent le plus souvent d'un ralentissement du rythme cardiaque (bradycardie) et conduisent fréquemment à une syncope (plus des trois quarts de ces sujets ont des antécédents de perte de connaissance à la vue du sang, ou même seulement à son odeur). Cette bradycardie met d'ailleurs un certain temps à se développer, après une phase brève de tachycardie, et nécessite une exposition au stimulus phobogène d'au moins dix à soixante secondes selon les études. Les personnes souffrant de cette phobie ont donc en général le temps de sentir leur malaise arriver, et de s'échapper ou de s'allonger, pour éviter une chute. Sur un plan évolutionniste, il est possible que les mécanismes de cette phobie du sang soient hérités de réflexes de protection de l'organisme en cas de blessure : pour éviter une hémorragie importante, notre tension artérielle s'abaisserait, ce qui limiterait l'importance des saignements, mais ce qui faciliterait aussi les syncopes par hypotension artérielle. Cette réaction réflexe serait, comme toujours, déréglée à la hausse chez les phobiques.

La prédominance féminine est moindre dans ce sous-type de phobies : « seulement » 50 à 70 % de femmes. Ce résultat est d'autant plus notable qu'il semble que les hommes tendent à sous-déclarer l'intensité de leur peur du sang, pour des raisons d'image sociale : ne pas passer pour une mauviette reste encore une préoccupation pour beaucoup d'entre eux[176]. Dans la plupart des cas, la phobie existe avant l'âge de 10 ans[177], et les influences génétiques semblent importantes.

Le handicap entraîné peut empêcher l'accès à certains métiers : médecin, infirmière, policier, militaire. Il peut aussi être très gênant pour des parents qui craignent de ne pouvoir soigner les plaies et bosses de leurs jeunes enfants sans s'évanouir sur-le-champ ! Mais le problème principal réside sans doute dans les conduites d'évitement de nombreux soins ou examens médicaux, qui peuvent pousser des patients à gravement négliger leur état de santé, en fuyant systématiquement les prises de sang, les vaccins, les opérations chirurgicales, et parfois même la fréquentation des hôpitaux ou des cabinets médicaux. La phobie des soins dentaires est apparentée à celle du sang et des blessures. Là aussi, la peur du dentiste aboutit hélas à des conséquences très défavorables sur la santé dentaire[178]. Dans un autre domaine, une équipe française[179] avait montré que parmi les patients diabétiques, ceux qui présentaient une peur du sang ou des injections se prêtaient mal à un contrôle régulier de leur glycémie, car cela nécessitait des piqûres supplémentaires ! Hélas, ces contrôles sont nécessaires à l'ajustement des doses d'insuline à délivrer... Il s'agit donc de phobies préoccupantes, que les professionnels de santé doivent apprendre à dépister : le problème est que ces patients n'aiment pas du tout se rendre dans les cabinets médicaux, services hospitaliers et autres laboratoires, qu'ils évitent chaque fois que possible.

J'ai reçu un jour le courrier émouvant d'une mère qui avait perdu son fils à la suite d'un traumatisme crânien secondaire à une chute lors d'une prise de sang : il n'avait pas prévenu les infirmiers, et son malaise avait surpris tout le monde. Ayant appris que nous avions mis au point dans le service un protocole de traitement des phobies du sang, elle me demandait des informations sur la pathologie qui lui avait enlevé son fils de manière si absurde.

Du fait que les phobies du sang et des injections s'accompagnent d'une tendance à l'hypotension et à la syncope, des techniques particulières doivent être mises en jeu lors des thérapies d'exposition de ces sujets, faute de quoi le thérapeute risque de provoquer des malaises, qui vont augmenter la conviction du patient de ne pouvoir affronter le stimulus phobogène. Deux stratégies principales sont utilisées. On peut faire s'allonger le patient dans les situations de confrontation, mais ce n'est pas toujours facile. Ou bien utiliser une technique dans laquelle le patient augmente lui-même sa pression artérielle en contractant fortement ses muscles[180]. Voici les bases de cette méthode spécifique, permettant des exercices d'exposition ambulatoires plus facilement que le recours à la position allongée :

- le thérapeute apprend au préalable au sujet phobique à déceler les tout premiers signes de la baisse de tension préalable à la syncope (tachycardie suivie d'une bradycardie, sensation de vide dans la tête, etc.),
- il lui demande à ce moment de contracter très fortement les muscles de ses avant-bras, de ses jambes, de sa poitrine et de son ventre,
- la tension ainsi déclenchée doit être maintenue pendant une vingtaine de secondes (par exemple jusqu'à l'obtention d'une sensation de chaleur au visage),
- puis le patient se détend (mais sans chercher à se relaxer), et répète l'exercice à cinq reprises.

Une fois que la méthode est maîtrisée, l'exposition peut commencer. Les résultats sont très satisfaisants, même en un petit nombre de séances[181]. Le patient a appris à ne plus s'affoler devant les sensations de montée de la syncope, et s'organise en conséquence.

Et lorsqu'on souffre de plusieurs peurs en même temps ?

Lorsqu'on souffre d'une phobie spécifique, on présente en général de nombreuses autres peurs : une étude à ce propos avait montré que les phobies spécifiques ne survenaient de manière isolée que chez seulement un quart des sujets[182]. Bien que ces craintes ne soient pas toujours à un niveau d'intensité phobique[183], elles témoignent bien de la présence d'une vulnérabilité globale à la peur chez la plupart des personnes concernées. Cela ne modifie pas les stratégies de traitement. Il est inutile de chercher à travailler abstraitement sur un éventuel « fond phobique », il semble plus efficace de commencer à aborder la phobie la plus invalidante, et on observe ensuite le plus souvent un effet dit « boule de neige » : avoir appris à surmonter une première peur entraîne en général une diminution des peurs suivantes, que de toute façon la personne abordera si besoin en utilisant les mêmes stratégies.

À propos de ces phobies multiples, je me souviens d'avoir lu, alors que je séjournais aux États-Unis pour y participer à un congrès de psychiatrie, un étonnant article dans le *New York Times*[184]. Le journaliste y décrivait la situation apocalyptique des personnes qui, ayant survécu à un accident d'avion au-dessus de l'océan, risquaient alors de se faire attaquer par des requins. Sur une pleine page passionnante, très bien documentée et pragmatique, le journaliste donnait les conseils à suivre en pareil cas pour augmenter ses chances de survie. Probablement utile aux non-phobiques (après tout, on ne sait jamais), ce type d'article est par contre de nature à terrifier définitivement, et les phobiques de l'avion, et les phobiques des bains de mer...

Faire face seul à ses peurs ?

Dans le film *Le Prisonnier d'Azkaban*[185], l'apprenti sorcier Harry Potter est confronté à des épreuves terrifiantes, mais surtout à la nécessité de faire face, seul, à ses peurs. Au travers d'images poétiques et de créatures chimériques, toutes les dimensions de la peur sont présentées au spectateur. Ainsi, un professeur de l'école de sorcellerie de Poudlard prépare les élèves à affronter leurs peurs grâce à un entraînement face à des « épouvantards », fantômes qui prennent la forme de ce qui nous inspire le plus de crainte. Lors d'une jolie scène, tous les pensionnaires défilent, face à l'armoire où sont enfermés les épouvantards, pour les affronter tour à tour : selon les peurs de chacun, les épouvantards en sortent sous les traits d'une araignée géante, d'un gigantesque serpent, d'un professeur redouté... Seul moyen pour les faire reculer : ne pas fuir, leur faire face sans faiblir, utiliser humour et recul, et, bien sûr, une formule magique !

Mais lorsque vient le tour de Harry, l'exercice tourne très mal, et le professeur doit intervenir pour lui sauver la vie : ce qu'il redoute le plus, ce sont des spectres monstrueux, nommés « détraqueurs », dont il a déjà subi l'attaque. Les détraqueurs incarnent la peur ; ils aspirent, sucent, vampirisent tout ce qu'il y a de bon, de positif, d'heureux et de fort en nous, jusqu'à l'inanition et la mort. Leur présence est annoncée par une ambiance glacée, qui n'est que la double métaphore du froid de la mort et de celui de la peur, dont témoignent de nombreuses expressions : « son sang se figea dans ses veines », « ça m'a glacé le sang ». Il faut, pour leur résister, mobiliser toutes ses énergies, s'accrocher à ses souvenirs les plus forts et les plus heureux. Et, face à eux, qui incarnent nos terreurs les plus violentes et les plus dangereuses, n'attendre de secours de personne. Le message du film est clair : c'est nous et nous seuls qui détenons les clés pour faire reculer nos peurs.

Mais revenons chez les Moldus*... Si une autothérapie est possible, c'est bien face aux peurs simples : animaux, vide, noir, sang... Je me souviens de Timothée, fils d'un de mes amis, qui savait que j'étais spécialiste des peurs. Venu me voir lors d'un passage à Paris, il m'avait demandé quelques conseils. Bien qu'âgé de 10 ans, courageux et bagarreur par ailleurs, Timothée avait une grosse peur du noir. Il ne pouvait dormir sans lumière la nuit, ce qui ne posait pas de problèmes chez lui, mais l'embarrassait lorsqu'il allait dormir chez des copains : comment oser avouer cette « peur de bébé » ? Il n'aimait pas du tout se rendre à la cave. Lorsque ses parents le lui demandaient, sa mère pour remonter le linge propre du lave-linge, ou son père pour aller chercher une bouteille de vin, il devait se forcer à ne pas refuser. Il était tombé à plusieurs reprises dans l'escalier mal

---

* Dans les romans du cycle Harry Potter, les Moldus sont des personnes dépourvues de pouvoirs magiques, comme vous et moi. Enfin, je suppose...

éclairé de la cave, parce qu'il courait aussi vite que possible pour en remonter. En général, il laissait la lumière allumée derrière lui, ce qui lui valait des remontrances de ses parents, à qui, pendant longtemps, il n'avait pas voulu avouer l'intensité de ses peurs. Il paniquait aussi lors des orages, à cause des pannes d'électricité qui s'ensuivaient souvent. Lorsque je me mis à discuter avec lui de ses peurs dans le noir, il m'avoua qu'il redoutait d'être attaqué par un monstre ou un assassin. Il reconnaissait bien sûr la faible probabilité de pareil événement, mais les peurs n'en étaient pas moins présentes.

J'expliquai alors à Timothée comment « fonctionnaient » nos peurs, et surtout comment leur obéir pouvait les faire durer indéfiniment. Je lui décrivis comment, si on ne recule pas devant la peur, c'est elle qui finit toujours par reculer. Nous fîmes un petit exercice dans la cave de la maison, où Timothée resta enfermé un quart d'heure. Nous décidâmes ensuite d'une stratégie précise : une fois rentré chez lui, Timothée se rendrait tous les jours à la cave, avec pour seul but de se bagarrer avec sa peur. Il y resterait à attendre dans le noir. À regarder autour de lui, rester, rester, jusqu'à ce que la peur ait disparu. Lorsqu'il aurait quelque chose à aller chercher, il marcherait lentement. Si la peur arrivait alors, il n'accélérerait pas le pas, mais se retournerait et s'arrêterait, pour voir ce qu'il y avait derrière lui, au lieu de l'imaginer – et d'imaginer bien évidemment le pire.

Un mois après, Timothée me téléphona pour me donner de ses nouvelles : il n'avait plus peur du noir. En pouffant de rire, il me passa ensuite son père : celui-ci m'avoua, ce qu'il n'avait jamais fait jusque-là, qu'il avait exactement les mêmes peurs que son fils !

Il faut parfois peu de chose pour surmonter des peurs minimes, mais auxquelles on cède, et qui, de ce fait, finissent par s'installer durablement. Par contre, les phobies nécessitent en général l'intervention d'un thérapeute, sauf dans certaines conditions…

➤ Peut-on guérir soi-même une phobie spécifique ?

La réponse est certainement « non » pour les phobies complexes, mais pour les phobies spécifiques elle est « oui, à condition que... ».

Oui à condition que votre phobie ne soit pas compliquée par d'autres problèmes : dépression, prise régulière d'alcool ou de médicaments, maladie cardiaque...

Oui à condition que vous respectiez les règles proposées dans ce livre : vous confronter régulièrement, progressivement.

Vous y arriverez d'autant plus facilement que vous ne serez pas seul dans l'effort : vous pouvez demander à des proches ou des amis de vous aider. Ou bien à des associations, comme, en France, « Le pied dans l'eau », qui organise des séances en piscine pour les patients phobiques de l'eau[186].

Les études scientifiques manquent encore en nombre suffisant à propos de telles démarches d'autothérapie dans d'authentiques phobies. Mais elles existent, et une aide dispensée par le biais de livres d'aide spécialement conçus[187], ou de programmes d'autotraitement informatisés[188] ou disponibles sur Internet[189] représentent en tout cas une première étape, qui peut s'avérer suffisante pour certains patients : les moins touchés, les plus motivés ?

Comment soigner peurs et phobies spécifiques ?

Les phobies spécifiques sont sans doute parmi les troubles psychologiques les plus faciles à traiter, à condition d'utiliser la bonne méthode : la désensibilisation de la peur par exposition graduée. Je vous ai déjà décrit cette approche comportementale, et je ne ferai qu'en rappeler les caractéristiques propres aux phobies spécifiques.

Les thérapies comportementales et cognitives sont particulièrement efficaces dans les phobies spécifiques, et améliorent en général plus de 80 % des patients (*cf.* tableau). Ces résultats sont d'autant plus intéressants qu'il est probable que seuls les sujets les plus sévèrement atteints viennent rechercher de l'aide. Rappelons qu'il n'existe à ce jour aucune preuve de l'efficacité d'un médicament pour soigner les phobies spécifiques.

**Résultats* des thérapies comportementales
dans les phobies spécifiques[190]**

Type de phobie spécifique	Pourcentage de sujets améliorés	Durée moyenne de traitement
acrophobie	77 %	4 heures
zoophobies	87 %	2 heures
phobies du sang	85 %	5 heures
phobies des injections	80 %	2 heures
claustrophobie	86 %	3 heures
phobies des soins dentaires	90 %	7 heures
phobies du vol aérien	80-90 %	6-8 heures

La démarche est simple. Après avoir expliqué au patient la nature et le fonctionnement des peurs phobiques, ainsi que l'objectif de la thérapie (les maîtriser et non les faire disparaître), on va alors :

– Définir avec le patient l'objet et la nature spécifiques de ses peurs ; par exemple les grosses araignées et la peur

---

* Attention : ce type de résultats très positifs s'explique par deux raisons principales. La première est que ce sont des équipes particulièrement expérimentées qui, en général, conduisent les traitements dans ces recherches. La seconde vient du fait qu'il s'agit de ce que l'on appelle dans notre jargon des patients « purs », sans autres difficultés psychologiques ajoutées ; les temps sont à rallonger si vous présentez aussi des tendances dépressives, d'autres phobies, etc.

d'une attaque, suivie d'une morsure, et suivie de... quoi au juste ? Souvent, les patients ne sont pas allés au bout de leurs peurs, nous en avons souvent parlé.

— Établir une liste hiérarchisée de situations déclenchant la peur, des plus envisageables (se confronter à des images ou des pensées) aux plus difficiles (affronter la situation).

— Apprendre une technique de relaxation.

— Vérifier la pertinence des informations dont dispose le patient à propos de ses peurs : l'araignée attaque au moindre mouvement, un avion qui craque peut s'ouvrir en deux en plein ciel...

— Discuter de ses scénarios catastrophe, et les remettre en question.

— Commencer les exercices de confrontation, en prescrivant aussi des exercices à domicile, plus faciles, mais à faire régulièrement.

Voici par exemple une liste de désensibilisations utilisée chez une patiente phobique des chiens :

— Je regarde dans des magazines des photos de chiens qui grognent et montrent leurs dents.

— Je me tiens à une dizaine de mètres de gros chiens tenus en laisse par leur maître.

— Je m'en approche à quelques mètres.

— Je vais dans un chenil ou un magasin où l'on vend des chiens.

— Je marche devant la grille d'une villa où de gros chiens aboient systématiquement après les passants en grognant et leur montrant les dents.

— Je parle au propriétaire d'un gros chien, tenu en laisse, en m'approchant à environ un mètre de son animal.

— Je caresse un petit chien.

— Je caresse un gros chien non tenu en laisse.

— Je m'agenouille pour caresser un gros chien et me mettre à son niveau.

➤ Un traitement express
pour certaines phobies spécifiques ?

Il semble que les phobies spécifiques puissent parfois être soignées en quelques séances. Le format de thérapie le plus souvent retrouvé dans les études est de cinq séances d'environ une heure.

Plusieurs travaux ont aussi démontré l'efficacité du traitement en une seule séance de trois heures dans plusieurs types de phobies spécifiques : phobie des araignées[191] ou des injections[192]. Les bénéfices du traitement en une session (notamment en termes de simplicité et de gain de temps) pourraient donc pousser les thérapeutes à avoir recours préférentiellement à cette technique. Ces sessions uniques peuvent aussi être dispensées en groupe par exemple à des phobiques des araignées[193], avec, là encore, maintien des bons résultats après un an de suivi.

Mais il n'est pas encore sûr que les résultats se maintiennent aussi longtemps qu'avec les formats de thérapie classiques[194]. Trop vouloir limiter la durée des thérapies peut paraître une bonne idée puisqu'il existe encore trop peu de thérapeutes et de centres spécialisés, mais il existe sans doute un nombre d'heures de thérapie par exposition incompressible, en dessous duquel l'efficacité du traitement est moindre.

➤ La réalité virtuelle
au secours des phobies spécifiques

Pour de nombreuses raisons, les thérapies par exposition *in vivo* peuvent s'avérer difficiles à réaliser : rareté des thérapeutes dans certaines régions, phobies pour lesquelles il n'est pas facile au thérapeute d'accompagner son patient, ni au patient de se confronter « à la demande », comme la phobie de l'avion. L'utilisation d'appareils (masques, gants, sièges à vérins...) permettant d'immerger le sujet dans une réalité virtuelle représente alors un outil thérapeutique intéressant. Les thérapies virtuelles des phobies simples ont déjà été l'objet de nombreuses études contrôlées et fait la preuve de leur efficacité notamment dans les phobies des araignées, de l'avion, des ascenseurs et du vide[195].

Que sont devenus les patients dont je vous ai raconté l'histoire dans ce chapitre ?

➤ *Francesca et la phobie des oiseaux*

La thérapie de Francesca a pris environ une quarantaine de séances. Ce chiffre relativement élevé pour une phobie spécifique s'explique par l'intensité de ses peurs : il fallait, presque à chaque étape, faire une préparation par une exposition en imagination. Après s'être relaxée, Francesca s'imaginait dans la situation redoutée : je ne lui demandais de l'affronter sur le terrain que lorsqu'elle pouvait la visualiser sans paniquer.

Les étapes que nous franchîmes furent les suivantes :

- Regarder attentivement des photos de pigeons.
- Voir un film vidéo avec des pigeons (tourné par son mari dans le square en bas de chez eux).
- Commencer à s'approcher d'une place fréquentée par des pigeons, et les observer de loin.
- Se rendre dans une oisellerie.
- S'approcher des cages où il y a des tourterelles.
- Glisser son doigt entre les barreaux au risque d'être touchée par les oiseaux.
- Toucher et garder sur elle des plumes de pigeons ramassées dans un square.
- Aller s'asseoir sur un banc dans un square « gravement empigeonné », selon son expression.
- Donner à manger aux pigeons.

Les séances avec Francesca étaient très pittoresques, car beaucoup de personnes y participaient : elle poussait des cris assez forts, souvent en italien, *Mamma mia !* ou *Madonna,*

Madonna !, où se mêlaient l'angoisse puis la satisfaction étonnée de voir que « cela marchait ». De ce fait, il était fréquent que des passants viennent nous donner des conseils ou nous proposer de l'aide. En fin de thérapie, l'oiseleur, qui me connaissait pour m'avoir déjà « assisté » dans la thérapie de plusieurs personnes phobiques, proposa à Francesca de prendre dans ses bras une petite tourterelle. Elle fut très émue par cette scène, car elle prit alors conscience de la fragilité de l'oiseau entre ses mains : « J'ai réalisé, devait-elle me dire un peu plus tard, que je ne devais rien craindre d'animaux aussi fragiles. » Mais Francesca ne devint jamais colombophile...

➤ *Rosemarie et la phobie de l'eau*

Rosemarie effectua environ une dizaine de séances avec moi, mais elle fut aussi aidée par une à association nommée « Le pied dans l'eau » qui propose aux personnes qui ont peur de l'eau des séances d'exposition en piscine, très utiles et efficaces.

Voici les principaux exercices que je conduisis avec elle, ou que je lui recommandai d'effectuer :

- Se faire des gargarismes pour s'habituer à avoir de l'eau dans la gorge.
- Parler avec de l'eau dans la bouche, pour s'exposer au risque d'avaler de travers, car elle craignait alors de s'étouffer. En fait d'étouffements, ce furent plutôt nos fous rires pendant les exercices (une patiente et un thérapeute se parlant la bouche remplie d'eau) qui nous confrontèrent au problème.
- Retenir sa respiration le plus longtemps possible.
- Plonger sa tête dans le lavabo plein d'eau.
- Acheter un masque et un tuba, se faire expliquer par le vendeur comment on s'en sert, et tester le matériel dans sa baignoire.
- Se rendre à la piscine avec une amie, puis seule, d'abord en informant le maître nageur de ses peurs, « comme ça, il me

surveillera davantage au cas où je commencerais à me noyer », puis de manière « anonyme ».

À l'issue de ce travail, Rosemarie finit par accepter l'invitation à partir en croisière avec ses amis, et surtout arriva à en profiter !

➤ *Marianne et la phobie de la conduite automobile*

La thérapie de Marianne dura environ une année scolaire et nécessita une quinzaine de séances avec son thérapeute. Après quelques sorties mouvementées avec la voiture de ce dernier, Marianne accepta de reprendre des « leçons » hebdomadaires avec un moniteur d'auto-école sympathique, qui exerçait dans le voisinage, et qui avait accepté d'écouter les recommandations du thérapeute. Ces leçons ne consistaient pas à apprendre à conduire, ce que Marianne savait parfaitement faire, mais à apprendre à maîtriser sa peur de conduire, en compagnie d'un passager plus patient que son conjoint. Entre-temps, le thérapeute lui enseigna des techniques de relaxation, pratiqua avec elle des jeux de rôle, qui mettaient en scène toutes les craintes de Marianne à propos des conséquences d'un petit accrochage avec un autre automobiliste : comment répondre aux éventuels reproches sexistes du conducteur, qu'elle redoutait beaucoup (« ah ! les femmes au volant ! »), comment remplir un constat amiable, etc. Comme Marianne vivait dans la hantise de caler et de ne pouvoir ensuite redémarrer à cause de la peur, bloquant ainsi la circulation dans toute la rue, le thérapeute lui proposa de tester ce scénario catastrophe. Ils partirent donc ensemble en voiture ; le thérapeute prit d'abord le volant et demanda à Marianne de lui prédire 1) combien de temps mettraient les automobilistes à klaxonner si sa voiture bloquait une rue, alors qu'il ferait semblant de s'acharner sur sa clé de contact pour redémarrer, 2) combien de temps avant qu'ils ne s'énervent, en les insultant ou en descendant de leur voiture pour rouspéter. Marianne pensait évidemment que les coups de klaxon seraient instantanés et violents, et que le thérapeute prenait un gros risque de se faire agresser. Ce dernier fit l'expérience à six reprises et Marianne s'aperçut que les autres automobilistes n'étaient pas si sauvages qu'elle l'imaginait, du moins pas tous : il n'y eut de coups d'avertisseur que dans trois cas sur six, et encore, après un temps notable (plus de trente secondes). De plus, le thérapeute ne se fit pas boxer, bien qu'il eût mis chaque fois trente secondes supplémentaires pour démarrer après les coups d'avertisseur. Peu à peu, Marianne recommença à sortir en voiture autour de son quartier, d'abord accompagnée par une bonne copine, puis toute seule. Après quelques mois, elle pouvait conduire normalement. Finalement, le moment le plus difficile de la thérapie fut de convaincre son mari de prêter à nouveau sa voiture à son épouse…

➤ Marc et la phobie du sang

Marc dut s'y prendre à plusieurs fois pour se débarrasser de sa phobie, et il interrompit la thérapie à deux reprises. Il redoutait particulièrement les malaises, et surtout, surtout, il détestait venir à l'hôpital, dans le service : il n'aimait ni le lieu, cet endroit plein de seringues !, ni les odeurs caractéristiques des lieux de soins où l'on pique et prélève à tour de bras. Au total, une vingtaine de séances furent nécessaires.

J'appris d'abord à Marc une technique de détente par contrôle respiratoire, ainsi que la manière de faire légèrement monter sa tension artérielle en cas de sensations de syncope : mettre ses mains en crochet et tirer très fort sur ses avant-bras, tout en contractant aussi les muscles de sa poitrine et de son ventre.

Je lui rappelai également en quoi consistait une syncope vagale comme celles qu'il présentait : leur seul risque est celui de la chute qu'elles entraînent. Il suffit donc de prévenir l'entourage, de ne pas faire semblant de rien, mais d'assumer tout simplement ce trait physiologique particulier, et de ne pas hésiter à s'allonger si besoin. Pas de souci sur la perte de connaissance : lorsqu'elle existe, elle est toujours très brève, de l'ordre de quelques secondes. Et n'entraîne évidemment aucune séquelle.

Puis, la confrontation par étapes commença. Elle consista tout d'abord à entendre, puis lire et prononcer des mots tels que : sang, piqûre, aiguille, seringue, artère, prise de sang, laboratoire d'analyses, opération, chirurgie... Puis à regarder des photos de vaccinations et de prises de sang tirées de manuels infirmiers ou de revues médicales, dont j'ai toute une collection que je conserve dans un classeur « spécial phobie du sang ». Je prêtai ce classeur à Marc pendant plusieurs semaines afin qu'il s'y expose tous les jours. Puis, il s'entraîna à observer son pli du coude, et celui de personnes de son entourage : bizarrement, il ne supportait pas de devoir regarder cette région du corps, totalement associée pour lui à l'idée d'une aiguille s'enfonçant dans les chairs. Peu à peu, Marc commença à être capable d'observer une aiguille pour injection intramusculaire dans son emballage fermé. Là encore, je lui en offris une pour qu'il l'emporte chez lui. Au bout d'un moment, il arriva à rentrer dans la salle de soins infirmiers du service, et à observer tout le matériel utilisé. Puis, je lui demandai de commencer à manier des aiguilles pour injections, d'abord dans leur emballage, puis à les sortir de cet emballage. « Je me sens comme la Belle au bois dormant », disait-il dans ces moments, avec un rire un peu crispé. En effet, il manipulait les aiguilles comme s'il s'était agi de dangereux explosifs, encore menaçants qu'une quenouille empoisonnée.

En fin de thérapie, je lui demandai de se piquer avec l'aiguille sans se faire saigner, sur la pulpe des doigts, puis sur d'autres régions du corps, enfin au niveau du pli du coude. Je lui montrai ensuite sur moi-même comment appuyer un peu plus fort pour faire sortir une petite goutte de sang, ce qu'il accepta aussi de faire sur lui-même. Puis, une des infirmières de la consultation réalisa sur lui une simulation de prise de sang, en effectuant sous ses yeux tous les gestes habituels, mais en s'arrêtant au moment de piquer. Après plusieurs simulations de ce type, Marc accepta une véritable prise de sang, ce qui nous permit de réaliser certains examens qu'il repoussait depuis des années. Marc eut un début de syncope, mais qui, pour la première fois, ne le traumatisa pas, grâce aux discussions et exercices effectués auparavant.

Enfin, nous allâmes passer du temps dans le laboratoire de biologie de l'hôpital, où j'avais prévenu une des biologistes de notre visite, ce qui permit à Marc de bénéficier de nombreuses explications. Il osa poser de nombreuses questions sans crainte du ridicule, et nous refîmes pour l'occasion une seconde prise de sang. Là encore, début de malaise, géré sans problème. La laborantine expliqua à Marc que ces malaises étaient fréquents chez les personnes qu'elle prélevait quotidiennement.

Depuis sa thérapie, Marc et sa femme essaient d'avoir un second enfant, sans redouter de malaise cataclysmique en salle de travail. J'attends avec impatience le faire-part, et surtout, je l'avoue, le compte rendu d'accouchement, mais du côté du papa…

Peurs simples mais souvent orphelines…

Les thérapies de peurs et phobies spécifiques sont souvent l'occasion de souvenirs pittoresques, car lorsqu'on soigne des phobiques, on reste rarement assis dans son fauteuil. J'ai notamment pu, grâce à mes patients, apprendre à capturer des araignées, lire beaucoup de livres sur la psychologie animale et fréquenter les lieux où on peut trouver toutes sortes d'animaux, morts ou vifs, dans Paris…

Mais j'ai aussi noté un paradoxe : bien que les phobies spécifiques soient globalement plutôt faciles et gratifiantes à soigner, fait assez rare dans notre discipline, les patients trouvent difficilement des thérapeutes spécialisés. Il semble que ces derniers préfèrent en général rester assis dans leur fauteuil à explorer inlassablement le passé ou, au mieux, se contenter de délivrer de bons conseils.

Heureusement, la relève se profile : hier encore, l'une de mes jeunes stagiaires psychologues pleine d'énergie me demandait de lui prêter ma caméra, afin d'aller filmer des ébats de pigeons place Saint-Sulpice, à Paris, pour en faire une projection à l'une de ses patientes, paniquée par ces volatiles…

CHAPITRE 8

Peurs et phobies sociales

Ce sont les plus destructrices des peurs, puisqu'elles atteignent en nous cet « animal sociable » dont parlait Montesquieu.

Elles peuvent nous priver de ce qui nous est le plus précieux et le plus indispensable : les nourritures relationnelles, les seules à donner durablement le goût de vivre.

Certes, on peut vivre avec les formes bénignes de peurs sociales : le trac, la timidité. Mais on ne peut que survivre, et plutôt sous-vivre, si l'on est atteint de la plus sévère de ces peurs : la phobie sociale.

Après les avoir longtemps sous-estimés, nous autres thérapeutes savons aujourd'hui comment soigner ces grands émois du moi. Cela se passe sur le terrain. C'est toujours éprouvant. Mais c'est – presque – toujours efficace...

> « La timidité a été le fléau de ma vie. »
>
> MONTESQUIEU

Dix-huit heures, station Glacière, sur la ligne 6 du métro parisien.

Depuis le fond du wagon bondé, une jeune femme interpelle à grands renforts de cris et de gestes quelqu'un, situé à l'autre extrémité de la rame : « Hohé ! Jean-Philippe ! Coucou ! Ça va ? » Jean-Philippe a l'air sacrément embarrassé. Quelques passagers, trop contents du divertissement, relèvent la tête pour observer la scène. Le garçon rougit légèrement, mais répond à son tour, s'efforçant de crier assez fort pour surmonter le bruit ambiant :

« Oui, ça va ! Et toi ? Comment ça va ?

— Très bien, merci ! Tu travailles toujours dans le coin ?

— Oui, oui…

— Bon, eh bien à un de ces jours, alors !

— Oui, à un de ces jours… »

La plupart des passagers ont maintenant relevé la tête : on ne s'interpelle pas souvent ainsi dans le métro parisien. Puis, le dialogue terminé, beaucoup reviennent à leur occupation précédente : lecture, rêverie, petite sieste. Jean-Philippe échange quelques mots avec une autre jeune femme aux cheveux rouges, qui se tient à ses côtés : elle lui sourit beaucoup et semble l'encourager. Il se met maintenant à regarder attentivement tous les passagers du wagon, pendant de longues minutes. D'abord crispé, son visage se détend peu à peu. Au bout d'un quart d'heure, Jean-Philippe et sa compagne aux cheveux rouges descendent de la rame. La jeune fille qui l'a interpellé aussi, et tous trois se rejoignent sur le quai et engagent une conversation animée, ponctuée de quelques éclats de rire. À l'arrivée de la rame de métro suivante, ils montent, et recommencent exactement le même manège...

Si vous observez un jour une scène de ce genre, peut-être êtes-vous en train d'assister à une de nos séances de psychothérapie de groupe de l'anxiété sociale. Venez donc nous saluer et nous donner vos impressions, cela nous fera plaisir ! Vous pourrez aussi nous croiser au bord d'un passage pour piétons, en train d'observer les automobilistes arrêtés au feu rouge, comme si nous cherchions quelqu'un. Ou assis, aux beaux jours, à la terrasse bondée d'un café, renversant maladroitement et à grand bruit une bouteille de soda, attirant ainsi les regards des autres clients et provoquant la venue d'un serveur grognon et maugréant, avec pelle et balai. Parfois aussi, nous allons acheter le journal, le visage couvert de gouttes de sueur ; nous avons un brumisateur pour cela. Souvent, nous arrêtons dix passants de suite dans la rue pour demander notre chemin ou l'heure. En prenant soin de sourire et de bien les regarder dans les yeux. Bref, nous nous entraînons à travailler sur toutes sortes de peurs sociales.

Ces échanges qui font peur

Dans la vie des humains, ce qui devrait être un plaisir devient parfois une source de tourments. Ainsi en est-il parfois des échanges avec nos semblables : ils peuvent se transformer en souffrance à cause de la peur.

La plupart des personnes ont déjà ressenti de la gêne lors de certaines situations sociales : prises de parole en public, rencontres avec des inconnus impressionnants, demandes d'augmentation ou déclarations d'amour... Ce que les psychologues nomment « anxiété sociale » est sans doute une émotion universellement partagée. Cette forme d'appréhension, pouvant aller d'une peur bénigne et surmontable à une pathologie sévère et destructrice, se définit globalement par :

- un sentiment d'inconfort dans les situations sociales, pouvant aller de la simple gêne à l'attaque de panique,
- une crainte exagérée du regard et du jugement d'autrui sur sa personne et son comportement,
- une tendance à se focaliser sur soi, ce que l'on pense et ce que l'on ressent, et non sur la situation sociale en cours.

➤ Les situations sociales sources de peur

Les situations sociales sources de peur ou d'appréhension sont bien évidemment infinies, mais on peut les regrouper en cinq grandes catégories, présentées dans le tableau ci-dessous. On a pu dire à juste titre que la peur des situations sociales était avant tout une peur du regard et de l'évaluation d'autrui : on redoute d'être jugé, même si ce n'est pas le cas, dans toutes les activités du quotidien. Il y a des personnes qui appréhendent toutes ces situations, mais la plupart des gens n'ont peur que de certaines d'entre elles...

Les situations de peurs sociales

Type de situation redoutée	Exemples
Situations de performance	Passer un examen ou un entretien d'évaluation, faire un exposé ou une conférence, lire un texte à une cérémonie...
Situations d'observation	Être regardé (ou se croire regardé) pendant que l'on accomplit quelque chose : marcher, manger, boire, écrire, conduire, se garer, ou même sans rien faire de précis...
Situations d'affirmation	Défendre ses droits, donner son point de vue, exprimer ses besoins : négocier des prix, faire une réclamation, dire qu'on n'est pas d'accord...

Type de situation redoutée	Exemples
Situations de révélation de soi	Devoir se révéler de manière un peu approfondie et implicante : faire connaissance avec quelqu'un, nouer une relation amicale ou sentimentale…
Situations d'interactions superficielles	Devoir parler avec autrui de manière informelle, superficielle : échange de banalités avec un voisin, un commerçant, un collègue de travail autour de la machine à café…

Des situations de performance

Elles regroupent tous les moments où l'on craint d'être explicitement jugé : on a en face de soi une ou plusieurs personnes qui sont là pour évaluer ce que l'on dit ou ce que l'on fait, et la manière dont on va le dire ou le faire. Tous les examens, entretiens d'embauche ou exposés, toutes les prises de parole devant un groupe entrent dans cette catégorie. Inutile de préciser que cette peur concerne la plupart des personnes. La différence principale entre les individus ne réside pas dans la survenue ou non de la peur, mais dans leur capacité à la surmonter : les artistes expliquent ainsi qu'ils ont peur avant de monter en scène, mais que cette peur se dissipe une fois qu'ils sont lancés dans l'action. Si ce n'est pas le cas, ils devront, hélas, renoncer à leur carrière, si doués soient-ils : beaucoup de musiciens talentueux deviennent professeurs de musique, par incapacité à affronter la scène.

Chez ceux qui ne sont pas des artistes professionnels, l'intensité de la peur peut aussi poser de nombreux problèmes, car ils doivent renoncer à toute occasion de parler en public : donner son avis lors d'une réunion de parents d'élèves, lire un texte à une cérémonie religieuse, animer une présentation orale, participer à un tour de table… Je discute souvent de ce type de peurs avec les personnes de mon entourage, comme Jean, un de mes voisins : « Je n'ai aucun problème de relation avec les gens, j'aime rencontrer des personnes nouvelles, bavarder. Je sais aussi dire les choses en face, je ne me laisse pas faire lorsque je ne suis pas d'accord avec les autres. Bref, je ne suis pas timide. Mais il y a une situation qu'il m'est impossible ou presque d'affronter, c'est monter sur une scène pour faire un speech. Même si je connais toutes les personnes dans la salle, j'ai l'impression de ne plus être le même à ce moment. Tout se met à tourner autour de moi, les mots ne me viennent plus, ma bouche n'arrive plus à articuler, je m'entends comme si j'étais quelqu'un d'autre, je me vois de l'extérieur, je n'arrive plus à regarder les gens dans les yeux. Je n'ai jamais pu surmonter cette peur. Depuis que je suis gamin – je ne pouvais quasiment pas passer au tableau – elle me poursuit. Dans mon travail, j'ai toujours dû refuser les promotions qui nécessitaient de faire des présentations orales. Bon, ce n'est pas si grave. Mais c'est fou tout de même comment simplement quelques pas, quelques mètres, du cocon du groupe à l'enfer de l'estrade, peuvent ainsi vous transformer. »

Les situations d'observation

Ce sont celles où l'on se retrouve involontairement en point de mire de l'attention d'autrui : marcher devant une terrasse de café bondée, arriver en retard dans une salle de cinéma ou de théâtre et devoir s'asseoir au premier rang, avoir commencé à raconter une histoire uniquement à son voisin de table et s'apercevoir que tous les autres convives se sont mis à écouter... Bref, sentir tout à coup les regards braqués sur soi alors qu'on ne l'avait pas forcément cherché ni prévu. Ce type de peur concerne beaucoup de monde ; elle est facilitée par l'inattendu ou l'inhabituel.

Une de mes amies m'avait ainsi raconté comment, lors d'un mariage où elle ne connaissait pas grand monde, elle avait pris une petite barque pour aller canoter sur le plan d'eau de la propriété où se déroulait la réception. Une fois arrivée au milieu de l'étang, elle s'était aperçue avec horreur que tous les invités la regardaient, la réception ayant lieu au bord de l'eau. Du coup, la fin de la promenade avait été beaucoup moins agréable : « Tous ces regards d'inconnus braqués sur moi, sans que j'entende ce qu'ils disaient, me donnaient un sentiment pénible. J'avais l'impression que je ramais de plus en plus mal. Je me suis dépêchée de me rapprocher du bord pour abréger le malaise. Une fois arrivée, je me suis aperçue que je tremblais légèrement. J'ai mis un quart d'heure à me calmer... » Beaucoup de personnes que l'on place soudainement au centre de l'attention, alors qu'elles ne s'y attendaient pas, éprouvent les mêmes montées, pénibles et difficiles à contrôler, de cette peur intense et animale, qui flirte avec la panique, et donne envie de fuir.

Les situations où il faut s'affirmer

Elles représentent aussi un grand classique des peurs sociales : demander une augmentation, faire une déclaration d'amour, demander aux voisins trop bruyants de baisser la sono, ou tout simplement dire *non*... De tels instants sont délicats pour la plupart des gens, sans entraîner cependant de réaction de peur importante. Mais pour un certain nombre de personnes, timides ou inhibées, ces moments sont si pénibles qu'il peut leur arriver de les éviter, à cause de la peur sourde qu'ils déclenchent.

« J'ai longtemps eu du mal à reconnaître que je n'étais pas sûr de moi, nous racontait Yves, un ingénieur des Ponts et Chaussées, mais aujourd'hui j'arrive à me l'avouer. J'ai peur de dire non aux gens. Que ce soit le marchand de chaussures à qui j'ai fait déballer dix paires, le collègue qui me demande de faire sa part de boulot, le démarcheur téléphonique qui m'appelle à l'heure du repas, ou même mes enfants, qui le savent et abusent de moi. Je me suis toujours arrangé avec ça en me disant que j'étais gentil. Mais récemment j'ai compris que ce n'était pas que de la gentillesse. C'était aussi de la faiblesse, et surtout, de la peur. J'avais peur des réactions des autres. Peur qu'ils se mettent en colère. Peur qu'ils ne m'aiment plus. Du jour où j'ai compris et surtout accepté cela, j'ai aussi décidé de changer. Agir par gentillesse, oui. Par peur, non ! »

Les situations de révélation de soi

Elles rassemblent les moments où l'on est amené à parler de soi à autrui, à dévoiler un peu de son intimité personnelle et psychologique. Pour certaines personnes, cela peut être inconfortable. Surtout lorsqu'elles sont convaincues que leur condition, ou certains de ses aspects, comporte quelque chose d'infériorisant. Lorsque Yves était chômeur, il redoutait les invitations chez les inconnus, par peur de devoir répondre à la question : « Et vous, que faites-vous dans la vie ? » Tout comme les célibataires de plus de trente ans craignent parfois qu'on leur demande le pourquoi de cette absence de conjoint ou d'enfants. La crainte d'être l'objet d'un jugement négatif peut pousser alors soit à fuir ces situations, soit à tenir les gens à distance par de la froideur. Ou par de l'humour et de l'autodérision, qui sont une autre façon de ne pas parler réellement de soi, s'ils fonctionnent à jet continu.

C'était le cas de Flore, décrite ici par une de ses collègues de travail : « Au début, je la trouvais très drôle, toujours à se moquer d'elle, à faire de l'humour sur ses petites manies, ses défauts, ses limites. C'est si rare que les gens sachent prendre du recul sur eux ! Puis, je me suis aperçue que cela faisait quelques mois qu'elle était arrivée dans le service, et que nous ne savions pas grand-chose d'elle, de ce qu'elle pensait vraiment. Et surtout de ce qu'elle ressentait : en y réfléchissant, j'ai découvert qu'elle ne donnait jamais son avis, qu'elle n'exprimait jamais ses émotions, de contrariété ou de plaisir. Lorsqu'elle avait un coup dur, elle en plaisantait. Lorsqu'elle avait un succès, elle en plaisantait. On ne savait jamais ce qu'elle pensait. Ni qui elle était. Du coup, beaucoup de personnes ne l'aimaient pas trop, ou s'en méfiaient un peu. Plus tard, nous sommes devenues amies, et j'ai fait sa connaissance. J'ai découvert que c'était une fille hypersensible, plutôt malheureuse, qui avait très peur de ne pas plaire aux autres, qui était persuadée qu'au fond d'elle-même elle n'avait aucun intérêt pour autrui. Son humour lui servait de vêtement psychologique : sans lui, elle se sentait nue et moche… »

Les situations d'interactions superficielles

Comment des situations comme de petits bavardages sur la pluie et le beau temps pourraient-elles faire peur ? Pourtant, lorsqu'un silence s'installe dans une soirée, peu de personnes restent zen, à profiter du temps qui passe, du feu qui crépite dans la cheminée, du contenu de leur verre, et du plaisir de se trouver entre êtres humains à partager un bon repas. Le silence crée un léger malaise, interrompu par l'expression : « un ange passe », qui donne le signal des efforts pour relancer la conversation. Ou bien, n'avez-vous jamais fait l'expérience d'accompagner dans un ascenseur, ou lors d'un bref trajet en voiture, une personne que vous ne connaissiez pas et à qui vous avez dû « faire la conversation » ? Pas toujours confortable, n'est-ce pas ? La peur du silence et celle de dire des banalités sont alors souvent au rendez-vous. Avec bien sûr, en arrière-plan, la peur de ne pas donner une bonne impression de soi. Ces peurs sociales, limitées chez la plupart des personnes, prennent parfois une place importante chez celles qui souffrent de phobie sociale, nous allons bientôt en parler.

➤ *Au-delà de la peur : la honte*

Les peurs sociales sont presque toujours mélangées à d'autres émotions négatives.

La peur y est souvent au centre : si vous attendez votre tour avant une présentation orale, vous ressentirez, au moment où la réunion commence, ce sentiment de peur anticipée que l'on nomme *anxiété*. Puis au moment où l'on vous appellera à la tribune, vous ressentirez une « incarnation » de la peur, qui s'inscrira effectivement dans votre chair, au travers de sa montée physique, de l'accélération de votre cœur, et des nœuds dans votre estomac et votre gorge : c'est le trac. Dans le pire des cas, certains vivront alors une attaque de panique qui les empêchera de conduire leur présentation à son terme et les forcera à battre en retraite.

Mais souvent, il y a aussi plus que de la peur : de la gêne, de l'embarras, de la honte même. Alors que la peur est l'émotion du danger, la honte est celle de la conviction que l'on n'a pas su faire face à ce danger, sous le regard secrètement désapprobateur d'autrui[196]. Comme l'écrivait le philosophe Vauvenargues : « La timidité peut être la crainte du blâme, la honte en est la certitude. » La plupart des peurs sociales procèdent de la crainte d'être jugé négativement. Lorsque cette crainte est devenue certitude, plus sous l'effet de nos convictions intimes que sous celui de la réalité des faits, ce n'est plus la peur qui nous habite, c'est la honte. Si je suis éreutophobe, j'ai peur de rougir devant les autres. Mais lorsque j'ai rougi, je n'ai plus peur – le mal est fait – mais ce n'est pas mieux car j'ai honte, et je n'ai qu'une envie : disparaître sous terre. Car la honte peut s'avérer une émotion encore plus destructrice que la peur : elle est plus durable, encore plus insidieuse car elle amène à porter sur soi un regard dévalorisant. C'est elle qui pousse à s'isoler, parfois durablement, après un échange social que l'on estime humiliant ou tout simplement « raté », du moins à nos yeux.

De nombreuses personnes qui souffrent de peurs sociales sont fortement marquées par la honte. Ainsi Bastien : « Je doute beaucoup de moi. Je ne m'estime pas. Ces ruminations négatives sur ma personne restent en général supportables, même si elles sont douloureuses, et tristes : cela date de mon enfance, et j'ai fini par m'y habituer. Mais chaque fois que je me retrouve en échec devant les autres, ça devient terrible. Chaque fois que j'ai voulu désobéir à mes réflexes de peur, et oser poser une question en réunion, ou bien aborder une personne inconnue, ou encore donner mon avis face à quelqu'un qui pensait le contraire de moi, chaque fois que j'ai osé faire cela, si ça se passe mal, c'est l'enfer. Ce que j'appelle "mal se passer", c'est tout simplement qu'il y ait discussion ou contestation de mes propos, même gentiment. J'ai alors honte d'avoir ouvert la bouche. Tellement honte que je bats en retraite, je ne peux continuer à poursuivre un véritable échange, je ne peux qu'opiner du chef, faire semblant d'écouter, de réfléchir, de changer d'avis ou de rester sur mes positions. Mais je ne peux que *faire semblant*. En réalité, je ne suis plus là, avec les autres. J'ai déjà fui la situation, je suis déjà parti dans mes ruminations. Je sais ce qui va ensuite se passer : une fois revenu chez moi, je vais me repasser le film dans ma tête, évidemment à mon désavantage, je vais ruminer inlassablement sur ma maladresse, mon impolitesse, ma sottise. Et là, ce ne sont pas des simples pensées, comme d'habitude, ce sont des *émotions* douloureuses : la honte les nourrit et les pousse. Je peux rester enfermé comme ça un week-end entier. Ensuite, j'ai honte de revoir les gens devant lesquels j'ai l'impression d'avoir failli. Ils ne comprennent pas, en général. On me prend pour un type bizarre… »

Dans les cas les plus extrêmes, certains patients nous décrivent de véritables « attaques de honte », comme il existe des attaques de panique. Ils ne se sentent alors pas en danger *vital*, comme dans l'émotion de peur, mais en danger *social*, comme s'ils allaient totalement perdre leur statut et leur valeur aux yeux d'autrui. Les éthologues, ces spécialistes de la psychologie animale, pensent d'ailleurs que les émotions de honte prennent leurs racines dans les rapports de dominance et d'acceptance au sein des groupes animaux. Ils soulignent qu'il faut intégrer ces réflexions sur la dominance pour bien comprendre les mécanismes subtils des peurs sociales[197] : celles-ci seraient l'héritage de deux types de peurs ancestrales, la peur réflexe de l'étranger, présente chez de nombreux jeunes enfants, et la honte en cas de perte de statut, ou la crainte anticipée de la survenue de cette honte. Chaque membre d'un groupe animal, et donc humain, a ainsi besoin de sentir que son comportement lui permet de disposer d'un statut aux yeux des autres. Toutes les fois que ce statut est remis en question (par exemple, perdre un combat pour un mâle dominant), l'animal va manifester des signes que les humains sont tentés d'interpréter comme de la honte : pendant quelque temps, l'individu humilié évite les regards, s'isole et se met à l'écart…

Gêne, embarras, scrupules : toutes les émotions dérivées de la honte jouent ainsi un rôle important, aggravant ou facilitant la survenue des peurs sociales. Les Anglo-Saxons les décrivent sous le terme générique de *self-conscious emotions* : les émotions de la conscience – excessive – de soi[198]. Et en effet, beaucoup des tourments qui leur sont liés proviennent de ce que l'on cesse d'agir ou d'interagir pour s'observer, d'un œil sévère et excessivement exigeant.

Comme pour les autres formes de peur, les peurs sociales peuvent se répartir en différentes familles, en fonction de l'objet des craintes, de leur intensité, de leur extension à un plus ou moins grand nombre de situations, etc. Nous allons maintenant aborder les trois grandes familles de peurs sociales : le trac, la timidité et la phobie sociale.

Une peur sociale explosive mais limitée : le trac

Le trac peut être considéré comme une forme normale de peur sociale : il s'agit d'une réaction de peur aiguë, marquée par la présence de nombreux signes physiques, dont une forte accélération du rythme cardiaque, la tachycardie, qui en représente souvent le premier signe. Le plus gênant aussi : certaines personnes sentent leur cœur taper si fort qu'elles ont parfois le sentiment que le public pourrait presque l'entendre, ou voir leurs artères carotides battre au niveau du cou !

Le trac est rangé dans la catégorie des « anxiétés de performance », qui peuvent atteindre artistes, sportifs, conférenciers, candidats à un examen ou un entretien d'embauche... L'intensité de la peur est en général maximale avant le moment où l'on doit affronter la situation redoutée, puis cette peur diminue, car elle est « soluble dans l'action ». Au fur et à mesure que l'on entre en scène, elle diminue jusqu'à atteindre un niveau acceptable, où l'on va pouvoir commencer à l'oublier, pour se concentrer sur l'essentiel : ce que nous sommes venus faire, dire ou montrer.

➤ *Faire face au trac*

De tout temps, les humains ont compris que l'art oratoire représentait une capacité précieuse pour faire passer ses idées et défendre ses intérêts. J'ai dans ma bibliothèque un petit livre amusant datant de 1824, que m'avait offert un patient bouquiniste, et intitulé *L'Art de briller en société*, et dont le sous-titre est « Le coryphée des salons » : le coryphée était le chef de chœur dans le théâtre antique... Aujourd'hui, de nombreux ouvrages de psychologie d'entreprise encouragent à travailler sur la maîtrise du trac, et l'art oratoire. Mais parmi les personnes qui viennent nous demander conseil à propos de leur trac ne figurent pas que des cadres supérieurs (trac en réunion) ou des artistes (trac face au public). Il peut aussi y avoir des mères et pères de famille régulièrement gênés pour donner leur avis en réunion de parents d'élèves ou de copropriété. Une des formes de trac les plus fréquentes est bien sûr la peur de parler face à un public. Quelles sont les dimensions sur lesquelles travailler ? J'avais un jour aidé une de mes collègues, médecin hospitalo-universitaire, à affronter ses peurs de la prise de parole en public. Appelons-la Anne.

Anne faisait régulièrement des cours aux étudiants, mais sans aucun plaisir : elle devait les préparer parfaitement, pour se rassurer. La veille des cours, elle dormait moins bien, et se sentait nerveuse. Elle redoutait particulièrement d'avoir un « blanc » pendant le cours, et avait peur des questions des étudiants, auxquelles elle redoutait de ne pas savoir répondre. Elle était encore plus mal à l'aise lors des réunions où, tous les lundis, chefs de service, praticiens hospitaliers, internes et infirmières travaillaient sur les dossiers des patients hospitalisés. Mais le pire, c'était lors des congrès et colloques médicaux auxquels sa fonction la forçait à participer ou à assister. Si elle faisait une communication, elle se retrouvait alors dans un état second, s'accrochant à ses notes et à ses diapositives comme le naufragé à sa bouée, se demandant toujours si elle arriverait au bout. Elle ne regardait pratiquement pas la salle, restant rivée à ses documents. Elle se débrouillait toujours pour déborder du temps qui lui était imparti, ce qui lui permettait d'éviter la séance de questions. Elle craignait par-dessus tout que certains collègues ne la coincent, en soulignant ses insuffisances ou en lui posant une question piège. Anne se sentait aussi obligée de tout parfaitement maîtriser : pas question de se présenter avec un travail qu'elle estimait incomplet, ou comportant des zones d'ombre. Si la veille d'un cours ou d'un congrès elle tombait sur un article ou un livre concernant son exposé, elle était capable de tout recommencer dans la nuit pour intégrer ces nouvelles données. Je vais vous décrire les principaux points sur lesquels nous avons travaillé avec Anne. Ils concernent évidemment, sous des formes avoisinantes, toutes les personnes souffrant de trac.

Modifier sa vision du monde

Comme la plupart des traqueurs, Anne avait une vision du monde très partielle des échanges avec ses semblables, étudiants ou collègues. Sous l'effet de la peur, elle tendait à percevoir les interactions humaines comme des luttes pour la dominance. Son trac l'amenait souvent à considérer, inconsciemment, qu'il n'y a que deux positions possibles dans une interaction : être dominant ou être dominé. Lorsqu'elle faisait un cours ou donnait une conférence, elle avait tendance à ne voir dans l'assistance que des adversaires et des contradicteurs potentiels, auxquels il fallait qu'elle s'impose. Et nullement des personnes intéressées par ce qu'elle disait, et qui n'étaient pas venues spécialement pour la « démolir ».

En retour, lorsqu'elle-même assistait à une conférence, les seules envies d'interventions qui lui venaient à l'esprit étaient des questions mettant l'orateur dans l'embarras, des remarques soulignant les limites ou les zones de flou de son discours, ou l'envie de rappeler un point non traité, pour briller. En général, elle n'osait pas intervenir de la sorte, sentant alors son cœur s'accélérer rien qu'à l'idée de lever la main pour solliciter la parole.

Nous eûmes avec Anne de longues discussions au cours desquelles je lui montrai à quel point cette vision du monde posait de nombreux problèmes. D'abord parce qu'elle ne correspondait pas à la réalité : bien sûr, certaines personnes sont critiques et hostiles *a priori*, mais elles ne sont pas une majorité. Pourquoi nous focaliser sur elles, nous emprisonner dans une attitude où notre obsession ne sera plus d'échanger, mais de ne pas se faire coincer par l'autre, ou de le coincer ? Ensuite parce que cette attitude est émotionnellement coûteuse : en se préparant ainsi sans arrêt au combat verbal, on augmente sa tension intérieure, et on aggrave donc ses tendances au trac. Enfin parce qu'elle a des conséquences toxiques : elle pousse les traqueurs soit à ne rien dire, soit à intervenir agressivement, et donc à entraîner des réponses agressives. Dans les deux cas, la vision du monde « dominant ou dominé » est confirmée, à tort.

Nous avons donc examiné, au travers de petits jeux de rôle, la possibilité pour Anne d'intervenir différemment, plus positivement. En prenant par exemple l'habitude, en tant que spectatrice de colloque, de demander la parole non pour contrer, mais pour féliciter et questionner : « Je vous remercie de votre intervention, c'était vraiment passionnant. Pourriez-vous préciser le point suivant… ? » Anne craignait que cette attitude ne fasse, selon ses termes, « lèche-bottes », et ne soit pas d'un grand intérêt pour faire avancer le débat. Je lui demandai tout de même de la tester, ce qu'elle fit. Lorsqu'elle m'en reparla, elle était étonnée et soulagée, comme quelqu'un qui a découvert une évidence réconfortante : « Effectivement, ça marche, votre truc. J'ai même fait ça plusieurs fois. Et surtout, j'ai commencé à regarder comment faisaient les autres. Et j'ai vu que c'était assez fréquent de procéder ainsi. Surtout de la part des gens qui avaient l'air d'être le plus sûrs d'eux ! Moi qui avais l'impression que, pour se faire respecter, il fallait intimider… » Peu à peu, Anne apprit aussi à ne pas se focaliser comme auparavant, lors de ses conférences, sur les visages qui lui paraissaient fermés, hostiles ou bougons, mais à regarder l'ensemble de l'assistance, et de préférence les visages ouverts et souriants : « C'est bizarre comment avoir diminué mon trac fait que j'ai l'impression de ne plus évoluer devant les mêmes publics... »

Gérer les incidents

Le trac que ressentait Anne la rendait psychologiquement rigide. Lors d'un cours, si elle perdait le fil de ses pensées, ou si ses diapositives n'étaient pas dans le bon ordre, elle se crispait et s'affolait intérieurement. Comme s'il s'était agi d'une catastrophe ! Là encore, nous discutâmes un moment de la gravité exacte de ces incidents, et surtout de la place qu'il fallait leur donner. Au travers de jeux de rôle, nous cherchâmes à trouver des façons plus décontractées de réagir devant un public : « Ah ! J'ai perdu le fil ! Où est l'idée que je voulais aborder avec vous ? Voyons si elle me revient... Un instant... Non... Tant pis, avançons, cela reviendra plus tard », ou bien : « Zut, j'ai perdu la diapositive qui parlait de ça. Où est-elle ? Attendez un instant... »

Au début, Anne était horrifiée que l'on puisse faire preuve d'une si grande décontraction. Elle y voyait une forme de négligence ou de mépris du public. Là encore, je l'encourageai à tester ce genre d'attitude lors d'un vrai cours. Je lui avais donné comme programme de : laisser respirer ses étudiants en observant un temps de silence entre chaque transparent, au lieu de se sentir obligée de parler tout le temps ; sembler perdre le fil de ses pensées, et traiter l'incident sans s'agacer ; égarer, volontairement, un transparent, le chercher un moment, puis passer outre. Ce qu'elle fit vaillamment, là encore sans s'attirer le moindre ennui. Et en constatant au contraire le surcroît de confort que lui procurait ce genre d'attitude.

Renoncer à la perfection

Cela nous permit d'aborder le perfectionnisme d'Anne, qui s'exprimait dans de nombreux domaines, dont celui de la prise de parole en public. Ne faire d'interventions que parfaites, ne poser de questions que pertinentes, etc. Essayer d'être aussi brillante que possible était certes un objectif louable, mais s'imposer de l'être chaque fois pouvait s'avérer contre-productif : au-delà d'un certain seuil, comme le remarqua Anne elle-même, la pression diminue la performance.

Je lui demandai, là encore, de tester cette prise de conscience par des « épreuves de réalité » : par exemple, moins préparer un cours (c'est-à-dire, vu ses habitudes, le préparer normalement). Au bout d'un moment, Anne s'aperçut que ce qu'elle perdait en exhaustivité, elle le gagnait en efficacité pédagogique : ses étudiants étaient moins submergés par la masse d'informations, qu'elle jugeait autrefois indispensables tout simplement parce qu'elle n'avait pas confiance en elle-même. Et elle prenait davantage de temps pour expliquer, raconter, sortir des rails de son cours indigeste d'ancienne forte en thème.

Une autre expérience marquante pour elle fut un jour de voir un de ses confrères, dont elle admirait les travaux, se trouver coincé dans un congrès par une question à laquelle il ne savait pas répondre, alors qu'elle relevait de son domaine de compétences. Sans se démonter, le médecin répondit calmement la vérité : « Je ne sais pas répondre à cette question. Est-ce que quelqu'un a la réponse dans la salle ? » Une personne leva alors la main, et donna l'information. L'orateur se montra ravi : « Voilà, nous l'avons cette info, maintenant », pas du tout soucieux qu'elle ne fût pas venue de lui. Le débat continua. À la fin du symposium, Anne alla trouver son collègue pour le féliciter, et aussi parce qu'elle voulait parler avec lui de l'incident, qui avait tout de même réveillé ses propres angoisses : « Finalement, ça peut arriver, ces trucs-là... » Mais le collègue ne sabota pas ma thérapie, au contraire, car il lui donna sa recette : « Je fais toujours de mon mieux pour respecter les gens devant qui je parle. Mais ça fait longtemps que j'ai renoncé à tout savoir, même dans mon petit domaine : trop épuisant et trop stressant. Je m'astreins à savoir l'essentiel de ce qui compte, à le tenir à jour et à le transmettre clairement. Pour le reste... »

S'entraîner régulièrement

Aucun changement psychologique ne peut être durable s'il n'est pas trempé à l'épreuve des faits, s'il n'est pas pratiqué régulièrement dans la réalité. Du moment où elle commença ses efforts de changement, Anne s'astreint donc à ne jamais participer à une réunion sans y avoir pris la parole ou posé une question. Difficile au début (elle s'aperçut qu'elle gardait souvent le silence même si elle avait des choses à dire), cela devint peu à peu une sorte de jeu auquel elle prit plaisir. Le trac est une peur qui est toujours améliorée par des entraînements réguliers à la prise de parole en groupe.

Mais le problème, c'est qu'il n'est pas facile de trouver des groupes face auxquels prendre la parole régulièrement. D'où, sans doute, la fréquence extrême des tracs invalidants : environ un tiers des personnes adultes ne prennent jamais la parole en public, sauf grande contrainte. La règle d'or est donc de sauter sur toutes les occasions, mais aussi de ne pas les attendre, et de participer à des activités associatives comportant de nombreuses réunions. Ou de rejoindre une amicale destinée à faciliter les prises de parole en public, comme il commence à en exister chez nous[199].

Comme toujours dans les approches comportementales, où l'on commence par le simple avant de terminer par le complexe, où l'on nourrit sa réflexion des enseignements de l'action, d'autres choses apparurent peu à peu au cours de la thérapie. Au fur et à mesure qu'elle allait mieux, Anne se mit à me parler de plus en plus souvent de son enfance, de ses parents, de ce qui avait facilité son trac excessif. Elle se rendit compte, à 30 ans passés, que son père médecin, qu'elle admirait beaucoup, avait sans doute été lui-même un grand traqueur, évitant toute occasion de parler en public, mais de façon si habile qu'elle ne l'avait jamais remarqué. Elle comprit aussi comment ses parents, voulant bien faire, lui avaient si fortement inculqué l'obligation de « toujours faire parfait ». Et comment, pendant des années, en obéissant à ces règles inflexibles, elle en avait accru le caractère impératif, au lieu de chercher à les assouplir. Ces prises de conscience et réflexions accélérèrent encore le mouvement de changement et d'apaisement intérieur qu'elle avait initié depuis plusieurs mois. Et ils se généralisèrent à d'autres aspects de sa vie. Mais cela est une autre histoire...

Les médicaments

Des médicaments nommés « bêtabloquants » peuvent être utiles, lorsque les signes physiques de peur sont très gênants, ce qui est fréquent dans le trac. Ils doivent être pris une heure environ avant la situation « tracogène », et leur effet s'étale sur plusieurs heures. Le propanolol (Avlocardyl) est ainsi souvent prescrit dans cette indication, avec pour recommandation officielle les « manifestations fonctionnelles cardiaques à type de tachycardie et de palpitations au cours des situations émotionnelles transitoires[200] ». Il nécessite une prescription après examen médical, car il a des contre-indications.

Le mode d'action de ces bêtabloquants est intéressant sur le plan théorique puisqu'en fait ils ne fonctionnent pas du tout comme les tranquillisants, en endormant la peur au niveau cérébral : leur action se situe à la périphérie, sur le corps, par une limitation des signes physiques de peur. Les patients décrivent d'ailleurs bien comment, ressentant moins violemment la peur dans leur corps, ils peuvent plus facilement la maîtriser dans leur tête, et se plonger alors dans l'action.

Attention, certaines formes de trac peuvent parfois être des phobies sociales, dont nous parlons quelques pages plus loin. Dans ce cas, les efforts que nous venons de décrire ne seront pas suffisants dans un premier temps.

Une peur sociale modérée mais gênante : la timidité

La timidité est difficile à cerner, car on en compte plus d'une vingtaine de définitions scientifiques. On regroupe en général sous cette appellation une façon d'être habituelle, dominée par une inhibition et une réserve face à toutes les personnes ou situations nouvelles. La timidité a été très largement décrite par les écrivains avant d'être étudiée par les psychologues et les psychiatres. Bien qu'elle soit souvent considérée comme un phénomène bénin, la timidité, cet art des occasions ratées, peut également représenter un handicap pour de nombreuses personnes, et une altération de la qualité de vie. Beaucoup de personnes se déclarent timides : environ 60 % des Français, selon divers sondages grand public. Mais derrière ce mot existent des réalités très différentes : des timidités ponctuelles, survenant seulement face à des interlocuteurs impressionnants, et des timidités habituelles, face à la plupart des gens.

Certaines sont des timidités « internes », imperceptibles de l'extérieur et seulement ressenties par le sujet lui-même. Jules Renard écrivait à ce propos : « Timide jusqu'à l'impassibilité… » D'autres sont des timidités « externes », perceptibles à des petits signes de gêne, d'ailleurs pas forcément remarqués par l'entourage, comme des mouvements retenus ou embarrassés, des hésitations, un bégaiement, etc.

On peut considérer qu'il existe trois dimensions principales à la timidité :

– Une dimension émotionnelle, à expression souvent physiologique : accélération du rythme cardiaque, bouche sèche, rougissements…
– Une dimension comportementale, avec de l'inhibition en situation sociale : le timide ne prend pas d'initiatives, attend que l'on vienne vers lui…
– Une dimension psychologique, principalement marquée par le conflit permanent entre l'envie d'aller vers les autres et la crainte de ne pas être accepté par eux.

Pour le timide, toutes les « premières fois » sont difficiles : nouvelles connaissances, nouveau travail, nouveau quartier… Mais avec le temps et la répétition des contacts, les appréhensions diminuent peu à peu, et la personne timide retrouve un minimum d'aisance et de capacités à communiquer. On observe cependant, de façon quasi systématique chez les personnes timides, un manque d'estime de soi : le timide se juge négativement, se compare défavorablement aux autres… Cela le rend particulièrement sensible aux échecs ou aux critiques, et le pousse à prendre le minimum de risques possible, d'où une limitation de ses capacités à changer.

➤ *Faire face à la timidité*

« Ma sotte et maussade timidité que je ne pouvais vaincre… », écrivait Rousseau, dont les écrits autobiographiques nous montrent qu'il en souffrait. Bien que la timidité ne soit pas une maladie, elle est souvent une gêne à la qualité de vie, facilitant l'art de rater les occasions, et contraignant souvent la personne timide à se retrouver sous-positionnée par rapport à ses compétences réelles, au profit de personnes peut-être moins douées mais plus à l'aise… Elle peut aussi être associée à des tendances dépressives, dont elle va représenter un facteur aggravant : c'est souvent dans ce contexte que nous sommes amenés à aider les personnes timides. De nombreux ouvrages ont bien sûr été consacrés aux mille et une façons de lutter contre sa timidité[201]. Voici quelques-uns des conseils les plus importants en la matière, illustrés par de petites tranches de thérapie.

Exprimer les pensées et émotions complexes

Quand Sébastien entre dans un magasin de vêtements, il est en général crispé. C'est pourquoi il a un temps essayé de s'habiller en utilisant des catalogues de vente par correspondance. Mais l'achat à distance a lui aussi des inconvénients : aussi, après avoir accumulé un certain nombre de pantalons trop courts et de chemises dont le tissu le grattait, Sébastien se décida à revenir acheter ses vêtements dans des boutiques. Il est crispé car, s'il essaie plusieurs vêtements et qu'aucun ne lui convient, il est très ennuyé d'avoir fait perdre du temps au vendeur. Les jours où il n'est pas en forme, il se sent donc obligé d'acheter un vêtement qui ne l'emballe pas. Les jours où il se sent un peu plus fringant – en fait, les jours où le vendeur l'intimide moins –, il arrive à refuser ; mais péniblement, en chipotant sur la coupe, le prix, le tissu, en battant en retraite la tête basse, si possible quand le vendeur a le dos tourné, ou est occupé avec un autre client. Sébastien n'aime pas ça, mais il est trop mal à l'aise, il n'arrive pas à faire autrement.

Après avoir réfléchi à ses peurs – faire de la peine au vendeur en n'achetant rien, l'agacer de lui avoir fait perdre du temps, subir une remarque cinglante de la part de ce dernier – et après les avoir discutées – il est d'accord pour reconnaître qu'elles sont erronées, mais quand il se retrouve face au vendeur, tout s'embrouille –, Sébastien va pratiquer avec moi quelques exercices. Je lui demande d'abord quelles sont toutes les pensées qu'il a alors dans la tête. Et effectivement, si Sébastien a du mal, c'est que les choses sont compliquées : il ressent à la fois l'envie de ne rien acheter, mais aussi de la gêne à repartir sans rien, alors que le vendeur s'est donné du mal. Je propose alors à Sébastien : « Pourquoi ne dites-vous pas tout simplement ce que vous venez de m'expliquer ? Juste tout ce que vous avez dans la tête, au lieu de chercher à en faire une impossible synthèse. Par exemple : 1) Je vous remercie beaucoup de vous être donné du mal pour moi. 2) Je suis vraiment désolé, mais rien ne me plaît vraiment. 3) Je préfère ne rien acheter aujourd'hui pour ne pas avoir de regrets. 4) Encore merci. Au revoir ! » Je fais ensuite avec Sébastien quelques jeux de rôle où nous essayons ce type d'attitude dans différents contextes, avec différentes réactions possibles de vendeurs.

Puis je l'encourage à aller tester cette stratégie dans des vrais magasins. J'enfonce le clou : « Souvenez-vous, il vaut mieux deux messages clairs, un positif et un négatif, genre : vous êtes très gentil, mais je ne prends rien, plutôt qu'un seul message flou et mollasson du type : euh, ça ne me plaît pas trop, j'hésite un peu… »

Après quelques ajustements et exercices sur le terrain, Sébastien a compris l'essentiel : beaucoup des problèmes des timides sont liés à des états d'âme contradictoires, à des tiraillements entre des envies qui paraissent incompatibles. Dans notre exemple : ne rien acheter et ne pas faire de peine au vendeur. Le plus simple va être de tenir compte de ces deux besoins, de ces deux tendances, de les rendre compatibles, au lieu de les mettre en compétition. Et d'apprendre peu à peu à délivrer des messages plus clairs et tranchés, et à en observer l'impact.

Prendre l'initiative

Clémentine participe souvent à des soirées où elle ne connaît pas grand monde. Malgré sa timidité, elle est appréciée par beaucoup de personnes. Très vite, on l'invite. Et Clémentine a beau être timide, elle aime bien les contacts sociaux, parler, rencontrer des gens. Mais il arrive que certaines soirées ne se passent pas comme elle l'aimerait, et soient décevantes. Notamment si Clémentine ne les « commence » pas bien. Une soirée qui « commence bien », c'est lorsqu'on lui présente tout de suite plusieurs personnes sympathiques qui vont la mettre à l'aise. Une fois ainsi « échauffée », comme un sportif, Clémentine se sent alors capable de participer aux conversations. Elle se donne le droit de parler, de poser des questions, de donner son avis. Elle se sent rassurée sur l'intérêt qu'elle peut avoir aux yeux des autres. Mais seulement si les autres ont fait le premier pas. Ainsi, elle reprend confiance en elle. Comme sa peur, c'est de ne pas être intéressante, de ne pas être désirée et attendue, elle redoute toujours de déranger une personne en allant lui parler, alors que cette personne préférait peut-être rester seule ou n'avait pas envie de lui parler à elle, Clémentine. Elle craint d'importuner un groupe en « s'incrustant », comme elle dit, en se greffant à une conversation déjà engagée. Clémentine ne fait jamais ça.

Je lui explique : « Eh bien justement, c'est exactement ça votre problème », et lui propose alors tout un tas de jeux de rôle où elle va « prendre le risque » d'aborder les gens, d'aller vers eux, pour se présenter, poser quelques questions, tâter le terrain.

« Et si je sens qu'ils n'ont pas très envie de parler ? » demande Clémentine. « Dans ce cas, vous prenez tranquillement congé, poliment, comme vous savez le faire. Mais au moins, vous avez vérifié, et non imaginé. C'est normal que tout le monde n'ait pas forcément envie de parler, non ? Et de plus, vous aurez *agi* de vous-même au lieu de seulement *réagir* aux sollicitations. »

Puis Clémentine et moi nous entraînons à de nouveaux jeux de rôle, où elle aborde dès son arrivée toutes les personnes déjà là : pour se présenter, savoir qui elles sont et échanger une ou deux petites phrases. Après quoi, elle dit avec un grand sourire : « Ravie d'avoir fait votre connaissance. À tout à l'heure peut-être… » Pour la prochaine soirée à laquelle elle est invitée, Clémentine va essayer de procéder ainsi, pour éviter ce qu'elle appelle un « décrochage » : « Dans une soirée, quand je n'ai pas parlé à quelqu'un depuis un moment, je sais qu'après ce sera de plus en plus dur pour raccrocher, même si on vient vers moi. Dans ces moments-là, je préfère écourter et rentrer. » Une autre fois, je lui ai proposé d'aborder pour un petit bavardage toutes les personnes de la soirée qui portaient du rouge sur elles. Cela a amusé Clémentine d'avoir ainsi une « mission à accomplir » dont elle seule connaissait la logique.

Prendre l'initiative, pour ne pas se positionner comme un petit enfant en attente d'approbation : comme toujours, ces exercices ne sont pas proposés « secs », tels que je vous les raconte ici. Ils s'accompagnent de tout un tas de discussions sur le pourquoi et le comment des peurs de nos timides. Mais sans eux, ces discussions tourneraient stérilement en rond…

Apprendre à s'affirmer calmement

La voiture de Martin est tombée en panne. Un panneau indique un garage à trois kilomètres. Martin s'y rendra donc à pied. En chemin, il commence à ruminer : « Comme je suis dans le pétrin, le garagiste va pouvoir en profiter. Je n'y connais rien en mécanique, il peut me dire n'importe quoi et me faire payer le prix fort. Ces garagistes sont tous des escrocs. Surtout qu'il va s'apercevoir que je suis un touriste. Mais je ne vais pas me laisser faire. J'en ai marre de me faire avoir et d'être pris pour un pigeon. » Arrivé sur place, Martin est très remonté, et à peine le garagiste l'a-t-il salué qu'il lui lance : « Vos réparations, vous pouvez vous les mettre où je pense ! »

Je raconte souvent cette histoire à mes patients pour leur parler d'affirmation de soi. L'affirmation de soi regroupe tout un ensemble de techniques de communication destinées à faire entendre son point de vue sans agresser pour autant autrui. Une personne qui ne sait pas s'affirmer, c'est-à-dire qui ne sait pas dire non, qui n'ose pas demander un service ou exprimer son mécontentement, s'expose à osciller perpétuellement entre l'inhibition : ne pas exprimer ses besoins mais en vouloir aux autres de ne pas les deviner ou les devancer, et l'agressivité : exprimer ses besoins mais de manière hostile et offensive, pour qu'ils ne soient pas discutés ou remis en question.

Comme dans le trac, il faut apprendre à ces personnes timides à ne pas percevoir les rapports sociaux comme des affrontements, des rapports où l'on ne peut être que dominant ou dominé, où il y a forcément quelqu'un qui a tort et quelqu'un qui a raison, quelqu'un qui gagne et quelqu'un qui perd. Le but est de se placer sur le terrain de l'échange et de la collaboration. Si je suis en litige ou en désaccord, essayer d'abord de dialoguer avant d'agresser. Logique ? Oui, sauf que, sous l'emprise de la colère, elle-même facilitée par la peur, elle-même facilitée par le manque d'estime de soi, les timides basculent souvent, lorsqu'ils se décident à intervenir, de l'inhibition à l'agressivité.

Les techniques d'affirmation de soi sont souvent délivrées en groupe, et ont représenté une avancée importante dans l'aide apportée aux personnes timides, en leur offrant la possibilité de s'entraîner à des styles de communication efficaces, que leur éducation ou leur trajectoire de vie ne leur avait pas permis d'apprendre[202]. Elles sont particulièrement utiles aux enfants et aux adolescents timides : des interventions précoces peuvent leur apporter beaucoup de confort et leur éviter beaucoup de tâtonnements, voire de souffrances[203]. Comme toujours, ces modifications comportementales débouchent sur une modification de la vision du monde, avec un regard plus égalitaire sur les rapports sociaux, une meilleure estime de soi, etc.

Attention, comme pour le trac, certaines timidités sont maladives : une étude récente avait montré qu'environ 20 % des sujets dépistés comme timides souffraient en fait de phobie sociale[204]. Nous allons maintenant aborder ces peurs sociales extrêmes.

Une peur maladive : la phobie sociale

Maxime revient de loin. Il a été plusieurs fois pris par les médecins pour un dépressif, un alcoolique, un schizophrène. Il souffrait en fait d'une phobie sociale.

Enfant, Maxime était un petit garçon plutôt timide, mais parfaitement adapté à la vie en groupe. Bien que réservé durant les cours et peu à l'aise lorsqu'il fallait passer au tableau, Maxime avait des copains, était intégré dans une bande. Les choses se gâtèrent à l'adolescence, alors qu'il était en classe de troisième : de façon étrange, Maxime se mit un jour à trembler au réfectoire du collège, en prenant son verre pour boire. Il pensa qu'il était un peu fatigué et nerveux. Mais le lendemain, Maxime ressentit une petite appréhension avant le repas, et recommença à trembler en portant verre ou couverts à sa bouche. Le surlendemain, ce fut aussi en prenant le plat des mains d'un copain. Il eut l'impression que ce dernier avait remarqué le tremblement, et le regardait, un peu interloqué ; pourtant il ne lui avait fait aucune remarque. Maxime commença alors à ne plus boire au réfectoire, et à serrer fortement sa fourchette pour éviter de trembler. Au bout d'un moment, il décida de ne plus fréquenter la cantine, et d'aller plutôt en étude entre midi et deux heures. Peu à peu, il commença à se sentir mal en cours : il redoutait de trembler en passant au tableau ; il craignait particulièrement les cours de chimie, où il fallait parfois transvaser des liquides d'une éprouvette à l'autre, sous le regard de l'élève assis à côté de lui, ou pire, du professeur. Dans l'autobus scolaire, il se mit aussi à éprouver de la gêne sous les regards, et à sentir que dans ces cas-là, il se mettait à avoir des tremblements de la tête. Alors, il demanda à ses parents de lui acheter une mobylette, sans leur en avouer la raison. Dorénavant, il se rendait au collège à deux roues, qu'il pleuve, neige ou vente. Tout plutôt que les angoisses de l'autobus. Peu à peu, ses peurs se généralisèrent, et il commença à s'isoler de plus en plus souvent. Il réussit à avoir son bac dans des conditions difficiles : il ne supportait pas, lors des épreuves écrites, de sentir le regard des surveillants qui l'observaient peut-être en train de rédiger. Alors, il ne remplissait ses copies que lorsque ceux-ci, déambulant dans la salle, lui tournaient le dos.

Il lui fallut renoncer à faire des études à l'université : il ne supportait pas les amphis bondés, où il était obligé d'arriver dans les premiers, pour être sûr d'avoir une place dans le coin, au fond, et où, de toute façon, il ne pouvait pas prendre la moindre note. Il passa donc tous ses diplômes par correspondance. Comme il était plutôt doué, il les réussit et devint ingénieur. Incapable de se présenter à un entretien d'embauche, car cela déclenchait chez lui des tremblements épouvantables (ou du moins, qui lui semblaient tels), il fut embauché par des amis de la famille, famille à qui il n'avait toujours rien avoué. Tout se passa bien au début, mais il fut peu à peu obligé de consommer de l'alcool pour supporter ses journées de travail, les réunions qu'il ne pouvait pas éviter, bien qu'il fût passé maître dans l'art de se trouver en rendez-vous extérieur à ce moment. Il portait toujours sur lui plusieurs petites flasques de vodka, en cas de situation sociale imprévue, comme une convocation chez son supérieur ou une réunion non planifiée : il s'était aperçu qu'il tremblait moins quand il buvait de l'alcool. Et il lui semblait que la vodka avait un effet rapide, et parfumait peu son haleine. Il était apprécié dans son entreprise, car gros travailleur et gentil avec tout le monde. Une de ses collègues tomba amoureuse de lui, lui fit la cour, et ils se marièrent.

Maxime continuait à boire, de plus en plus. Il buvait maintenant de manière « préventive » : avant de se rendre au travail le matin, avant d'aller faire les courses le week-end, ou aux soirées chez des amis, lorsqu'il n'avait pas trouvé de prétexte plausible pour les éviter. Curieusement, il ne comprenait pas bien ce qui lui arrivait. Les deux médecins généralistes à qui il en avait parlé avaient évoqué le stress, le surmenage, la nervosité ; ils lui avaient prescrit des tranquillisants, qui avaient eu un effet modeste. En tout cas, ils étaient nettement moins efficaces que l'alcool, qu'il avait donc continué. Il faisait parfois des mélanges des deux, ce qui l'abrutissait pas mal, mais le calmait. Son généraliste l'avait envoyé chez un psychothérapeute, mais ce dernier s'était contenté de lui poser des questions et de l'écouter. Au bout d'un moment, Maxime en eut assez de ces séances où il devait « monologuer face à un sphinx dans la pénombre d'un cabinet », et qui, à ses yeux, ne lui apportaient pas grand-chose.

Sa situation se dégradait peu à peu, et il finit par se faire licencier. Sa femme avait accouché depuis un an, et il en profita pour garder le bébé à la maison. Cela accéléra encore sa dégringolade : il se mit à sortir de moins en moins, et de plus en plus péniblement. Il avait maintenant l'impression que tout le monde dans la rue le regardait, et ne le voyait que comme le « chômeur trembleur qui traîne avec son gosse dans le quartier ». Il n'allait même plus faire les courses, ni ne pouvait emmener son fils au square. Son épouse décida d'inscrire leur enfant en crèche, sentant que la situation était toxique pour le père comme pour le fils. Il ne restait plus à Maxime qu'une activité : accompagner son enfant à la crèche le matin, et retourner le chercher le soir. Il devait pour cela boire un demi-litre de vodka avant chaque trajet. Ce qui faisait un litre par jour, s'il n'y avait pas d'autres obligations sociales : aller chercher un paquet recommandé à la poste, recevoir des ouvriers à l'appartement… Dans ces cas, les doses montaient. La femme de Maxime l'accompagna en consultation chez plusieurs psychiatres. L'un l'hospitalisa pour une cure de désintoxication : Maxime recommença à boire dès sa sortie. L'autre demanda à voir sa femme en tête à tête et lui annonça que son mari était schizophrène. Effectivement, Maxime était « bizarre » comme le sont parfois ces patients : évitant les regards, parlant peu, mal à l'aise pour exprimer ce qu'il ressentait. Divers médicaments furent prescrits, sans grand succès.

Un jour que Maxime avait dû s'alcooliser trop vite, il se perdit dans la rue en allant chercher son fils à la crèche. Il fut recueilli par un commerçant qui l'avait reconnu, à qui il tenta de raconter son histoire, bafouillant le nom de son fils, fondant en larmes, parlant de son envie de mourir... Il fut embarqué, titubant, par les pompiers, qui l'amenèrent dans le service. Après bilan et entretien approfondi, une de nos psychologues posa enfin le bon diagnostic : Maxime souffrait d'une phobie sociale très sévère. Après un an de traitement adapté, il était guéri...

L'histoire de Maxime frappe toujours beaucoup mes étudiants. Et les impressionne par son véritable parcours du combattant avant d'arriver à recevoir le bon diagnostic pour sa phobie. Entre le moment où les premiers tremblements et les premiers évitements sont apparus, et celui où la maladie de Maxime fut identifiée, il s'était écoulé vingt années. Des histoires comme la sienne sont légion dans notre unité de soins, spécialisée entre autres dans ce type de phobies.

➤ *Les peurs sociales à leur maximum*

La phobie sociale se définit par une peur sociale intense et invalidante : la personne qui en est atteinte redoute de révéler à ses observateurs ou interlocuteurs sa vulnérabilité (en rougissant, tremblant, transpirant) ou ses limites (en ne se montrant pas assez intelligente ou cultivée).

De ce fait, les situations sociales dans lesquelles l'individu se sent vulnérable vont être à l'origine d'une grande souffrance, et le plus souvent évitées, même si cela doit poser de nombreux problèmes sociaux ou professionnels. Sortir faire des courses peut s'avérer paniquant, et la recherche d'un emploi devenir une mission impossible ; le chômage est d'ailleurs un drame pour les phobiques sociaux, le plus souvent incapables de franchir le parcours d'obstacles des entretiens d'embauche. La gravité de la phobie sociale va dépendre, entre autres facteurs, des situations redoutées : si celles-ci sont seulement des situations de performance, comme parler au sein d'un groupe ou accomplir une tâche en public, le handicap reste modéré. Si en plus on redoute les interactions quotidiennes avec ses semblables, pour bavarder ou faire connaissance, l'existence du phobique social s'appauvrit et se complique encore plus. Et si les peurs sont liées au moindre regard sur soi, chaque journée devient un enfer.

Après avoir été longtemps confondues avec la timidité, ou même avec l'agoraphobie (où la peur des lieux publics a une autre origine, nous le verrons), les phobies sociales sont aujourd'hui considérées comme un trouble très fréquent et préoccupant : les études épidémiologiques montrent que 2 à 4 % de la population générale en seraient atteints[205], ce chiffre pouvant grimper à 10 % si on considère les formes de peurs sociales invalidantes[206]. Beaucoup de phobiques sociaux souffrent également de dépression et d'alcoolisme. La dépression est sans doute la conséquence de l'isolement et de l'échec social qui frappe la plupart de ces patients. Elle est aussi probablement associée aux sentiments récurrents de honte qui les frappent. Quant à l'alcool, même les personnes qui ne souffrent pas d'anxiété sociale savent que boire facilite les échanges : l'alcool est un « lubrifiant social », d'où son omniprésence dans toutes les cérémonies à but convivial. Le problème pour les phobiques sociaux est, d'une part, qu'ils peuvent devenir très vite dépendants et, d'autre part, qu'ils ne consomment pas de l'alcool uniquement au moment des réunions sociales, mais aussi avant, pour se « préparer » et noyer leur peur, et après, pour étouffer leur honte, car ils sont persuadés de s'être comportés de manière ridicule et inadaptée.

Les patients phobiques sociaux mettent beaucoup de temps avant d'être correctement diagnostiqués et traités : il y a quelques années il s'écoulait en moyenne quinze ans entre le début des troubles et celui de la première prise en charge. En raison de son coût individuel et social[207], une meilleure formation des médecins et des psychologues à connaître et soigner cette maladie est aujourd'hui indispensable.

Les différences entre timidité et phobie sociale

Timidité	Phobie sociale
Mécanismes d'habituation fréquents : au fur et à mesure des rencontres avec la personne ou la situation, la peur diminue.	Mécanismes de sensibilisation fréquents : au fur et à mesure des rencontres avec la personne ou la situation, la peur augmente.
Préoccupations épisodiques sur son inhibition.	Préoccupations obsédantes sur sa vulnérabilité.
Peur d'être laissé à l'écart.	Peur d'être agressé.
La peur atteint rarement la panique.	La peur atteint fréquemment la panique.
Évitements limités, et anxiété de confrontation modérée.	Évitements fréquents, et anxiété de confrontation très importante.
La personne est perçue par l'entourage comme timide et émotive.	La personne est perçue par l'entourage comme distante ou bizarre.
Sentiment de tristesse après les performances sociales « ratées ».	Sentiment de honte profonde après les performances sociales « ratées ».
Altération modérée de la qualité de vie.	Altération importante de la qualité de vie.

➤ *La phobie sociale peut prendre différents visages*

Lorsque la plupart des situations sociales sont sources de peur, même les plus anodines en apparence, on parle de phobies sociales *généralisées*. La personne se sent alors jugée, quoi qu'elle ait à faire : être assise en face de quelqu'un dans un transport en commun, bavarder avec un voisin ou acheter un article courant chez un commerçant. Les patients ont souvent recours, pour cacher leur vulnérabilité émotionnelle, à des stratégies de dissimulation : se maquiller pour masquer un rougissement, se taire pour ne pas dire de bêtises, éviter les regards pour ne pas trahir sa gêne par une expression inquiète… Ou bien, tout simplement, sortir le moins possible de chez soi.

D'autres phobies sociales sont dites *électives*, et ne concernent qu'un nombre plus limité de situations, par exemple la prise de parole en public : on évalue que 10 % de la population générale présente une phobie de la prise de parole en public[208]. Ce chiffre monte à 30 % si on inclut les personnes qui en ont très peur mais estiment que cela n'a pas forcément entraîné de souffrance ou de handicap majeurs dans leur existence. Il faut différencier ces phobies sociales électives du simple trac : la plupart des gens ressentent en effet une appréhension, parfois forte, avant de parler en public. Mais dès qu'ils commencent à parler, celle-ci se dissipe : la peur est maximale avant l'action, puis chute rapidement, pour arriver même à un sentiment de soulagement une fois l'intervention terminée. Dans la phobie sociale au contraire, le malaise persiste ou même s'accroît durant le temps de parole, et ne cesse à la fin de celui-ci que pour faire place à un sentiment de honte et d'échec.

La phobie sociale peut être associée à des profils très variés de personnalité[209] : il existe chez les phobiques sociaux des sociables et des misanthropes, comme dans la population générale. Un certain nombre de ces patients présentent des personnalités dites *évitantes* : ils sont hypersensibles au jugement d'autrui, ne s'impliquent dans les relations sociales qu'à condition d'être certains d'être acceptés, se perçoivent inférieurs aux autres, etc. Leur énorme sensibilité au rejet les rend très interprétatifs : un sourire va être facilement perçu comme méprisant ou compatissant, mais une absence de sourire va être interprétée comme un signe de rejet ou de disgrâce.

D'autres patients sont, eux, *confrontants* : ils affrontent, malgré leur peur, les situations sociales qu'ils redoutent. De ce fait, ces personnes peuvent exercer des responsabilités sociales élevées, et choisissent souvent de donner le change par de la froideur, ou une relative agressivité, leur permettant de tenir l'entourage à distance. Ces attitudes d'indifférence à autrui, ou d'impassibilité apparente, ne sont que de surface, car l'angoisse est bien présente, et son prix émotionnel est élevé ; certains travaux suggèrent par exemple que ces patients présenteraient un taux anormalement élevé de troubles cardiaques liés au stress.

Certaines phobies sociales sont centrées sur la *peur de l'apparition d'un symptôme physique* : principalement rougir, trembler, ou transpirer. Certains de ces patients pensent que si on les débarrassait de leur symptôme physique, ils n'auraient plus aucun problème. Ils vont alors jusqu'à la chirurgie : il existe des praticiens qui proposent une section des nerfs sympathiques, anatomiquement responsables du rougissement. Mais il n'existe pas d'études contrôlées rigoureuses prouvant l'efficacité durable de cette chirurgie mutilatrice et irréversible. Et les résultats en sont très aléatoires selon les patients, avec souvent pas mal d'effets secondaires, comme d'importantes transpirations du bas du corps... Ces phobies sociales centrées sur la peur de l'apparition d'un symptôme physique présentent un ensemble de caractéristiques particulières, c'est pourquoi nous allons détailler un peu la plus fréquente d'entre elles...

➤ *La peur de rougir*

« Qu'une personne déclare en ma présence : on a volé mon parapluie, et tout aussitôt je me trouble, je change de couleur. Moi qui, pourtant, ne peux souffrir les parapluies, qui ne m'en sers jamais, qui ne pourrais avoir la moindre distraction à l'égard de ces instruments ! Oui, je prends instantanément un "air de circonstance", un air qui ne peut manquer de paraître louche à tous les yeux. J'éprouve le besoin de me disculper. Je bredouille. J'improvise deux ou trois histoires, parfois mensongères, pour établir que j'ignorais l'existence de ce parapluie, que j'étais absent quand ce parapluie a disparu... »

Ces lignes sont extraites du *Journal de Salavin*, une des nombreuses œuvres d'un écrivain aujourd'hui quelque peu tombé en disgrâce : Georges Duhamel. Elles illustrent à merveille les tourments des personnes éreutophobes.

Du grec *ereuthos*, rouge, l'éreutophobie, cette crainte obsédante de rougir, est une des formes de peur sociale parmi les plus douloureuses. Le rougissement est d'ailleurs le propre de l'être humain : aucune autre espèce ne présente ce type de manifestation associée à de l'appréhension ou de l'embarras. Dans l'éreutophobie, le rougissement est totalement incontrôlable, et au contraire aggravé par les tentatives de contrôle : plus le sujet s'efforce de ne pas rougir, plus il se focalise sur son trouble et s'en inquiète, et plus il amplifie celui-ci, en augmentant son niveau d'activation émotionnelle.

« Une fois apparu, le rougissement prend toute la place en moi et écrase tout le reste », me racontait Héloïse, une patiente. La personne qui a peur de rougir, et qui commence à rougir, va alors éprouver le plus grand mal à poursuivre correctement l'échange dans lequel elle était engagée, se focalisant sur son trouble (« ce n'est pas normal », « ça recommence », « que va-t-on penser de moi ? ») au lieu de se consacrer à l'interaction en cours. C'est d'ailleurs en général le trouble provoqué par le rougissement, plus que le rougissement lui-même, qui attire l'attention sur les rougisseurs : ils s'arrêtent de parler, ou ne répondent plus que par monosyllabes, deviennent nerveux ou figés, comme absents. Ils sont en train de se sentir rougir, de se sentir « partir », impuissants et catastrophés. « C'est comme si j'étais en train de me faire pipi dessus en parlant à quelqu'un », me disait un jour Héloïse.

Après un certain temps d'évolution, le rougissement, à l'origine associé aux situations embarrassantes, finit par survenir de manière anarchique, même en l'absence de tout enjeu émotionnel : un silence, un sous-entendu, un regard peuvent suffire à le déclencher. Bien que cela puisse apparaître étrange et disproportionné à un observateur extérieur, rougir face à autrui représente pour l'éreutophobe le pire des déshonneurs. Le sujet est alors persuadé que l'interlocuteur va aussitôt développer toute une série de considérations dévalorisantes : « Une personne qui rougit est une personne sans valeur, sans personnalité, sans intérêt, sans force, sans virilité (pour les hommes), sexuellement troublée par son interlocuteur (pour les femmes). »

C'est pourquoi de nombreux stratagèmes de dissimulation vont être utilisés par les éreutophobes : maquillage ou longues mèches de cheveux chez les femmes, cols roulés même en été pour masquer les rougeurs du décolleté, rideaux tirés pour assurer une pénombre protectrice, pseudo-éternuements pour se cacher le visage dans un mouchoir, voire fuite précipitée loin des regards indiscrets... On peut alors comprendre comment la crainte de rougir face à autrui prend chez ces sujets une allure obsessionnelle, et des proportions parfois mal comprises par l'entourage, chaque circonstance sociale pouvant devenir l'objet d'une évaluation : « Cette situation risque-t-elle de me faire rougir devant les autres ? » Nous l'avons vu, cette polarisation finit d'ailleurs par devenir en elle-même un des principaux facteurs déclenchants du rougissement. Même si, bien évidemment, les remarques éventuelles de l'entourage renforcent durablement et objectivement le rougissement[210].

Beaucoup de sujets éreutophobes sont au début persuadés que leur trouble a une origine hormonale ou circulatoire. Un psychiatre de la Belle Époque[211] racontait comment on avait obtenu la guérison, hélas transitoire, d'un patient obsédé par son rougissement en lui faisant croire qu'on avait procédé sur lui à une saignée, destinée à le débarrasser d'un excès de sang ! Les choses sont bien sûr plus complexes. Le fonctionnement psychologique type du sujet éreutophobe peut être résumé comme suit :

- Le sujet est d'abord persuadé que le moindre rosissement de son visage ou de son décolleté est visible de l'extérieur : « Ma gêne se lit sur mon visage. »
- Il pense que cela va être repéré par l'interlocuteur : « Tout le monde va rapidement le remarquer. »
- Il en déduit ensuite que son interlocuteur va attribuer à ce rougissement un jugement de valeur négatif : « Ce n'est pas anodin, on va découvrir que je suis faible et vulnérable. »

– Il est persuadé que ce jugement de valeur va aboutir à des comportements de rejet, plus ou moins ironiques ou méprisants : « On va se moquer de moi, ou me rejeter. »
– Convaincu du caractère inéluctable de cet enchaînement, il en conclut qu'il vaut mieux tout faire – et donc tout fuir – pour éviter ça : « Tout plutôt que rougir devant les autres. »

C'est sans doute avec les éreutophobes que le malentendu sur les peurs sociales est à son maximum : là où l'entourage ne voit qu'un trait de caractère anodin et charmant, les personnes qui souffrent de rougissements incontrôlables se perçoivent comme gravement vulnérables et fortement handicapées.

La science des peurs sociales

Bonne nouvelle pour les personnes souffrant de peurs sociales : après avoir été oubliées des thérapeutes et des chercheurs pendant des décennies, elles se retrouvent enfin sous les feux de la rampe, avec déjà des avancées en matière de traitement. Ces informations que je vous propose sur l'état de la recherche ne relèvent pas du simple plaisir scientifique, mais permettent aux personnes souffrant de peurs excessives de moins se culpabiliser face à leur vulnérabilité émotionnelle, et de mieux s'impliquer, en comprenant le sens de certains efforts demandés. Face à une phobie, il est inutile de se juger, mais nécessaire de se mobiliser...

➤ *Une amygdale cérébrale hypersensible aux visages hostiles ?*

En présentant très rapidement, sur un écran d'ordinateur, des photos de visages menaçants à des personnes souffrant de phobie sociale, on s'aperçoit que ces dernières les détectent plus rapidement que des personnes ne souffrant pas de cette pathologie[212]. Elles repèrent également beaucoup plus vite les visages hostiles que les visages neutres[213]. Ces résultats montrent que ce n'est donc pas une hypersensibilité « aveugle » aux visages humains, mais bel et bien l'exagération d'un mécanisme adapté de dépistage rapide de signaux de menace éventuelle, les visages hostiles signifiant pour notre espèce un risque accru d'attaque, verbale ou physique. Lorsqu'on étudie ce qui se passe au niveau cérébral dans ces moments, on s'aperçoit que la contemplation de visages exprimant de la colère ou du mépris – autre objet de peurs sociales – provoque une forte activation au niveau de l'amygdale cérébrale – toujours elle – chez les patients phobiques sociaux[214].

Une fois de plus, ces résultats ne signifient pas que les peurs sociales excessives ne procèdent « que » d'une histoire de machinerie cérébrale. Mais que ces patients doivent lutter contre une réalité biologique palpable, dont il faut tenir compte dans les traitements que l'on s'apprête à leur proposer. D'où la nécessité parfois de médicaments et toujours de psychothérapies à impact émotionnel.

➤ *La focalisation sur soi au détriment de l'interaction*

Une des erreurs principales commises à leur corps défendant par les phobiques sociaux est représentée par l'autofocalisation sur soi, et surtout sur soi en train d'aller mal et de le montrer : « Lorsque je commence à trembler, je n'arrive plus à me concentrer sur autre chose que sur deux questions qui deviennent fondamentales à mes yeux : est-ce que ça se voit ? comment me sortir de ce pétrin ? À partir de là, l'échange en cours est terminé pour moi. » Ce biais attentionnel, comme l'appellent les psychologues cognitivistes, n'existe qu'en situation sociale[215]. Les phobiques sociaux ne sont pas particulièrement narcissiques : s'ils se focalisent ainsi sur eux, c'est parce qu'ils se sentent en danger à cause de leurs manifestations d'émotivité, dont ils pensent qu'elles les rendent vulnérables aux agressions éventuelles d'autrui. Ces phénomènes sont évidemment encore plus caractéristiques chez les patients dont les peurs sociales tournent autour de la crainte de manifester un symptôme physique embarrassant et facilement visible, comme le rougissement[216]. Là encore, l'autosurveillance est au maximum.

➤ *Une tendance à l'autocritique féroce...*

Les personnes souffrant de peurs sociales sont souvent leurs pires ennemis, et se critiquent avec une grande férocité : nul autour d'elles n'aurait idée d'aller aussi loin dans les reproches. Elles ruminent fréquemment des pensées, mais aussi des images très négatives à leur propos, dont on a montré qu'elles entretenaient et aggravaient bien sûr leurs peurs sociales[217]. La fréquence de ces pensées négatives rapproche d'ailleurs clairement la phobie sociale de la dépression, autre pathologie entraînant une image très altérée de soi-même[218]. D'ailleurs, de toutes les peurs excessives, il semble que ce soient les peurs sociales qui exposent le plus au risque de dépression ; ce sont en tout cas elles qui entraînent le taux le plus élevé d'émotions négatives au quotidien. Fort heureusement, les psychothérapies modifient efficacement ces rondes sans fin d'idées noires à propos de soi[219].

➤ *La toxicité insidieuse des ruminations après les confrontations sociales*

Nous avons parlé du rôle de la honte, autre grande émotion potentiellement destructrice, surtout lorsqu'elle s'associe aux peurs sociales. Même s'ils ne sont pas franchement déprimés, les patients phobiques sociaux consacrent un temps important à ressasser des pensées très négatives sur eux-mêmes après leurs confrontations sociales[220]. On a pu montrer que ces ruminations jouaient un rôle très toxique dans l'aggravation des sentiments de honte et d'indignité : elles représentent en quelque sorte le ciment, le liant, qui va imprimer durablement dans la mémoire de la personne les émotions négatives associées aux situations affrontées. D'où des difficultés ultérieures à prévoir, et une tentation de se dispenser de ressentir ces douleurs à venir par l'évitement. Attention donc à ces périodes de repli sur soi qui suivent les efforts de confrontation ! Elles ne jouent aucun rôle réparateur, mais au contraire destructeur. Là encore, la psychothérapie exerce un effet très favorable sur ce mécanisme insidieusement toxique[221].

➤ *Le rôle de la colère, notamment rentrée,* *à force de soumission*

Ressentir des peurs sociales implique un grand nombre de renoncements : on ne va pas oser, on va devoir renoncer, battre en retraite dès que les interlocuteurs haussent le ton, ou même le sourcil. Cela va augmenter la fréquence des pensées et des émotions de tristesse et d'autodévalorisation, nous l'avons vu : « Je suis un moins-que-rien, même pas capable de réclamer ma monnaie à la boulangère dans les yeux sans trembler. » Mais ces nombreux renoncements entraînent aussi un grand nombre de frustrations, et on a pu montrer que parmi les personnes ressentant des peurs sociales importantes, beaucoup éprouvaient de fréquents sentiments de colère[222]. Les patients souffrant de peurs sociales intenses en « veulent » souvent à beaucoup de monde : leurs parents, leurs proches, les personnes qui leur font des remarques ou qui les observent lourdement…

Beaucoup d'émotions négatives toxiques gâchent ainsi leur quotidien, pourtant déjà bien amoché par leurs peurs. De plus, beaucoup parmi eux répriment et « rentrent » leur colère, au lieu de l'exprimer de manière adaptée, ce dont on a pu démontrer que c'était une attitude néfaste pour l'équilibre général. Comme toujours, ces données sont nettement améliorées après thérapie[223].

Comment soigner
les peurs sociales sévères ?

Plus que toute autre forme de peur pathologique, les phobies sociales entraînent, année après année, une modification profonde des habitudes de vie, basée sur l'évitement et la dissimulation. C'est pourquoi les thérapeutes visent deux objectifs successifs : d'abord briser l'étreinte étouffante de la maladie, par les explications et les médicaments, et par les premiers efforts de désobéissance aux peurs sociales. Cela prend en général quelques mois. Ensuite, mettre en place de nouveaux réflexes sociaux, de nouvelles habitudes de vie. Ce travail peut prendre des années, mais il n'est pas nécessaire que le thérapeute y soit aussi intensivement présent que dans la première phase : l'essentiel est que le patient perçoive qu'il s'est remis dans le sens de la marche…

➤ *Les médicaments*

Comme toujours dans les phobies, les tranquillisants apportent une aide ponctuelle et transitoire en endormant les peurs. Comme toujours, ils sont insuffisants. Comme toujours, ce sont plutôt les antidépresseurs agissant sur la sérotonine qui permettent d'obtenir la meilleure régulation de la peur, qui va aider la personne à modifier peu à peu ses automatismes comportementaux et psychologiques. Deux médicaments ont obtenu la reconnaissance de leur efficacité sur la phobie sociale en France : la paroxétine (Deroxat) et la venlafaxine (Effexor).

➤ *Les psychothérapies*

Les thérapies comportementales et cognitives (TCC) ont fait la preuve de leur efficacité dans le cadre de nombreuses études scientifiques et de protocoles de recherche, mais aussi sur le terrain, dans des conditions variées[224]. C'est par elles qu'il est aujourd'hui légitime de commencer le traitement des peurs sociales sévères. Les TCC de la phobie sociale reposent sur les mêmes bases que celles de toutes les autres phobies, sinon qu'on recommande volontiers de les traiter en groupe chaque fois que possible : outre le soulagement de pouvoir rencontrer des personnes ayant les mêmes souffrances (beaucoup de ces patients s'imaginent uniques et désespérément seuls dans leur handicap), le groupe permet évidemment de réaliser des exercices d'exposition très particuliers[225].

➤ *Les exercices d'exposition pour lutter contre les peurs sociales*

Je vous racontais, en début de chapitre, quelques-uns des exercices souvent effectués dans nos thérapies de groupe. Il y en a bien d'autres, que nous proposons sur mesure, en fonction des difficultés rencontrées par les participants, l'idée de base étant simple : « Si quelque chose vous fait peur dans la vie, alors autant s'entraîner à l'affronter ici. » Voici quelques-uns des principaux exercices d'exposition que nous utilisons :

• Être observé en silence par tout le groupe, durant une quinzaine de minutes, en s'efforçant bien sûr de regarder tout le monde dans les yeux. Cet exercice est très difficile et très utile. Il confronte les patients à ce qu'ils redoutent le plus : être au centre de l'attention, sans la moindre possibilité de se protéger en parlant ou en faisant quelque chose.

• Prendre la parole devant tout le groupe, pour improviser sur un sujet au hasard (son dernier week-end, un souvenir d'enfance, un film vu récemment...), sans écourter comme on le fait habituellement, par peur d'être inintéressant ou de se déclencher une réaction d'émotivité.

• Subir des remarques sur sa gêne (« Tu as rougi », « Tu n'as pas l'air à l'aise »), d'abord sans y répondre, puis en y répondant, de manière ni agressive (« Et toi, tu t'es regardé ? ») ni soumise (« C'est vrai, j'ai plein de problèmes, je suis un grand malade »). Le but recherché est d'apprendre d'abord à supporter émotionnellement ce genre de remarques, en réalité assez rares dans une vie d'adulte, avant de se lancer dans une réponse, qui sinon serait encore trop marquée par les émotions pathologiques de peur ou de colère.

• Parler de soi : qui je suis, ce que j'aime, ce que je n'aime pas… Sans chercher à se dérober, d'abord en réponse aux questions précises du groupe, puis de manière spontanée. Nous avons vu que, souvent, les phobiques sociaux se débrouillaient pour ne jamais parler d'eux, tant ils avaient honte de ce qu'ils étaient ou faisaient.

• Se heurter à un refus une fois, dix fois, vingt fois, jusqu'à ce que l'on sente que cela ne déclenche plus de malaise émotionnel : il faut se désensibiliser de l'*allergie au non*. Beaucoup de personnes n'aiment pas demander, par peur panique du refus, qui leur donne un sentiment d'échec et d'humiliation. Nous utilisons des jeux de rôle où la personne doit demander quelque chose à tous les membres du groupe, en les abordant les uns après les autres, et s'entendre répondre « non » chaque fois. C'est souvent bien plus dur qu'on ne peut l'imaginer, tant l'équation « refus = rejet » est profondément enracinée en tout être humain, et pas seulement ceux qui souffrent de peurs sociales.

• Pour ceux qui redoutent de trembler, manger des petits pois ou du maïs avec une fourchette, ou bien des spaghettis *bolognese* devant le groupe observateur et silencieux. Ou encore, prendre un verre plein à ras bord, transvaser des liquides d'une bouteille dans une autre, etc. Attention, le but n'est pas de ne pas trembler : au contraire, nous demandons à nos patients de ne pas s'empêcher de trembler, nous vérifions qu'ils ne bloquent pas leur bras contre leur corps, ou qu'ils ne raidissent pas leurs muscles, même sans s'en rendre compte (cela fait tant d'années qu'ils se protègent de la sorte !). Le but est qu'ils n'aient plus ni peur ni honte de trembler devant les autres. Qu'ils usent et fatiguent la réaction émotionnelle de peur et de honte liée au tremblement. Ce qui secondairement entraînera la nette diminution, et souvent la disparition des tremblements.

• Jouer de la guitare, danser, chanter devant les autres. Là encore, non pas pour « bien le faire » mais pour se donner le droit de le faire, même mal. Cela donne des moments assez émouvants, car souvent les patients ne se sont jamais ainsi produits en public de leur vie. Je n'hésite d'ailleurs pas – en tant que thérapeute engagé ! – à leur donner l'exemple de quelqu'un de peu doué, mais qui ne s'empêche pas de le faire, en esquissant moi-même quelques pas de danse devant eux, ou en chantant faux. Dans les deux cas, je n'ai pas à faire semblant !

➤ *Des exercices qui font aussi du bien aux thérapeutes*

Nous prolongeons souvent nos séances par des exercices effectués à l'extérieur du service, pour tester sur le terrain les réflexes travaillés sur le groupe, en nous rendant dans différents magasins ou galeries marchandes, dans le métro, dans la rue. Ces expositions sont très efficaces, mais émotionnellement très remuantes pour nos patients, pour qui elles représentent des efforts vraiment importants. Régulièrement, mes stagiaires psychologues, dont les peurs sociales sont normalement moindres que celles des patients que nous soignons, m'avouent à quel point ces exercices leur ont appris aussi des choses sur eux-mêmes. Je me souviens de l'une d'entre elles, venue assister à l'une de nos séances de thérapie, et à qui j'avais demandé de se présenter debout devant tout le groupe, constitué tout de même de huit patients et autant de stagiaires ou de cothérapeutes.

Elle avait très, très fortement rougi ! Elle s'en était aperçue, mais avait alors réagi normalement, en souriant, portant ses mains sur ses joues, disant : « Tiens, vous voyez, pour moi aussi cette situation n'est pas facile, je sens que je rougis. » Puis elle avait regagné sa place, un peu embarrassée, mais pas honteuse, puisqu'elle avait ensuite participé avec le sourire et posé de nombreuses questions. Ravi de l'aubaine, je l'interviewai à nouveau à la fin de la séance devant les patients, pour enfoncer le clou sur ce qu'elle avait ressenti au moment où elle avait rougi :

« J'étais vraiment embarrassée et gênée, je me disais que ça la foutait mal pour une future thérapeute de rougir elle-même. Puis je me suis dit que je n'allais pas me focaliser là-dessus, et je suis passée à autre chose. » Mes patients éreutophobes l'écoutaient attentivement, et je suis persuadé qu'elle leur a fait beaucoup de bien en rougissant ainsi, et surtout en l'assumant ! Les patients ont besoin de découvrir que les thérapeutes n'appartiennent pas à une race de personnes supérieures. Les thérapeutes pas plus que quiconque, d'ailleurs. Tous les soignants de mon groupe, moi compris, racontent toujours leurs histoires personnelles de peurs sociales aux patients. Ils pratiquent également les mêmes exercices, ou pire encore. Si je souhaite que mes patients s'entraînent à supporter le sentiment d'être ridicules, je dois pouvoir m'exposer moi aussi au ridicule. C'est une simple question d'éthique : ne jamais demander au patient de faire quelque chose que l'on n'est pas capable de faire soi-même. Voilà comment je me retrouve parfois à marcher dans le quartier de l'hôpital Sainte-Anne le bas des pantalons retroussés, ou la chemise sortie, ou la braguette ouverte, ou le visage couvert de gouttes de sueur, ou un chapeau absurde et hors saison sur la tête… suivi par un patient qui est chargé d'observer les réactions des passants (en général ils s'en fichent) avant de se livrer lui-même à l'exercice.

Tout ce travail nécessite évidemment une forte alliance thérapeutique : nos patients doivent sentir que nous avons de l'estime et de la sympathie pour eux, et en avoir eux-mêmes pour nous. Sinon, ils ne nous suivront pas dans ce qui leur paraît au début une aventure étrange, alors que c'est pour nous une thérapie scientifiquement robuste, codifiée et validée. L'intensité de ces séances, parfois éprouvantes émotionnellement, présente également un avantage inattendu, que m'avait résumé ainsi une patiente : « Pff ! C'est tellement dur ce que vous nous faites faire ici qu'en comparaison, à l'extérieur, tout paraît facile ! »

➤ *Le travail sur ses pensées et l'acceptation de soi*

Nous complétons bien sûr ce travail comportemental par des séances de thérapie cognitive, destinées à aider le patient à modifier ses systèmes de pensée[226]. En effet, les peurs sociales sont associées à de nombreuses erreurs réflexes dans les évaluations que l'on opère sur soi ou les autres[227, 228] : lecture de pensée (deviner ce que doivent être en train de penser les autres), jugement émotionnel (confondre les émotions ressenties et la réalité : « Si je me *sens* ridicule, c'est que je *suis* ridicule »), catastrophisation (transformer un problème mineur en drame absolu et définitif), etc. Ce travail s'effectue sous forme de dialogues avec nos patients, au cours desquels nous réfléchissons autour de situations précises, à l'aide de tableaux tels que celui reproduit ci-après. Comme toujours, il est nécessaire de coupler cette approche centrée sur les systèmes de pensée à des exercices de confrontation sur le terrain.

Tout ce travail sur les pensées est aussi l'occasion d'aborder la notion essentielle d'*acceptation de soi*. L'erreur que commettent souvent les patients est de vouloir résoudre leur problème de peur par un hypercontrôle : pour lutter contre mon trac, j'apprends par cœur mon exposé ; pour lutter contre mon tremblement, je bloque mon bras contre mon corps et je contracte mes muscles ; pour lutter contre mon émotivité, je fais semblant d'être à l'aise ou d'être distant, etc. C'est un combat sans fin : si je règle mes problèmes par l'hypercontrôle, je reste convaincu que mon émotivité peut ressurgir à tout moment, et je dois toujours et toujours continuer de contrôler, de feindre, de me contraindre. C'est un rôle à contre-emploi auquel s'astreignent ainsi beaucoup de personnes souffrant de peurs sociales. La seule solution durable va consister à accepter cette part d'émotivité qui vit en elles, et à la faire accepter aux autres. C'est l'objet de nombreuses séances, où nous pesons les avantages et les inconvénients d'une telle sincérité, où nous testons au travers de jeux de rôle la meilleure manière d'en parler, en fonction des interlocuteurs…

**Exemple de relevé cognitif à colonnes
chez un patient phobique social**

Situation provoquant de l'angoisse	Pensée automatique	Pensée alternative
Acheter une baguette de pain à la boulangerie	Il faudrait absolument que j'arrive à parler de la pluie et du beau temps avec l'air détendu. Je dois avoir l'air bizarre à ne jamais rien dire.	J'ai le droit de ne pas être bavard. Mais en fait, il suffit que je dise une phrase ou deux de banalités sur le temps, c'est un rituel social, rien de plus.
Réunion de travail	Je n'arrive pas à prendre la parole, j'ai trop peur de dire une bêtise ou de ne pas arriver à m'exprimer correctement.	Je ne suis pas le seul à avoir du mal à parler en public. Mais je vais essayer peu à peu de donner davantage mon avis : je vois bien qu'il arrive à tout le monde de dire des choses erronées ou de bafouiller.
Achat de vêtements	J'ai essayé plusieurs pantalons et fait perdre du temps au vendeur : je dois en acheter un maintenant, même si rien ne me plaît vraiment.	Le vendeur est là pour ça. Si je lui explique aimablement, il comprendra très bien. Beaucoup de gens essaient et n'achètent rien. Il y a certainement des clients plus casse-pieds que moi.

➤ La thérapie de Maxime

Je vous racontais plus haut dans ce chapitre l'histoire de Maxime, devenu alcoolique à cause de sa phobie sociale. Voici comment il fut soigné.

Maxime avait déjà suivi un traitement par antidépresseur sérotoninergique dans le passé, mais comme il n'avait reçu ni les conseils ni la psychothérapie adéquats dans le même temps, cela ne lui avait été d'aucun bénéfice durable. Il n'avait pas pris régulièrement ses médicaments, peu motivé, et gêné par les effets secondaires. Nous prîmes cette fois-ci le temps de bien lui expliquer ce qu'était sa maladie, ce qu'il pouvait attendre et ne pas attendre du traitement, qui était par ailleurs nécessaire dans son cas, en raison de l'intensité de sa phobie sociale. Et quels efforts personnels nous allions solliciter de sa part.

Il commença par ailleurs une thérapie comportementale individuelle avec une psychologue du service. Celle-ci établit avec lui une liste d'objectifs à atteindre, qui allait représenter une série d'occasions de réfléchir *in vivo* sur ses difficultés et la manière dont il les vivait. Cette liste vous est présentée dans le tableau ci-après. Les peurs de Maxime portaient principalement sur les points suivants, surtout liés à la peur de se mettre à trembler : ne pas oser regarder les gens dans les yeux, ne pas oser engager d'interaction avec eux, ne pas oser entreprendre une activité qui pourrait révéler les tremblements.

La thérapeute demandait d'abord à Maxime d'oser se confronter à ces situations, puis peu à peu, l'incitait à le faire sans chercher à bloquer son tremblement. En fin de thérapie, le tremblement était devenu l'objectif principal : il s'agissait de le provoquer volontairement pour s'apercevoir qu'il ne déclenchait pas de moqueries ou d'agressions verbales. Maxime devait même répondre à des remarques à voix haute que sa thérapeute faisait sur son émotivité et son tremblement dans les lieux publics.

L'objectif visé était double. D'une part que Maxime cesse d'éviter les situations, pour s'apercevoir qu'il ne se passait rien de grave, et que la plupart des gens ne remarquaient tout simplement pas son tremblement. Car si Maxime pouvait accepter de penser cela au calme dans le bureau de la thérapeute (cognitions « émotionnellement froides »), les idées comme « tout le monde me regarde et me trouve pathétique » revenaient dare-dare dès qu'il se retrouvait en situation sociale (cognitions « émotionnellement chaudes »). La confrontation en situation d'activation émotionnelle était le seul moyen de désamorcer ces cognitions chaudes, ce qui ne pouvait pas être fait seulement par la discussion.

262 • PSYCHOLOGIE DE LA PEUR

L'autre objectif était que Maxime apprenne à ne plus paniquer en ressentant monter ses émotions de peur et de honte en situations sociales : à force de les éviter, il était devenu de plus en plus démuni et incompétent pour les affronter. C'est ce que sa thérapeute lui présentait sous le terme d'habituation : « Au lieu de les fuir à tout prix, vous devez vous habituer à elles ; si vous ne reculez plus devant elles, ce sont elles qui reculeront. » Et c'est bien ce qui se passa...

Après six mois de thérapie, Maxime était considérablement amélioré, et recommençait à envisager la suite de son existence avec espoir.

Il compléta ses progrès avec seize séances de thérapie de groupe, durant lesquelles il put faire de nombreux exercices en compagnie de sept autres patients souffrant eux aussi de phobie sociale : parler debout devant tout le monde, subir des remarques sur son tremblement et y répondre calmement, sans se justifier, parler de lui et de son émotivité sans honte, manger et boire lentement sous le regard attentif des douze personnes du groupe, silencieux.

Après un an de traitement, Maxime était guéri. Il nous avoua que le déclic s'était produit dans sa tête au moment où il avait compris, à la précision de nos questions, que nous connaissions sa maladie et qu'il n'était donc pas le seul à en souffrir. Maxime arriva à retrouver un travail, il eut un autre enfant, fit une rechute cinq ans après, ce qui nécessita quelques mois de « révision psychothérapique ». Aujourd'hui, il va bien.

Les peurs sociales de Maxime

Situation	Niveau de peur prédit par Maxime avant la thérapie, sur 100
Rester assis à la terrasse d'un café en regardant passer les gens	30/100
Aborder des personnes dans la rue pour leur demander l'heure ou le chemin	40/100

Rentrer dans un magasin et demander des informations au vendeur	40/100
S'asseoir dans le métro sur les sièges où l'on est exposé au regard des personnes en vis-à-vis	50/100
Boire en public	70/100
Manger en public	70/100
Subir des remarques sur son tremblement de la part de la thérapeute, d'abord en séance puis à l'extérieur	80/100
Trembler volontairement dans un lieu public fréquenté	100/100

« J'en ai marre de sous-vivre... »

La peur d'autrui détruit...

Un de mes patients qui souffrait de phobie sociale m'avait un jour dit qu'il en avait marre non pas de survivre, mais carrément de « sous-vivre : tout craindre et tout rater ». Il était épuisé de passer son temps à fuir des situations sociales qu'il rêvait de pouvoir savourer.

Comment éviter ses semblables, alors que l'on ne peut se passer d'eux ? Le drame des peurs sociales réside tout entier dans cette interrogation. Les peurs et phobies spécifiques, que nous venons d'aborder dans le chapitre précédent, ou même le trouble panique et l'agoraphobie, que nous allons découvrir bientôt, permettent des moments de bien-être, du moment que l'on n'est pas confronté à ses peurs.

Mais ces moments de bien-être sont beaucoup plus rares dans les peurs sociales : une rencontre, un regard, une parole peuvent s'avérer angoissants. Et l'absence de ces mêmes moments, l'obligation de les éviter, de les fuir vont nous frustrer, et conduire très vite à un appauvrissement de notre existence. Comme le soulignait un de nos patients : « Quand je suis avec les autres, j'ai peur, et quand je suis seul, je déprime... »

264 • PSYCHOLOGIE DE LA PEUR

Parmi toutes les peurs, les peurs sociales sont celles qui sont potentiellement les plus ravageuses, car elles privent les personnes qui en souffrent des nourritures relationnelles indispensables à tout être humain. Mais si l'on parvient à surmonter ces peurs, ce qui est aujourd'hui possible, alors cette hypersensibilité, de faiblesse devient force, et l'on n'en garde plus que les bons côtés : la vulnérabilité se transforme en intuition et en empathie.

Nous fêtons ce moment avec nos patients, à la fin de nos séances de thérapie de groupe, en sacrifiant depuis quelques années à un petit rituel : nous invitons tous les participants à prendre un verre (non alcoolisé !) avec nous autour d'une petite collation. Ce genre de moment est banal dans la vie de tous les jours, mais il est rare en psychothérapie. Pourtant nous y tenons beaucoup : il signifie pour nous qu'il n'existe pas de différence fondamentale entre les patients et leurs thérapeutes, que leur relation n'est qu'un partenariat, sans supériorité des uns sur les autres, au nom de la légitimité du savoir ou de celle de la souffrance. D'ailleurs, une de mes meilleures apprenties thérapeutes, psychologue, est elle-même… une ancienne phobique sociale.

CHAPITRE 9

La peur du malaise : crises d'angoisse, paniques et agoraphobie

Voici les plus violentes des peurs, celles qui donnent le sentiment de perdre le contrôle de son corps, ou de son esprit.

Il en existe des formes mineures : la spasmophilie, certains petits vertiges existentiels du quotidien, où l'on se sent comme aspiré, physiquement, psychiquement, vers quelque chose de bizarre.

Mais parfois, la peur est fracassante : impression de mort imminente ou de folie dans l'instant. C'est l'attaque de panique. Elle peut déboucher sur l'agoraphobie.

Vous verrez comment des exercices aussi peu métaphysiques que respirer à travers une paille, faire des pompes ou jouer aux derviches tourneurs peuvent représenter un premier pas vers le contrôle de ces peurs, pourtant les plus métaphysiques qui soient...

> « Je restais là figé, impuissant, frissonnant, conscient pour la première fois d'avoir été frappé non par de simples angoisses, mais par une maladie grave... »
>
> William STYRON, *Face aux ténèbres*

La voix m'arrive, assourdie, de l'autre côté de la porte.

« Vous êtes toujours, là, docteur ?

— Oui, oui, ne vous inquiétez pas, je suis toujours là ! Je ne partirai pas sans vous le dire, on s'est entendus comme ça. Je ne vous ferais pas un coup pareil, tout de même.

— Et... Vous êtes sûr que je ne risque rien ?

— Sûr de sûr ! Nous venons d'en parler à l'instant, n'est-ce pas ?

— Oui, c'est vrai, mais je me sens tellement tendue, je finis toujours par douter.

— C'est normal. Vous allez voir, comme les autres fois, ça va passer.

— Je ne risque pas de m'étouffer ?

— On vient d'en parler !

— Et de paniquer ?

— Pareil !

— (*Petit rire nerveux.*) Je vois que vous ne me rassurerez pas. Je vais devoir me débrouiller toute seule ! En tout cas, c'est vrai que pour le moment c'est supportable. J'ai l'impression que ça se calme déjà un peu plus vite que la dernière fois...

— Super ! »

Nous sommes dans les toilettes du service hospitalier où je travaille. Odile y est enfermée depuis un quart d'heure. Pour la première fois depuis de longues années, elle a fermé une porte à clé, avec elle à l'intérieur. Voilà près de vingt ans qu'Odile souffre d'attaques de panique, qui l'ont rendue agoraphobe et claustrophobe. Vingt ans qu'elle ne peut plus conduire seule, prendre le volant de sa voiture, faire un voyage en métro ou en RER. Ne parlons pas du TGV, et encore moins de l'avion. Odile doit se rendre à son travail en bus, et seulement en bus. Elle se sent mal lorsque l'autobus est bondé, encore plus lorsqu'il est coincé dans un embouteillage. Mais au moins, un bus, on peut en descendre facilement en cas de malaise ; tandis que d'une rame de métro coincée entre deux stations… Odile ne peut pas non plus prendre un ascenseur, rester enfermée dans une pièce sans fenêtre, encore moins fermer à clé les W-C où elle se rend. Elle se sent aussi très mal dans tous les endroits où elle se perçoit comme « coincée » : files d'attente, sièges du milieu dans les cinémas ou les théâtres, repas assis un peu guindés, etc. Si elle tente de se confronter, la punition est immédiate : attaque de panique. Elle se sent étouffer, et doit fuir, faute de quoi, elle mourrait probablement en deux ou trois minutes. En tout cas, c'est ce dont elle est persuadée.

Quinze minutes plus tard, Odile est toujours enfermée dans les toilettes…

« Odile, vous m'entendez ?

— Oui, oui.

— Comment ça va ?

— Là, ça va bien, je suis habituée, je ne croyais pas que ça irait si vite.

— Parfait. On passe à l'étape suivante ?

— Éteindre la lumière ?

— Oui.

— Mais… Dans le noir, comme ça… Je ne risque pas de me remettre à paniquer ?

— C'est bien ce que nous voulons vérifier. Nous avons vu ensemble qu'il n'y avait pas de raison particulière, n'est-ce pas ?

— Oui, oui…

— Vous éteignez ?

— D'accord… Voilà.

— Parfait. Vous respirez tranquillement ?

— Oui.

— Comment ça va ?

— Pas si mal… J'ai l'impression que ça va aller… Non, en fait, ça va. Je supporte bien d'être là, enfermée, dans le noir. Il me semblait que je n'y arriverais jamais… »

Les attaques de panique d'Odile avaient commencé brutalement il y a vingt ans, alors qu'elle était au volant de sa voiture, bloquée dans un embouteillage. Elle avait eu tout à coup une sensation d'étouffement, l'impression que sa gorge se rétrécissait peu à peu, et qu'elle allait mourir sur place. Plus elle essayait de respirer fort, plus son malaise empirait. Elle avait dû abandonner sa voiture, et appeler au secours les autres automobilistes, qui avaient téléphoné au SAMU. Accueillie aux urgences de l'hôpital le plus proche, elle avait bénéficié de plusieurs examens qui n'avaient rien décelé d'inquiétant. Les médecins lui avaient parlé de « stress lié au surmenage ». Mais d'autres crises étaient apparues dans les jours suivants, dont une alors qu'elle était aux toilettes d'un restaurant à côté de son travail, où elle déjeunait entre midi et deux heures. Le verrou de la porte avait refusé de s'ouvrir pendant quelques secondes, et elle avait instantanément ressenti le même étouffement que dans sa voiture, s'était vue à nouveau mourir de manque d'air, dans cette petite pièce confinée. À force de tambouriner et d'appeler au secours, elle avait attiré le personnel et des clients, et le patron du restaurant avait réussi à débloquer sans peine la porte des toilettes. Odile en était sortie piteuse, ébouriffée et au bord des larmes, et avait dû rentrer chez elle, incapable de reprendre son travail l'après-midi. La fin de la journée avait été épouvantable : elle surveillait sa respiration, avec l'impression qu'elle faisait des pauses anormales. Elle avait appelé son médecin de famille. Il avait essayé de la rassurer au téléphone, puis avait dû passer l'examiner chez elle, car elle n'osait plus sortir : elle se sentait épuisée, laminée physiquement, et avait peur d'être frappée par de nouveaux malaises si elle s'aventurait hors de chez elle. Le médecin lui avait prescrit des tranquillisants, et donné l'adresse d'un psychiatre. Mais rien n'y avait fait. Le psychiatre était pourtant très gentil, mais après avoir longuement raconté son enfance et ses rêves, Odile avait toujours ses malaises. Les tranquillisants la calmaient, certes, mais elle voyait bien qu'elle en devenait dépendante, et, surtout, que les peurs étaient toujours là. Juste anesthésiées, estourbies, mais il ne fallait surtout pas qu'elles se réveillent. Car alors… Peu à peu, elle avait donc commencé à éviter toutes les situations dont elle avait repéré qu'elles provoquaient ses crises : conduire, rester seule, être enfermée… Et cela avait duré vingt ans.

« Bon, ça a l'air de bien marcher, Odile, non ?

— C'est bizarre ! Je n'arrive pas à y croire. Je ne ressens presque pas de peur.

— Très bien. Alors, je vais aller vous attendre dans mon bureau. Vous me rejoignez dans à peu près un quart d'heure ?

— Euh… Vous penserez à venir me chercher si par hasard vous ne me voyez pas arriver ?

— Bien sûr, aucun problème.

— Vous me promettez ?

— Est-ce que je vous ai déjà fait des coups pareils ?

— Non, non, excusez-moi.

— Alors à tout à l'heure. Bon courage ! »

Quand Odile me retrouva peu après, elle était épuisée, mais satisfaite.

« Je vous félicite, vous avez drôlement bien travaillé aujourd'hui.

— Merci, docteur. Je crois que je me souviendrai longtemps de cette séance !

— Ce sera un bon souvenir ! D'ici à mardi prochain, vous allez vous entraîner : il faut refaire cet exercice tous les jours, chez vous mais aussi à l'extérieur. Même si vous n'en ressentez pas le besoin, dès que vous serez au restaurant, à la cantine de votre entreprise, dans un bistrot pour prendre un verre, invitée chez des amis, au cinéma, etc., vous irez aux toilettes, et vous vous enfermerez à clé (Odile avait toujours évité d'utiliser des toilettes en dehors de chez elle). Même si vous n'en avez aucun besoin, vous le ferez, juste pour pratiquer cet exercice, d'accord ?

— D'accord, docteur, nous en avions parlé, pas de problème. Et quel sera le programme pour la séance de la semaine prochaine ?

— Ce sera très intéressant, et très utile pour vous : nous commencerons les exercices sur la sensation d'étouffement... »

À l'heure où j'écris ces lignes, Odile est toujours en traitement, depuis trois mois. Elle a survécu à la séance, elle aussi mémorable, où nous avons travaillé sur sa peur des sensations d'étouffement : rester trente secondes sans respirer, s'appliquer un oreiller sur le visage, respirer au travers d'une paille... Elle peut désormais s'enfermer sans crainte dans les petites pièces. Elle peut reprendre sa voiture pour faire de longs trajets sur autoroute. Elle est capable d'affronter sans s'affoler des situations qui déclenchaient autrefois des sensations d'étouffement, comme de porter un col roulé serré, ou un masque de beauté en argile. Elle a le sentiment de reconquérir peu à peu sa liberté, de s'être « remise en marche avant », selon ses propres termes. Odile est tout simplement en train de guérir de sa phobie d'être enfermée et de s'étouffer...

Comme un malaise...

Il peut arriver à tout le monde de ressentir un malaise physique. Avoir trop chaud, et sentir que l'on manque d'air dans des endroits surpeuplés, comme dans certains grands magasins les jours de soldes. Sentir sa tête qui tourne dans des files d'attente interminables, si on est fatigué ou stressé. Percevoir des palpitations dans des circonstances intimidantes, comme avant une prise de parole devant un public. Avoir même l'impression que son cœur bat bizarrement, comme s'il avait des problèmes, comme s'il voulait s'arrêter...

Il peut aussi arriver à tout le monde d'avoir tout à coup une idée bizarre, une image désagréable qui nous vient à l'esprit. Se dire alors que l'on conduit sur l'autoroute : « Et si je donnais un grand coup de volant, là, de façon absurde ? » Se dire alors qu'on fait une présentation orale : « Et si je me mettais à paniquer, maintenant, à perdre le fil, et à transpirer à grosses gouttes devant tout le monde ? » Se dire, alors qu'on voyage en avion, qu'on n'aime pas trop ça, et que les portes viennent de se refermer : « Et si je devenais fou, tout à coup, et que je me jette en hurlant sur les hôtesses pour les supplier de me laisser descendre ? »

Le plus souvent, ces malaises ne durent pas. On respire un bon coup, on essaie de se convaincre que cela va passer. On pense à autre chose. Et ça marche. C'était juste une fausse alerte. On se dit qu'il faut prendre un peu de repos, un peu de vacances, boire moins de café, faire plus de sport, déstresser. Et si on fait tout ça, les sensations peuvent ne plus se reproduire. Il ne s'agissait effectivement que de petits signes de surmenage.

De temps en temps, tout de même, ces malaises vont un peu plus loin. Avec un mélange inextricable de sensations physiques désagréables : gêne à respirer, battements cardiaques trop rapides ou trop irréguliers, picotements dans les mains ou sur les lèvres, petits troubles de la vision... Et de pensées à la fois inquiètes et inquiétantes : « Je suis en train de perdre le contrôle, là, ça va s'arrêter où, cette histoire ? Et si ça ne s'arrêtait pas ? Et si c'était un truc grave ? Depuis le temps que j'ai des petits machins comme ça... » Dans notre pays, les médecins vous parleront souvent de « spasmophilie ». Et évoqueront un terrain fragile, le stress, l'anxiété. Mais vous, vous voyez bien, ou plutôt vous sentez bien que ce n'est pas que dans la tête, cette histoire. Vous percevez bien que votre corps est de la partie, qu'il vous adresse des signaux préoccupants. Mais tout peut en rester là et ne pas aller plus loin. Vous aurez de temps en temps de « petites » crises semblables, mais rien de plus.

Parfois enfin, tout cela finit mal. Je veux dire, de manière douloureuse et pénible. Ces sensations physiques désagréables se mettent à engendrer des pensées inquiétantes, des mots se pressent à votre esprit : infarctus, rupture d'anévrisme, mort, étouffement, œdème de la gorge, asphyxie, perte de contrôle, folie, agonie, tout seul, au secours… Et de seconde en seconde, l'étau se resserre sur vous. Vous êtes en train d'avoir une attaque de panique. Vous n'êtes pas tout seul : une étude sur un campus universitaire avait montré qu'environ un tiers des étudiants avaient ressenti un malaise de ce type durant l'année précédente[229]. En tout cas, cette expérience va vous marquer profondément, car vous avez vraiment eu l'impression que vous alliez mourir ou basculer dans la folie. Et vous commencez à redouter plus que tout que d'autres crises semblables ne recommencent. Alors, vous allez éviter les activités qui pourraient les faciliter. Et les endroits où il ne faudrait surtout pas qu'elles vous saisissent. Claustrophobie et agoraphobie commencent à s'installer doucement.

Peur du malaise ou trouble panique ?

Dans le chapitre de ses *Essais* consacré à la peur, Montaigne en décrit une forme dont furent frappés les Carthaginois de l'Antiquité : « Tout y estoit en désordre et en tumulte, jusques à ce que, par oraisons et sacrifices, ils eussent apaisé l'ire des dieux. Ils nomment cela terreurs Paniques. » Voici une famille de peurs et de phobies dont la connaissance a profondément évolué ces dernières années. Même si on les a identifiées depuis assez longtemps. L'ère moderne commence en 1872 à Berlin, avec le neurologue allemand Westphal, dont les patients, pour le consulter, devaient traverser une vaste place publique, la Döhnhofsplatz : certains d'entre eux éprouvaient les pires difficultés à le faire. Westphal nomme ce trouble « agoraphobie ». Pendant longtemps, on a ainsi défini l'agoraphobie comme la peur des espaces découverts ou remplis de monde, par référence à l'agora

– place publique – des Grecs de l'Antiquité. Puis, on s'est aperçu que les personnes agoraphobes souffraient plus précisément de la crainte de ressentir un malaise, où que ce soit, même si cette crainte est effectivement aggravée dans certains lieux publics. Cette peur d'un malaise physique peut être très intense, et aboutir à de véritables attaques de panique ; il semble alors que les craintes portent plutôt sur la peur d'avoir des attaques de panique que sur le fait de se trouver dans tel ou tel lieu, finalement peu spécifique.

Au stade des peurs phobiques, on parle donc de « trouble panique avec agoraphobie ». Pour bien comprendre cette affection, il faut l'imaginer comme un système de poupées gigognes, où s'emboîteraient trois manifestations que nous allons décrire : l'attaque de panique, le trouble panique, l'agoraphobie.

Les composants du trouble panique avec agoraphobie

Manifestation	Description
Attaque de panique	Crise d'angoisse aiguë, très brutale et très intense, avec de nombreux signes physiques, entraînant la conviction que l'on va mourir ou devenir fou.
Trouble panique	Répétition d'attaques de panique, imprévisibles au début, et traumatisantes, avec ensuite une peur obsédante de leurs récidives.
Agoraphobie	Restrictions dans les sorties, les déplacements, les activités, pour ne pas déclencher ou faciliter de nouvelles attaques de panique.

➤ *L'attaque de panique*

« Mois de mars, durant mon cours de gymnastique.

Très vite, j'ai la tête qui tourne. Mes membres ne répondent plus aux exercices, je n'ai plus de ressort. À la fin du cours, m'habiller, parler, marcher, tout cela me demande un effort surhumain. Pensant faire une chute de tension, je demande quelques sucres, puis je pars.

En rejoignant ma voiture, le sol se dérobe sous chacun de mes pas, je tiens à peine debout. Mais il faut que j'arrive jusqu'à l'école prendre Jules, mon fils, pour le déjeuner.

Je ne change presque plus les vitesses tant mes bras et mes jambes sont lourds. J'ai l'impression de conduire un camion. Je me sens seule et de plus en plus mal : bourdonnements dans la tête, impression de ne plus pouvoir respirer, faiblesse toujours plus intense, la vie et le sang semblent quitter mon corps. Je tremble, j'ai à la fois si chaud et si froid. Je n'ai plus qu'une idée : arriver près de l'école.

Je m'oblige à faire attention à la route car je la vois à peine, je conduis tout doucement sur la file de droite, prête à stopper. Mon corps est comme une succession de déferlantes chaque fois plus violentes. Je lutte avec le peu de forces qui me restent. Si j'ai un malaise ici, qui viendra me secourir ?

J'ai très peur, car je ne comprends plus ce qui m'arrive : je n'ai jamais rien connu d'aussi fort et brutal. Il faut que je m'arrête, je ne peux plus conduire. J'ai repéré deux agents sur le trottoir, ils me semblent si loin. Mais je dois aller jusqu'à eux. Devant eux, je m'arrête et je coupe le contact. Je respire à peine, mais je ne bouge plus. Il est onze heures trente, Jules sort dans un quart d'heure. J'ai peu de temps pour récupérer.

Étonné, un des agents ouvre ma portière et me dit de déplacer la voiture, je gêne la circulation. J'entends effectivement les klaxons, mais ils me parviennent à peine dans ce tourbillon de sensations affreuses où je ne retrouve aucun repère. Je ne peux plus bouger.

Je parviens à demander à un policier d'aller chercher Jules qui est tout près, tandis que l'autre reste à côté de moi. Je le sens déconcerté, il ne sait pas quoi faire.

Il est déjà midi. Où est Jules ? Brusquement, je suis parcourue de picotements de la tête aux pieds, de plus en plus violents. Je sens mon corps se raidir. Instinctivement, je mets mes mains à plat sur le volant. Il faut que je parle, je sens que dans un moment, je ne pourrai plus. Un carcan métallique enserre ma poitrine dans un étau sans fin. La bouche raidie, j'arrive juste à dire : "Ça ne va pas du tout", et : "Jules ?" Je pense à lui tout le temps. Où est-il ? Que fait-il ?

Cette douleur à la poitrine qui s'amplifie toujours plus devient intenable. Mon corps est si raide, si dur. Je suis seule, j'ai si peur. C'est affreux, je ne peux plus communiquer, je voudrais de l'aide, des secours, et je ne peux le dire. Est-ce cela, un arrêt cardiaque, cette douleur dans la poitrine ? Suis-je en train de mourir là, dans ma voiture, toute seule… ? »

Ce récit, rédigé à ma demande par Sophie, une de mes patientes, raconte par le détail la survenue d'une crise de panique.

À partir de cette première crise, elle fut admise aux urgences de l'hôpital le plus proche, d'où elle ressortit avec le diagnostic de « fatigue nerveuse ». Durant plusieurs mois, ces crises se répétèrent, la plupart du temps hors de chez elle, dans des magasins, ou au volant de sa voiture : petit à petit, elle évita donc ces situations. Sa vie devint alors de plus en plus compliquée : elle ne pouvait plus sortir seule, devant toujours être accompagnée pour faire ses courses ou la moindre démarche. Elle ne supportait plus de se trouver dans des endroits clos ou éloignés de chez elle : salles de cinéma, trains, avions lui devinrent interdits. Peu à peu, elle dut également éviter les endroits « surpeuplés ou surchauffés » : magasins, lieux publics… Lorsqu'elle se décida à consulter, cela faisait cinq ans que ses troubles existaient. Nous avons ensuite utilisé son récit écrit pour une méthode particulière de traitement, mais je vous reparlerai de cela plus loin.

Revenons à l'attaque de panique.

Il s'agit d'une crise d'angoisse intense, d'apparition brutale, dont l'intensité maximale est atteinte très rapidement, en quelques minutes. Elle comporte de nombreux signes physiques, tels que palpitations et tachycardie, sensation d'oppression ou d'étouffement, frissons ou bouffées de chaleur, vertiges et sensation d'instabilité, etc. Elle s'accompagne parfois d'un sentiment de déréalisation ou de dépersonnalisation : la personne a l'impression que ce qui lui arrive est irréel ou qu'elle en est le témoin extérieur, comme si elle était sortie d'elle-même et se regardait aller mal. Durant l'attaque de panique, le sujet a le sentiment qu'il risque de mourir, à cause de ses symptômes physiques, ou bien de devenir fou ou de perdre le contrôle de lui-même (se ridiculiser en public, se jeter par une fenêtre, provoquer un accident de voiture…) à cause de ses symptômes psychologiques.

Il existe plusieurs types d'attaques de panique en fonction de leurs contextes de survenue :

- Inattendues, c'est-à-dire non associées à une situation précise. C'est le cas par exemple des attaques nocturnes, qui réveillent le sujet en train de dormir, ou de celles qui surviennent alors qu'il est dans un endroit habituellement sécurisant, comme son domicile.
- Facilitées, c'est-à-dire pouvant se déclencher, mais pas toujours, dans certaines situations. Par exemple, au volant de sa voiture, ou en faisant des courses.
- Conditionnées, survenant presque systématiquement dans certaines situations. Les files d'attente dans les lieux chauffés, bruyants, avec beaucoup de mouvement, ou bien les endroits fermés d'où l'on ne peut s'échapper en cas de malaise (avion, TGV, repas guindés…).

Paradoxalement, il peut aussi exister des attaques de panique induites par le calme, le silence, la méditation, la relaxation, ou du moins des tentatives de relaxation, vite écourtées. Nous verrons que cela est assez logique, car en fait, les patients paniqueurs, s'ils se concentrent trop sur leurs sensations corporelles, vont commencer à s'en inquiéter : « Est-ce que ce battement de cœur n'était pas anormal ? Est-ce que ma respiration n'est pas en train de se faire plus difficilement ? » Un des principes de la relaxation étant de se concentrer sur ses sensations physiques, ces patients vont être plus angoissés qu'autre chose par de tels exercices, jusqu'à ce qu'ils aient appris à réguler leur trouble panique.

Les attaques de panique isolées semblent relativement fréquentes. En s'en tenant à des critères de diagnostic très stricts, on évalue qu'une telle expérience pénible frappera environ 8 à 15 % des personnes au moins une fois dans leur vie[230]. Nous avons vu que certaines seront sans lendemain : on leur attribue souvent des appellations variées : spasmophilie en France, *ataque de nervios* dans les pays latino-américains… Elles peuvent aussi se retrouver au cours de la plupart des pathologies psychiatriques, comme les dépressions et les autres phobies. Mais elles peuvent aussi évoluer pour leur propre compte vers un trouble panique.

Dans son roman *Le Portique*[231], l'écrivain Philippe Delerm dresse le portrait de Sébastien, professeur de lettres de 45 ans, frappé par ce qui ressemble fort à des attaques de panique :

« Ça peut venir n'importe quand. On se croit fort, serein dans sa tête et son corps, et puis voilà. Un vertige, un malaise sourd, et tout de suite on sent que ça ne passera pas comme ça. Tout devient difficile. Faire la queue chez le boulanger, attendre au guichet de la poste, échanger quelques phrases debout sur le trottoir. Des moments creux, sans enjeu apparent, mais qui deviennent des montagnes. On se sent vaciller, on croit mourir et c'est idiot… »

« En relevant la tête, il s'était senti vaciller : la salle n'était plus qu'un long couloir éblouissant, un élève l'interrogeait mais il ne pouvait percevoir ses paroles. Il avait tenté de respirer, de se reprendre, s'était lancé dans la lecture à voix haute de la nouvelle de Giono *L'Homme qui plantait des arbres*. Mais rien à faire. Au bout de quelques phrases, il s'était mis à haleter, et les élèves avaient commencé à se regarder d'un œil interrogateur. La jambe gauche de Sébastien tremblait. Il songea un instant aux six heures de cours qu'il devait assurer, et, et, blême, finit par s'excuser :

— "Je… Je crois que je vais devoir vous quitter. Je ne me sens pas trop bien…" »

« Parler debout de sujets qui ne l'intéressaient guère, c'était précisément le type de situation qui lui provoquait aussitôt un malaise. Il remplit difficilement son chèque ; sa signature ne fut qu'un gribouillis informe… »

« D'une façon ou d'une autre, les malaises qui le saisissaient étaient sinon causés du moins amplifiés par une angoisse, une crispation qui traduisaient son désir panique de rester en vie… »

« Il allait mieux. Des malaises le saisissaient encore dans les files d'attente, mais plus jamais pendant les heures de cours… »

➤ *Le trouble panique*

Lorsque les attaques de panique se répètent, elles vont prendre la forme d'une affection particulièrement invalidante, le trouble panique. En raison du caractère très pénible des attaques de panique, les personnes qui en souffrent redoutent par-dessus tout d'avoir d'autres crises, et craignent les conséquences de celles-ci : mort ou folie. Bon nombre d'entre elles sont persuadées de souffrir d'une maladie organique que les médecins seraient incapables de diagnostiquer, et multiplient les examens médicaux et les consultations auprès de spécialistes[232]. D'autres en viennent à modifier considérablement leur mode de vie, en renonçant à certaines activités (sorties, déplacements, professions…) qui pourraient les exposer à des crises de panique.

Dans le trouble panique, la fréquence et l'intensité des attaques de panique peuvent varier considérablement d'une personne à l'autre, et aussi d'une période à l'autre : tous les intermédiaires existent entre les attaques quotidiennes et intenses, survenant en général en début de trouble, et les attaques épisodiques et incomplètes, dans lesquelles le patient ressent juste les prodromes des crises, et arrive souvent à les empêcher de se développer en prenant la fuite. Ces différences s'expliquent souvent par les agencements de la vie quotidienne : chez les patients évitant beaucoup de situations, les attaques paraissent moins nombreuses, mais c'est au prix de renoncements multiples, ou de l'utilisation permanente de tranquillisants. Ces derniers rendent certes les crises moins intenses, mais entraînent une relative dépendance ; par ailleurs, les patients continuent de vivre dans la crainte du retour de la peur, sentant que cette dernière est seulement « endormie » par le traitement.

On considère aujourd'hui que le mécanisme central du trouble panique est représenté par la lecture catastrophisante des sensations corporelles : la personne perçoit certaines sensations physiologiques qui apparaîtraient banales à d'autres (une palpitation cardiaque isolée, un léger vertige, une gêne respiratoire ou un besoin de soupirer...) comme les prémices incontrôlables d'une attaque de panique, et donc l'annonce d'une catastrophe à venir. Cette interprétation de sensations corporelles fugaces et bénignes angoisse le sujet, et cette angoisse maintient et aggrave elle-même les premières sensations (qui auraient sinon spontanément disparu), ce qui augmente l'angoisse, etc. C'est ce que l'on appelle la « spirale panique ». En ce sens, le trouble panique représente une forme de phobie très intéressante, aussi appelée « intéroceptive », c'est-à-dire centrée sur les manifestations corporelles : il s'agit d'une véritable phobie de ses propres sensations physiques. La fréquence de cette maladie serait de 1 à 2 % dans la population générale.

Il faut noter que ce trouble est sans doute universel. On en retrouve par exemple une description assez exacte dans la psychiatrie japonaise, comme symptôme d'une pathologie nommée *Shinkeishitsu*, décrite au début du XXe siècle par le célèbre psychiatre japonais Morita : « Plus nous nous concentrons sur une sensation, plus elle devient intense, et plus notre attention se focalise sur elle... On est alors aussitôt dominé par la frayeur, conscient ou non de l'état psychologique qui a précédé et suivi le stimulus... En cas de crises répétées, le malade devient progressivement victime de la peur dans la vie quotidienne – son attention toujours focalisée sur elle –, la puissance et la fréquence des crises devenant croissantes[233]... »

Quoi qu'il en soit, le trouble panique, une fois installé, n'a guère tendance à reculer spontanément[234]. En l'absence de traitement, plus de 90 % des patients en souffrent toujours après un an d'évolution[235]. Pire, parmi ceux chez qui le trouble avait connu une rémission spontanée, 40 % vont rechuter. Et parmi ceux qui présentaient des manifestations mineures (trouble panique « incomplet »), 15 % développeront un trouble panique « complet ». Il faut donc être prudent avec la tentation de banaliser ces symptômes ou de penser que repos ou vacances permettront d'en venir à bout : c'est rarement le cas.

Dans son récit autobiographique *Voyage au bout de l'angoisse*, la journaliste Pascale Leroy[236] raconte avec humour et précision le trouble panique dont elle a souffert :

« Rien n'a changé, sauf que je suis maintenant habitée par la certitude que "ça" peut revenir et me terrasser à tout instant. La première fois, le malaise m'avait surprise ; dorénavant, je le guette, l'attends… »

« Et c'est revenu. Dans la rue, toujours. Avec toujours les mêmes sensations, les mêmes impressions. Je me sens "partir" comme si je perdais contact avec le monde. Une force d'une violence inouïe m'emporte ailleurs. L'énervement me gagne, je me crispe, me raidis, mon corps se tétanise, j'ai chaud et froid tout à la fois, je transpire et je tremble, je me sens vidée de toute mon énergie. Mon cœur bat à une cadence affolante… »

« Les Américains parlent d'attaque de panique. Ils ont raison : il s'agit bien d'une attaque en règle, et je suis seule face à un adversaire puissant et rapide qui ne me laisse aucun répit, aucune chance de m'en sortir… »

➤ *L'agoraphobie*

Assez logiquement, bon nombre de sujets paniqueurs évoluent vers des peurs de nature agoraphobique. De nombreux facteurs vont intervenir pour faciliter ou limiter ce type d'évolution, qui va tout de même concerner, selon les études, de 20 à 60 % des personnes souffrant d'un trouble panique[237].

On définit aujourd'hui l'agoraphobie par la phobie de se retrouver dans des endroits où la survenue d'une attaque de panique serait problématique : soit parce qu'il y serait difficile ou socialement gênant de s'échapper (comme être assis au milieu d'une rangée de cinéma, ou assis à une table en présence de nombreux invités), soit parce qu'on pourrait ne pas être secouru si le malaise redouté s'avérait grave (être dans des endroits éloignés ou isolés).

L'agoraphobie n'est donc pas seulement la peur des grands espaces découverts ou celle des lieux publics, comme on le pense parfois. Les peurs de la personne agoraphobe sont bien plus insidieuses et nombreuses que cela : être seul chez soi, être dans une file d'attente, se retrouver dans un avion qui ne décolle pas ou une rame de métro coincée entre deux stations…

Certaines personnes agoraphobes, à force d'évitements, en arrivent à ne plus ressentir d'attaques de panique : leur trouble panique n'est alors plus au premier plan, mais il ne s'agit bien sûr que d'une rémission trompeuse. Le coût de ce soulagement est très lourd : le renoncement à une foule de démarches quotidiennes, comme faire des courses, accepter des invitations, partir en promenade, et globalement, toute forme d'activité spontanée… Et si la personne se risque à affronter ces situations, les attaques de panique réapparaissent aussitôt : elle n'insiste alors pas.

On considère en fait que tout trouble panique est associé à une forme plus ou moins évidente d'agoraphobie. Tantôt manifeste : la personne évite les situations. Tantôt subtile : elle les affronte, mais sous conditions. Par exemple, elle ne conduit qu'avec la radio allumée, pour occuper ses pensées et ne pas laisser son attention se focaliser sur un éventuel début de malaise ; elle ne va faire ses courses qu'aux heures creuses, pour éviter les files d'attente ; elle ne sort qu'accompagnée ou qu'avec un portable, en cas de malaise foudroyant dans la rue.

Une fois apparue, l'agoraphobie est une manifestation qui devient vite chronique : nous voyons souvent des patients vivant avec ce handicap depuis des dizaines d'années. Je me souviens d'avoir reçu un jour, accompagnée par sa fille, une sympathique patiente d'une cinquantaine d'années, qui n'était plus sortie seule de chez elle depuis trente ans. L'agoraphobie est parfois

– mais pas toujours – associée à des traits de personnalité dépendante, marqués par le besoin d'être pris en charge par autrui, conseillé dans les décisions importantes, déchargé de ses responsabilités, etc. Ces traits de personnalité préexistent-ils à l'agoraphobie ou en sont-ils la conséquence ? On ne le sait pas encore clairement.

Il faut aussi savoir que nombre de sujets paniqueurs n'évoluent pas vers l'agoraphobie : il peut s'agir de ceux dont la personnalité est relativement autonome et forte, ou encore de ceux chez qui les attaques de panique ne sont pas trop violentes dès le départ. Ces personnes ne souffrent alors « que » de peurs paniques, qui altèrent cependant clairement leur qualité de vie. Car même de telles manifestations dites « sous le seuil » par les psychiatres, c'est-à-dire juste avant la phobie sévère, vont nettement gâcher la vie des patients[238].

De nombreux personnages célèbres ont vraisemblablement été atteints d'agoraphobie et de trouble panique, parmi lesquels Charles Darwin. Le père de la théorie de l'évolution des espèces paraît avoir souffert, à partir de sa vingt-huitième année, de crises d'angoisse, de palpitations, de vertiges, l'ayant conduit à une existence très sédentaire, après qu'il eut parcouru le globe, de l'Amérique du Sud aux Galapagos, pour y étudier les conditions de vie de nombreuses espèces animales et végétales. Sans les contraintes liées à son handicap, Darwin aurait-il rédigé son célèbre et controversé traité *De l'origine des espèces* ?

Une peur très handicapante

Le handicap entraîné par le trouble panique est considérable, surtout si une agoraphobie importante le complique. On retrouve d'ailleurs chez les personnes qui en souffrent une fréquence très élevée de pathologies psychiques associées comme la dépression, l'alcoolisme, les tentatives de suicide[239]. Le handicap social est lui aussi majeur : beaucoup d'entre elles ne peuvent plus continuer à travailler ou à mener une vie sociale dans des conditions normales[240].

Trop souvent encore, ces personnes ne sont pas diagnostiquées et traitées correctement. Elles peuvent recevoir pendant des années du calcium, du magnésium, des psychothérapies inadaptées à leur demande. Les paniqueurs, comme beaucoup de personnes inquiètes pour leur santé, se sentent souvent mal compris du corps médical, qui les perçoit au mieux comme des « anxieux hypocondriaques », et au pire comme des « casse-pieds cénestopathes » (étymologiquement, malades de leurs sensations). On a montré que les paniqueurs « consommaient » des soins et des examens médicaux en grande quantité et en pure perte[241]. En effet, le premier réflexe d'une personne qui vient d'avoir des attaques de panique, c'est de consulter plutôt des médecins somaticiens (du grec *soma* : corps), c'est-à-dire s'occupant surtout de la dimension physique des maladies.

Le cursus habituel est en général le suivant : après la première attaque de panique, on atterrit aux urgences médicales de l'hôpital le plus proche. Là, après bilan, l'urgentiste vous parle de vos nerfs et vous renvoie à votre généraliste, qui tente de vous rassurer, mais vous ne l'écoutez pas, car « bien que ce soit un bon généraliste, il n'est pas vraiment spécialisé là-dedans ». De plus, tant qu'on n'aura pas posé un nom et des explications satisfaisantes sur vos symptômes, l'inquiétude continuera. Les crises suivantes vous préoccupent de plus en plus, et vous commencez la ronde des spécialistes, en fonction des symptômes que vous ressentez : cardiologues pour les palpitations ou les troubles du rythme, neurologues pour les vertiges, pneumologues ou ORL pour les sensations d'étouffement, etc. Et à moins que l'un des médecins consultés ne diagnostique le trouble panique, ce qui fort heureusement est de plus en plus souvent le cas, vous tournerez longtemps avec vos angoisses dans ce circuit. Le recours systématique aux consultations des services d'urgences hospitalières est d'ailleurs un facteur de mauvais pronostic pour l'évolution du trouble panique[242]. Il témoigne de la difficulté à reconnaître les symptômes comme d'origine psychologique, ou du moins, nous le verrons, psychosomatique. Car le trouble panique, ce n'est pas que dans la tête...

La dynamique du trouble panique

➤ *La spirale panique*

Un modèle explicatif très intéressant du trouble panique est fourni par les théories cognitives[243].

Celles-ci expliquent que la personne paniqueuse ressent de temps en temps, comme tout le monde, de petites sensations physiques qui rompent avec le fonctionnement silencieux habituel de son organisme : modification du rythme cardiaque ou respiratoire, tête qui tourne... Mais elle va percevoir ces phénomènes comme anormaux. Cela déclenche alors une réaction de peur, qui amplifie aussitôt ces sensations physiques et en provoque d'autres, ce qui augmente encore la peur, etc. C'est ainsi que s'enclenche ce que l'on appelle la « spirale panique ».

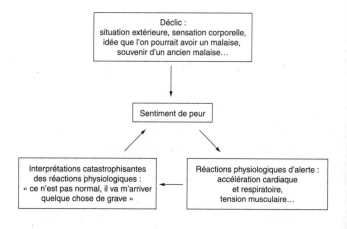

Une fois que la spirale panique a démarré et s'est lancée, il est bien évidemment difficile de l'arrêter. Nous apprenons en thérapie cognitive à la bloquer dès le début, pour l'empêcher de s'autorenforcer à chacune de ses boucles. Peu à peu, nos patients arrivent à limiter l'ampleur de la peur, n'éprouvent plus que des « débuts de panique », dont ils contrôlent l'intensité. Et progressivement, ainsi mise au régime, la peur revient dans les limites de la normale.

➤ *Une phobie double*

Ce qui rend si invalidant le trouble panique avec agoraphobie, que nous appellerons désormais TPA pour plus de facilité, c'est qu'il est en fait une phobie double : à la fois interne et externe, une phobie qui concerne aussi bien ses propres sensations corporelles que des situations extérieures.

La phobie des sensations corporelles

Dans le TPA, les premières peurs sont celles qui proviennent de la personne elle-même, et plus précisément de l'intérieur d'elle-même. On redoute alors ses propres sensations corporelles, du moins celles qui nous semblent annoncer un malaise, comme en témoignent ces phrases de mes patients :

« Lorsque je commence à sentir mes battements de cœur, je n'aime pas ça, c'est mauvais signe, c'est qu'il se passe quelque chose à l'intérieur de mon corps. »

« Une nuit je me suis réveillée avec l'impression que je m'asphyxiais, c'était affreux. Depuis, je vis avec la crainte que ça ne revienne. J'ai souvent l'impression de manquer d'air. »

« Si je reste trop longtemps debout, j'ai des vertiges qui arrivent et je dois m'asseoir, ou m'appuyer à quelque chose, un mur, un rebord de comptoir, ou m'accrocher à quelqu'un. »

« Il y a des fois où j'ai l'impression de ne plus être moi-même, d'être sortie de mon corps, et de voir les autres comme des espèces de fantômes, des tas de chair avec lesquels il n'est pas possible de vraiment communiquer, tout devient bizarre, je ne sais plus si j'existe vraiment. J'ai peur que cet état ne passe pas, je me demande si je ne suis pas en train de devenir folle. »

Face à cette peur des sensations physiques, les personnes paniqueuses vont souvent recourir à de mauvaises solutions. Elles procèdent presque toujours à des évitements : pour ne plus risquer de mourir asphyxiées pendant la nuit, certaines ne dorment plus couchées dans leur lit mais assises dans un fauteuil ; ou n'acceptent jamais de dormir seules, réclamant toujours quelqu'un dans leur lit. Je me souviens d'une jeune femme qui acceptait ainsi parfois de passer la nuit avec des garçons pour qui elle n'éprouvait pas grand-chose, juste pour échapper à la solitude nocturne, les soirs où aucune de ses copines n'était disponible pour l'héberger. Pour ne plus sentir leur cœur s'accélérer, d'autres renoncent à faire du sport, à marcher vite, à grimper rapidement des escaliers. Pour éviter les vertiges liés à la station debout, nombreux sont celles et ceux qui ne font leurs courses et leurs démarches qu'aux heures creuses, pour éviter les files d'attente. Apprendre à se confronter à ces sensations, à ne plus en avoir peur, va donc représenter une étape fondamentale et indispensable du traitement du TPA.

Souvent aussi, pour éviter de penser à leur corps ou à leurs peurs, ces personnes tentent d'occuper constamment leur esprit : elles ne peuvent conduire qu'avec la radio allumée ; chez elles, la télévision marche en permanence pour faire un bruit de fond ; lors d'un voyage en avion, il faut absolument qu'elles puissent lire ou parler avec leur voisin. C'est pourquoi il m'arrive, lors des consultations, de leur proposer par moments de ne plus parler : nous restons alors en silence, face à face, ce qui représente pour beaucoup un exercice très inconfortable. Et très utile !

Les sensations physiques présentes chez 8 137 patients souffrant de trouble panique et ayant consulté en psychiatrie ambulatoire[244]

Palpitations, battements de cœur ou accélération du rythme cardiaque	90 %
Sensation de souffle coupé ou impression d'étouffement	81 %
Sensation de vertiges, d'instabilité, de tête vide ou impression d'évanouissement	70 %
Transpiration	69 %
Frissons ou bouffées de chaleur	64 %
Douleurs ou gêne thoracique	62 %
Peur de mourir	60 %
Tremblements ou secousses musculaires	58 %
Peur de perdre le contrôle de soi ou de devenir fou	56 %
Paresthésies (sensations de picotements, de décharges électriques)	51 %
Sensation d'étranglement	51 %
Nausées ou gêne abdominale	40 %
Déréalisation ou dépersonnalisation	33 %

La phobie des situations

La seconde famille de peurs, après celle qui concerne les peurs des sensations physiques, est celle des situations redoutées. Dans le TPA, elles sont innombrables : ce sont en fait toutes les situations qui pourraient faciliter la survenue d'un malaise (être enfermé dans un espace clos si j'ai peur d'étouffer), ou empêcher d'être secouru s'il survenait (faire une randonnée en haute montagne). Les patients tendent à les éviter ou ne se risquent à les affronter que sous conditions... Voici le témoignage de Gaëlle, à propos de ces précautions et évitements multiples : « Je ne prends pas les ascenseurs. Trop peur d'avoir une crise de panique s'ils se bloquent. Mais je fais des efforts, alors il y en a que je peux me forcer à prendre : ceux qui sont en verre, ça me rassure de voir à l'extérieur ; car je n'ai pas peur du vide ! Je peux aussi monter dans ceux qui sont dans des endroits très fréquentés, et en plein jour : je me dis que s'ils tombent en panne, on s'en apercevra vite. Possibles aussi : ceux qui sont apparemment en bon état de marche. Je préfère qu'il y ait une ou deux personnes avec moi, pour me secourir et alerter les secours si j'ai un malaise. Par contre, je ne monte pas si l'ascenseur est bondé : en cas de panne, l'oxygène va manquer très vite. Et j'ai les mêmes calculs pour les transports en commun, les courses dans les magasins, etc. Vous voyez comme ma vie est simple… »

Principales peurs rapportées par des patients agoraphobes[245]

Type de peur	Pourcentage de patients agoraphobes présentant cette peur
Conduite automobile	54 %
Grands magasins	43 %
Solitude	37 %
Foule	34 %
S'éloigner de son domicile	34 %
Restaurants	34 %
Ascenseurs	29 %
Enfermement	23 %
Ponts, tunnels	20 %
Transports en commun	17 %
Avion	14 %
Espaces découverts	6 %

Science et attaques de panique

Le TPA a été chez les psychiatres la maladie star des années 1990. De nombreux travaux scientifiques ont alors été menés, qui ont permis d'en découvrir les arcanes. Un des protocoles classiques d'études était de tester ce qui pouvait déclencher des attaques de panique chez des patients, bien sûr volontaires, souffrant de TPA. Différentes substances chimiques se sont avérées capables d'induire des paniques expérimentales, ce qui a permis entre autres de mieux comprendre quels étaient les neuromédiateurs impliqués[246]. Mais on sait aussi qu'il est possible de déclencher des paniques uniquement par l'évocation verbale de symptômes physiques, sans même qu'il soit nécessaire de les faire ressentir[247]. Toujours la force de l'imagination...

➤ *Une vigilance corporelle excessive*

Plusieurs travaux ont confirmé la tendance des paniqueurs à surveiller inconsciemment leurs sensations corporelles, notamment cardiaques[248]. Une petite proportion d'entre eux développent même une capacité à évaluer avec beaucoup de précision la rapidité de leur rythme cardiaque[249]. Mais cette vigilance et cette attention excessive portées à la vie de leurs organes est préjudiciable à leur bien-être. Ne définit-on pas la santé comme « la vie dans le silence des organes » ? Jules Renard précisait même : « La meilleure santé, c'est de ne pas sentir sa santé. » Mais les paniqueurs adhèrent plus volontiers à cette phrase du célèbre docteur Knock, le charlatan décrit par Jules Romains : « La santé est un état précaire qui ne présage rien de bon... »

D'ailleurs, la parenté entre TPA et hypocondrie (peur obsédante de la maladie) est frappante, avec exactement les mêmes tendances à « trop s'écouter » et à imaginer le pire à partir de détails anodins. Mais l'hypocondriaque est souvent persuadé d'être *déjà* malade, et redoute en général des diagnostics associés à une mort lente (cancer, sida, leucémie…) alors que le paniqueur craint davantage les maladies pouvant entraîner des morts subites (infarctus du myocarde, rupture d'anévrisme cérébral, œdème aigu des voies respiratoires…).

Les personnes paniqueuses sont dans un perpétuel mouvement d'approche et d'évitement quant à l'auto-observation : elles n'aiment guère se focaliser sur leurs sensations physiques, car cela fait monter en elles un malaise. Mais elles n'aiment pas non plus ne pas y prêter du tout attention, car elles auraient l'impression de risquer alors de ne pas « voir venir un truc grave ». Elles sont donc en permanence au milieu du gué : surveillant leur corps, d'où inconfort et inquiétude, mais n'allant jamais au bout de leurs craintes, d'où chronicisation de ces dernières.

Cela veut dire quoi, aller au bout ? Nous le verrons, cela veut dire amplifier les symptômes physiques redoutés et voir ce qui se passe alors. Une de mes patientes avait parfaitement résumé l'idée de ce genre d'exercices : « Les scénarios catastrophe, il vaut mieux y aller à fond de temps en temps qu'y être tout le temps embourbée… » Le penchant à l'auto-observation angoissée et incomplète sera donc l'une des principales cibles du traitement psychologique de ces peurs.

➤ Chimie et phobie : des molécules de la peur ?

On sait depuis maintenant plusieurs années qu'il est possible de déclencher chez les personnes prédisposées une attaque de panique en utilisant des agents chimiques. Par exemple, des perfusions de lactate de sodium induisent des attaques de panique chez 25 à 100 % des patients paniqueurs, selon les protocoles des études, et seulement 0 à 30 % de volontaires non paniqueurs.

Il existe probablement chez ces personnes une vulnérabilité à certaines modifications des équilibres chimiques de l'organisme, qui vont alors déclencher de fausses alarmes, c'est-à-dire enclencher une violente réaction biologique de peur en l'absence de danger réel. Ces alarmes s'éteignent d'autant plus facilement qu'on ne cède pas à la panique. Mais elles s'enracinent d'autant plus durablement qu'on s'affole face à elles.

Petit rappel aux paniqueurs : le café peut aussi jouer ce rôle de facilitateur d'attaques de panique, n'en abusez donc pas. Ou sinon, soyez avertis qu'il y aura un petit exercice de gestion des peurs à accomplir ensuite...

➤ *Hyperventilation et hypersensibilité au gaz carbonique*

Certaines personnes souffrant de trouble panique présentent une tendance à l'hyperventilation, c'est-à-dire que leur rythme respiratoire est fréquemment trop rapide et trop ample. Pourquoi cela ?

Cela pourrait être la conséquence d'un dérèglement des mécanismes régulateurs du système respiratoire.

On a montré qu'il était possible de déclencher des attaques de panique en faisant inhaler aux sujets vulnérables un gaz comme le dioxyde de carbone, ou CO_2. Les perfusions de lactate, dont nous venons de parler précédemment, augmentent effectivement les taux sanguins de CO_2, d'où leur effet panicogène. L'hypothèse de nombreux chercheurs est que nous avons tous dans notre système nerveux central des récepteurs destinés à dépister le manque d'oxygène dans l'air ambiant, comme une sorte d'alarme antiasphyxie. Mais comme toujours dans les peurs excessives, ces récepteurs seraient réglés de manière trop sensible chez les sujets paniqueurs. Il semble que ces patients souffrent d'une sensibilité accrue à détecter le gaz carbonique (CO_2) dans l'air qu'ils respirent, et que cela puisse parfois aller chez eux jusqu'à une crise de panique[250] lorsque l'ambiance est saturée en CO_2, comme dans les endroits mal ventilés où il y a beaucoup de monde (il faut bien que chacun respire...). Et que cela puisse expliquer notamment leur tendance à l'hyperventilation chronique, celle-ci ayant pour but de diminuer les taux de ce gaz dans le sang, au bénéfice de l'oxygène.

Les sensations d'étouffement et de manque d'air que certains paniqueurs ressentent si souvent sont donc dues à cette hypersensibilité plus qu'à un réel manque d'air respirable. Rappelons que le gaz carbonique est présent en grande quantité dans l'air que nous rejetons après en avoir extrait l'oxygène : dans les espaces clos où il y a beaucoup de monde, il y a donc une concentration accrue de ce gaz. Pas de quoi s'asphyxier, il reste encore suffisamment d'oxygène pour tout le monde et pour longtemps. Mais les paniqueurs détectent – inconsciemment – avant tout le monde cette augmentation de CO_2, et commencent à se sentir nerveux… Rassurons tout de suite nos lecteurs paniqueurs : il ne s'agit pas d'une propension à l'asphyxie ! Et ils ne sont pas les seuls à surestimer leurs besoins en oxygène dans un espace clos, même les sujets non paniqueurs font cette erreur ; mais sans aller jusqu'à la terreur[251].

Cette hypersensibilité semble d'ailleurs être un marqueur familial de risque pour le TPA, puisqu'elle est retrouvée à une fréquence élevée chez des proches de personnes victimes de ce trouble[252]. Ces proches ne présentent pas forcément de peurs atteignant un niveau phobique, mais elles n'en sont pas loin, et certaines circonstances où ils vont avoir l'impression de « manquer d'air » peuvent les plonger dans un début de panique. Cette fragilité existe précocement chez certains enfants, et on pourrait la dépister au travers d'irrégularités de leur rythme respiratoire, présentes même en dehors des périodes où ils se sentent anxieux[253]. En effet, une traduction clinique de cette sensibilité est bien connue par les proches des sujets paniqueurs : ils ressentent très souvent le besoin d'inspirer fortement ou de soupirer[254], ils ont un rythme respiratoire plutôt instable et irrégulier[255].

➤ *Des problèmes avec sa manière de respirer*

Tout ce que nous venons de voir explique pourquoi la respiration est une des cibles du traitement des patients souffrant de TPA. Le paradoxe est que cette tendance à l'hyperventilation

– c'est-à-dire à respirer trop amplement et/ou trop fortement – lorsqu'ils se sentent anxieux, et même chez certains de façon chronique, est sans doute un moyen de prévenir la baisse de CO_2, mais qu'elle va provoquer beaucoup d'effets désagréables, et reproduire en fait des signes physiques semblables à ceux éprouvés dans la peur. Vous pouvez vous livrer à l'expérience en gonflant à la bouche et sans prendre de pause une piscine pour enfants ou un gros ballon : au bout d'un moment, vous allez sentir votre tête tourner, et tout un tas d'autres petits signes désagréables, comme un flou visuel ou des taches devant les yeux, des picotements dans les lèvres ou la langue, le cœur qui s'accélère...

C'est pourquoi le travail sur la respiration et l'apprentissage de méthodes dites de « contrôle respiratoire » sont d'un grand intérêt pour les personnes paniqueuses sujettes à ce type d'hyperventilation chronique.

➤ *Le rapport entre le TPA et des anomalies en matière de santé*

À un moment, de nombreux travaux de recherche ont été conduits pour tenter de retrouver des anomalies physiques pouvant expliquer les attaques de panique. On avait par exemple retrouvé une association anormalement fréquente entre les attaques de panique et une anomalie d'une valve du muscle cardiaque, le prolapsus de la valve mitrale. Mais outre que de telles anomalies sont bien loin d'être toujours associées à des attaques de panique[256], ces recherches ne doivent pas être comprises comme des tentatives de totalement médicaliser le trouble pour en évacuer la dimension psychologique.

Par contre, il est important d'en tenir compte, car cela signifie qu'il existe sans doute une base de sensations physiques anormales ou gênantes qui peuvent alimenter les peurs de la personne. Il est rare que ces dernières « partent de rien ». Par exemple, on a montré qu'il existait très souvent chez les sujets paniqueurs, surtout les agoraphobes, de petites anomalies au niveau de l'oreille interne, responsable notamment de l'équilibre[257]. Ces anomalies expliquent sans doute la facilité avec laquelle bon nombre de ces personnes peuvent ressentir des sensations vertigineuses en levant brusquement la tête pour regarder en l'air. Ou bien être gênées lorsqu'elles doivent modifier leur accommodation visuelle, par exemple en regardant un objet au loin après avoir fixé un objet de près, et ainsi de suite plusieurs fois d'affilée. Et la gestion de ces petits troubles devra être intégrée dans la thérapie, dont un des objectifs devra être d'apprendre à « faire avec » : une anomalie n'est pas une maladie.

Il est important que les personnes qui ressentent souvent des débuts de panique apprennent à faire confiance à leur corps, et à ne plus redouter un certain nombre de petites oscillations physiologiques. Celles-ci ne sont rien d'autre que l'expression de la vie, qui est un mécanisme biologique sujet à des irrégularités ou des dysfonctionnements qui ne sont pas dangereux.

Pour terminer sur une note positive avec ces liens corps-esprit, signalons enfin que l'amélioration du TPA va entraîner également une amélioration de l'état de santé physique perçue, autrement dit le sentiment de se sentir bien dans son corps[258].

Faire face à une crise d'angoisse ou à un malaise

« C'était lors d'un voyage en Birmanie. Deux jours après notre arrivée, je venais de prendre mon petit déjeuner, j'étais dans l'ascenseur de l'hôtel, quand tout à coup, il s'est arrêté, bloqué entre deux étages. Les lumières se sont éteintes. Personne ne s'est affolé parmi les autres clients, j'avais mon mari à côté de moi, et pourtant… J'ai senti monter en moi une vague de panique totalement incontrôlable. Je m'accrochais à la main de mon mari, comme si je cherchais à lui broyer les os. Je n'avais jamais eu de peur semblable auparavant. J'ai pourtant fait de la montagne, du parapente, du rafting, de la moto. Je ne suis pas précisément une froussarde. Mais là, j'ai vu ma dernière heure arriver. J'ai compris ce que voulait dire le mot "panique". Heureusement, la panne n'a duré que quelques minutes. Mais ces minutes dans le noir sont les pires de mon existence. Je sentais les ondes de terreur me déferler dessus, je souffrais comme si des couteaux fouillaient dans ma chair. Tous mes efforts consistaient à me retenir de hurler. Je ne sais pas pourquoi. Je ne voulais pas avoir l'air ridicule, bien sûr, mais il y avait autre chose : je sentais, à tort ou à raison, que si je commençais à crier, je ne pourrais plus m'arrêter, et que j'allais devenir complètement hystérique et incontrôlable. À un moment, les lumières se sont rallumées, l'ascenseur est reparti. J'étais KO debout, sonnée comme un boxeur roué de coups, ou plutôt comme quelqu'un qu'on vient d'arracher à la mort et qui reste figé, hébété, encore pétrifié, dans le sillage de la terreur... Je n'ai pas pu reprendre l'ascenseur, aucun ascenseur durant tout le séjour. Et aujourd'hui encore, six mois après, je sens que je suis encore marquée par ce qui s'est passé chaque fois que je dois en reprendre un. »

Sylvaine est venue me consulter à la suite de cette attaque de panique unique. Elle voulait prendre un avis, comprendre pourquoi elle avait eu cette crise, et surtout savoir que faire si cela recommençait. De telles attaques de panique sont fréquentes. Dans le cas de Sylvaine, déjà dotée d'un tempérament anxieux, la bouffée de peur avait été facilitée par la fatigue liée au long voyage et au décalage horaire ; par une consommation de café excessive sur les dernières quarante-huit heures, pour lutter justement contre cette fatigue ; par le léger sentiment d'insécurité de se trouver dans un pays très exotique et très peu touristique. J'avais aussi reçu un jour de la sorte un pilote de ligne, venu me raconter comment un début d'angoisse l'avait saisi alors qu'il pilotait son Airbus rempli de passagers. Il avait pu confier les commandes à son copilote, et arriver à se calmer. Mais il était sorti très secoué de l'expérience, dont il n'avait rien dit à quiconque. Précision pour mes lecteurs qui ont peur en avion : ce pilote va aujourd'hui parfaitement bien !

➤ Que faire en cas de crise d'angoisse aiguë ?

De nombreuses personnes, nous l'avons dit, ressentiront un jour une attaque de panique. Et la plupart d'entre elles ne viendront pas nous consulter. Elles auront d'elles-mêmes appliqué les conseils ci-dessous…

Dans tous les cas, face à l'apparition des premiers signes de peur, il est important de se rappeler que ce n'est « que » de la peur afin d'empêcher dès le début la spirale panique de prendre son essor. Pour cela, il faut avoir lu et intégré les informations scientifiques sur la naissance, la croissance et la diminution d'un cycle de peur, comme nous l'avons décrit dans le chapitre 4. L'objectif premier est de d'abord ne pas aggraver la panique par son propre affolement. *Primum non nocere : d'abord ne pas nuire*, comme l'écrivait Hippocrate.

Il est recommandé de respirer calmement, si besoin dans ses mains ou dans un sac : cette manœuvre limite la tendance naturelle à l'hyperventilation en situation de peur. Ce réflexe d'hyperventilation, destiné à oxygéner un organisme qui doit agir par le combat ou la fuite, est logique. Mais nous avons vu qu'il facilitait la survenue de symptômes eux-mêmes angoissants, et pouvait enclencher la spirale panique. Une de mes patientes, qui avait été secourue par les pompiers lors d'un début de panique dans un magasin, avait vu ses angoisses littéralement flamber lorsque ces derniers lui avaient appliqué un masque à oxygène sur le visage : elle avait alors ressenti les effets d'une hyperventilation de première classe !

Recommandé encore : rester dans la situation, si cela est possible, ou y revenir très vite, pour ne pas « cautionner » aux yeux de notre cerveau émotionnel un danger qui n'existe pas. Dans le cas de Sylvaine, cela aurait consisté à reprendre l'ascenseur le jour même. Pour notre pilote de ligne, la question ne s'est pas posée : il devait continuer de rester aux commandes.

Recommandé enfin : repenser ensuite à ce qui s'est passé, calmement et dans le détail, pour attribuer à la peur ce qui lui revient, c'est-à-dire l'essentiel du malaise. Si l'on ne fait pas ce travail, la fausse alerte sera inconsciemment considérée comme une vraie. Et la peur redémarrera de plus belle la fois suivante.

En cas de doute, il vaut mieux consulter tout de même un médecin. Nous avons une certaine habitude et un peu d'intuition pour faire la différence entre vraie ou fausse alarme. Je me souviens d'un voyage en TGV où j'ai entendu appeler un médecin au micro par le contrôleur. Il s'agissait d'un monsieur d'une soixantaine d'années, fumeur, qui faisait un malaise. Lorsqu'il me vit arriver, il s'empressa de me délivrer son diagnostic : « Je suis un peu fatigué et stressé ces derniers temps. » Mais, tout psychiatre que je suis, je lui trouvai tout de même une sale tête pour quelqu'un de simplement anxieux. Et je demandai à ce qu'on arrête le train dans la prochaine gare, après avoir fait prévenir une ambulance. J'ai senti que je le contrariais un peu, mais dans le doute, je préférais avoir fait un « faux positif », c'est-à-dire diagnostiqué une maladie de mon imaginaire, plutôt qu'un « faux négatif », c'est-à-dire être passé à côté d'un problème grave. Une heure après le redémarrage du TGV, le contrôleur vint me trouver pour m'annoncer que le passager avait en fait eu un infarctus. Je n'ose pas dire que cela me soulagea, mais...

Comment soigner paniques
et peurs agoraphobiques

➤ *Les médicaments*

Les benzodiazépines soulagent les paniques, en les anesthésiant transitoirement. Mais elles n'évitent pas les retours de peur. Elles ont aussi tendance à devenir ce qu'on appelle un « objet contraphobique » chez beaucoup de patients : ces derniers, même s'ils ne les consomment pas, ne veulent plus s'en séparer, en les gardant toujours à portée « au cas où », dans la poche, dans le sac à main, dans la boîte à gants. Beaucoup décrivent comment ils se sont déclenché des débuts de panique en s'apercevant qu'ils avaient oublié leurs comprimés ; alors que l'instant d'avant, tout allait bien...

Les antidépresseurs sérotoninergiques, dont nous avons décrit l'action, donnent d'excellents résultats sur les attaques de panique, qu'ils arrivent presque toujours à diminuer nettement ou à supprimer totalement[259]. À condition que les patients les supportent : en effet, leur hypersensibilité intéroceptive, c'est-à-dire l'excès d'attention portée à leurs propres sensations physiques, fait qu'ils vont ressentir à peu près tous les effets secondaires possibles. Il y a aussi un risque de rechute à l'arrêt du traitement, surtout si aucune psychothérapie n'a été conduite pendant la période de prise médicamenteuse. Cette dernière doit durer au minimum une année.

➤ La psychothérapie comportementale et cognitive

Cette nouvelle approche psychothérapique a radicalement changé la vie de nombreuses personnes souffrant d'attaques de panique et d'agoraphobie. Elle repose sur toute une série de techniques, qui, associées les unes aux autres, donnent des résultats validés par de nombreuses études scientifiques[260].

Accepter la dimension psychologique du trouble panique

Cette étape préalable est importante. Mieux la personne aura compris les mécanismes de son trouble, plus elle s'engagera facilement dans des techniques d'exposition qui vont être sacrément angoissantes pour elle : les peurs alors ressenties sont de vraies peurs, physiquement comparables à ce que pourrait ressentir un non-paniqueur que l'on introduirait dans la cage de trois tigres, en lui assurant qu'il ne risque absolument rien, car les tigres viennent de prendre leur petit déjeuner...

Apprendre des techniques
de contrôle respiratoire et de relaxation

Après avoir expliqué comment l'hyperventilation peut aggraver les sensations de peur et d'angoisse, le thérapeute va apprendre à son patient à adopter un rythme respiratoire régulier, en général sur la base de six cycles inspiration-expiration par minute. On inspire lentement pendant cinq secondes, en comptant mentalement « un-deux-trois-quatre-cinq », puis on expire lentement pendant les cinq secondes suivantes. On peut aussi proposer de faire entre chaque inspiration et expiration, et inversement, une pause brève d'une seconde. Nous détaillons ces techniques en annexe.

Les méthodes de relaxation, également décrites en annexe, peuvent apporter une aide, mais ne seront pas suffisantes à elles seules. Leur but est d'apprendre à limiter la montée de l'angoisse et non d'en empêcher l'apparition.

Casser la spirale panique

Le travail sur l'enchaînement des pensées angoissantes s'effectue avec l'aide de techniques cognitives : discussions avec le thérapeute sur la pertinence des pensées automatiques et interprétations anxieuses (les cognitions), remise à plat des croyances inquiétantes... Mais pour utiles et nécessaires qu'elles soient, ces discussions ne représentent qu'un temps préliminaire, et doivent toujours être suivies par des confrontations. En effet, le seul travail sur les cognitions « froides » (sans activation émotionnelle) n'est pas efficace, et ne le deviendra que s'il est aussi effectué sur des cognitions « chaudes », lorsque les émotions de peurs excessives sont en train de « pousser » derrière...

**Modification des convictions inquiétantes chez une patiente
paniqueuse agoraphobe**

Convictions avant la thérapie	Convictions après la thérapie
Si j'ai un début de sensations vertigineuses, je vais sûrement perdre connaissance.	Je ressens souvent de petits vertiges ; je n'aime pas ça, mais ce n'est pas grave. C'est en général lorsque je suis fatiguée ou stressée.
Tous ces débuts de malaise sont la preuve que j'ai une maladie grave, je vais finir par en mourir.	J'ai ces manifestations depuis plusieurs années, et tous mes examens sont normaux : c'est gênant, mais il est clair que je n'en mourrai pas.
Quand ça commence, je ne peux rien faire, à part fuir ou me gaver de tranquillisants.	Si je reste dans la situation, que je respire calmement, ça finit par passer. Si je ne recule pas devant mon angoisse, c'est toujours elle qui finit par reculer.

Se débarrasser du traumatisme : l'exposition en imagination au souvenir des pires crises

Chez beaucoup de patients, les souvenirs des crises de panique sont soigneusement évités. Mais cet évitement, comme toujours, maintient intacte leur puissance « apeurante ». Or, comme ces souvenirs vont automatiquement se réveiller à chaque nouvelle vague de peur, il est capital qu'ils aient été « nettoyés », afin qu'ils ne soient clairement que des souvenirs pour notre cerveau émotionnel, et non pas une actualité. Ce qui est, sinon, le cas des souvenirs traumatiques, quelle qu'en soit l'origine : l'émotion de peur a alors été incarcérée encore « vivante », avec le souvenir, et se réveillera à chaque évocation dudit souvenir…

Pour faire se confronter ainsi les patients, on leur demande de raconter précisément, avec beaucoup de détails sensoriels, ces crises initiales, qui ont été en général les plus intenses et les plus traumatisantes. On les invite ensuite à les écrire et à les relire régulièrement, jusqu'à ce qu'ils sentent que ce ne sont plus que des mauvais souvenirs, et non pas de l'actualité émotionnelle. C'est ce que j'avais fait avec Sophie, dont je vous ai livré le récit en début de chapitre. Il arrive même que l'on fasse enregistrer le récit sur un support audio, afin que la personne puisse l'écouter en boucle chaque jour, pour user régulièrement la réaction de peur.

Provoquer soi-même ses symptômes physiques : l'exposition aux sensations redoutées

Il s'agit sûrement d'une des façons de soigner qui étonnent le plus les personnes non averties de ce que sont les techniques comportementales : que cherche donc à provoquer ce thérapeute qui demande à ses patients de souffler dans une paille, ou qui les fait tourner à toute allure sur un fauteuil pivotant ?

Il cherche à déclencher chez ses patients des sensations physiques qu'ils redoutent, dont ils ont très peur, et qui les font paniquer ! Voici les exercices que nous pratiquons le plus souvent, en fonction des sensations redoutées[261] :

• Maintenir nos patients en station debout prolongée (20 à 40 minutes). Ils pensent en général qu'ils ne tiendront pas plus de 3 minutes sans avoir de malaise.

• Les faire tourner sur eux-mêmes (1 à 2 minutes) à l'aide d'un fauteuil pivotant, ou sur un pied, comme des derviches tourneurs. But recherché : ne plus craindre jusqu'à la panique les sensations de vertige que cela déclenche (chez tout le monde, même le thérapeute, je peux vous l'assurer…).

• Leur faire tourner rapidement la tête de droite à gauche (1 à 2 minutes) dans le même objectif.

• Les faire hyperventiler (1 à 2 minutes) en leur demandant de respirer très fort et assez vite. Posez ce livre et essayez donc un instant…

• Les faire respirer dans un tuyau ou une paille, le nez bouché (1 à 2 minutes), pour déclencher les sensations de manque d'air qu'ils redoutent.

• Pour ceux qui craignent de ressentir leur cœur battre fort ou vite, monter rapidement un escalier ou faire des pompes, des flexions (5 à 10 minutes). Puis se concentrer sur ses battements cardiaques, et se rendre compte que rien de grave ne se produit, et que le cœur est capable de revenir au calme de lui-même.

Reconquérir le territoire : l'exposition aux situations évitées

Il s'agit là d'une classique démarche d'exposition aux situations redoutées, qui vient en général après la phase précédente, et dépend de l'importance des peurs agoraphobiques. Pour certains, cela va d'abord consister à ressortir de chez soi seul, et à étendre peu à peu son territoire, rue après rue. Pour d'autres, ce sera reprendre les transports en public – un, puis deux, puis trois arrêts de bus ou stations de métro –, ou reconduire sa voiture – et rouler de plus en plus loin, de plus en plus longtemps. Pour d'autres encore, cela va nécessiter d'apprendre à patienter, debout dans une file d'attente. Je me souviens d'avoir ainsi accompagné un de mes patients dans un grand magasin proche de l'hôpital. Il était planté devant le rayon des brosses à dents depuis une demi-heure, tandis que j'allais et venais à proximité, le laissant gérer ses peurs sans trop m'éloigner, car c'était la première fois que nous le testions dans cette situation. Mais notre manège avait attiré l'attention des vigiles du magasin, qui s'approchèrent tout à coup pour nous demander si nous avions un problème. Mon patient et moi leur fîmes un petit cours sur les attaques de panique, dont je ne suis pas sûr qu'il les ait passionnés, mais qui nous assura pour la suite une relative tranquillité, lors de nos exercices dans leur magasin…

Maintien des acquis : vive le sport !

La pratique régulière d'un sport est bonne pour le trouble panique : elle habitue notamment les patients à ne plus craindre leurs sensations corporelles. Mais justement, comme les paniqueurs redoutent ces sensations, ils ont plutôt tendance à éviter l'activité physique[262]. Alors que la pratique régulière d'un exercice physique va améliorer leurs symptômes[263]. Là encore, tout comme pour l'exposition, ce sont des petits exercices réguliers qui sont le plus efficaces, plutôt que des gros efforts espacés dans le temps.

Un frisson d'épouvante me surprit...

Les crises d'angoisse ont sans doute toujours existé. On en trouve par exemple de nombreuses descriptions dans la Bible. Ainsi ce passage du Livre de Job (4, 14) :
« Un frisson d'épouvante me surprit,
Et fit cliqueter tous mes os :
Un souffle passait sur ma face,
Hérissait le poil de ma chair ! »

On peut toutefois se demander si ces peurs liées au sentiment constant d'insécurité, liés à la crainte de malaises graves, et entraînant peu à peu une agoraphobie, ne sont pas plus handicapantes aujourd'hui qu'elles ne l'étaient autrefois. Notre mode de vie moderne nécessite en effet des déplacements très fréquents, comme prendre sa voiture ou les transports en commun pour se rendre au travail ou faire des courses, utiliser l'avion ou le train pour des déplacements professionnels ou des vacances. Il était sans doute moins handicapant d'être paniqueur agoraphobe dans les sociétés traditionnelles, plus sédentaires, que ça ne l'est aujourd'hui dans nos sociétés où la mobilité est la règle. D'où la grande détresse et la grande demande d'aide des personnes frappées par ces peurs.

Mais une autre raison qui pousse les soignants à se passionner pour ce trouble, c'est sa dimension métaphysique : les paniqueurs sont des patients avec qui on est souvent amené à « discuter philosophie ». Leurs angoisses sur la vie et la mort, la santé et la maladie, l'autonomie et la dépendance, les conduisent – un peu contraints, il est vrai – à réfléchir à tout ce qui est essentiel à l'être humain : le sentiment de perte de contrôle sur son existence, toutes les formes de vertige existentiel, les déchirures dans l'ordre apparent des choses, les prises de conscience brutales de notre fragilité, physique, mentale... D'où leur obsédante conscience du caractère éphémère de la vie, leur peur de la mort et de la folie. Tous les humains portent ces peurs en eux, mais la plupart arrivent à ne pas y penser, ou à ne pas s'affoler en y pensant. Les paniqueurs, eux, ne peuvent l'oublier. D'où, comme toujours, leur force et leur richesse lorsqu'ils sont arrivés à dépasser leurs peurs : leur vie peut alors devenir plus pleine que celle de beaucoup de non-phobiques...

Bien d'autres peurs encore…

Peur de mourir, de tomber malade, de faire des bruits avec son ventre, de vomir, de s'étouffer, d'accoucher, de faire l'amour, de frapper quelqu'un que l'on aime…

Les peurs sont innombrables, puisque les dangers, qui nous menacent ou que nous incarnons, sont eux-mêmes innombrables.

Cette créativité de la peur, qui se manifeste au travers de tous ces masques, n'a qu'un remède et qu'un antidote : la créativité du thérapeute, et celle de son patient, tous deux engagés dans une lutte, éprouvante mais passionnante, pour ramener ces peurs excessives à la raison.

On pourra ensuite en tirer le meilleur : la peur de la maladie et la peur de la mort sont d'extraordinaires leviers pour réfléchir à la santé et à la vie. Mais il faut d'abord leur faire courber l'échine…

> « Je ne veux pas accéder à l'immortalité par mon
> œuvre, je veux y accéder en ne mourant pas. »
>
> Woody ALLEN

« Docteur Christophe André, Phobologue. »

Parmi les lettres que nous recevons à l'hôpital, certaines portent des adresses ou des titres fantaisistes. Mais c'est la première fois, ce matin-là, que j'ai en main un courrier mentionnant ce diplôme *honoris causa*, évidemment imaginaire, de phobologue, spécialiste des peurs et des phobies. J'en suis ravi, et je garde encore aujourd'hui l'enveloppe dans mon bureau de Sainte-Anne. Effectivement, comme beaucoup de mes confrères, j'ai vu toutes sortes de peurs et de phobies…

Pseudo-peurs et fausses phobies

Certaines peurs excessives sont dues en réalité à d'autres maladies. On sait par exemple qu'une forme particulière d'épilepsie, dite temporale, peut donner des montées de panique brutales mais sans logique particulière, sinon celle d'être facilitées par la fatigue et les mouvements émotionnels[264]. Dans de rares cas, une violente peur du noir chez l'enfant peut être en réalité due à une maladie occulaire familiale, une rétinopathie[265]. Mais retrouver ainsi une cause organique précise à des manifestations de peur reste assez exceptionnel.

Par contre, des peurs invalidantes peuvent souvent venir compliquer des maladies ou problèmes physiques préexistants. J'ai un jour rencontré un patient très touchant, qui présentait une phobie sociale secondaire à une infirmité motrice cérébrale. Du fait de son handicap cérébral, Emmanuel souffrait de troubles importants de la marche : il se déplaçait avec difficulté, d'une démarche « dandinante », de troubles de la motricité fine : il avait du mal à saisir les objets, et surtout de problèmes d'élocution : il s'exprimait avec peine, de façon hachée et explosive, et il fallait une certaine habitude pour le comprendre, ainsi qu'une relative patience. Mais cela valait la peine de faire cet effort, parce que c'était un garçon très intelligent et attachant. Courageux aussi : il vivait seul à Paris, aidé par voisins et amis pour de nombreuses tâches quotidiennes, n'ayant pas voulu rester dépendant de sa famille qui vivait dans le nord de la France.

Emmanuel était de tempérament gai et curieux, et adorait se poser à la terrasse des bistrots, pour y siroter un verre en regardant passer les gens. Ou bien, lorsque ses économies le lui permettaient, il aimait aller au restaurant faire un bon repas. Hélas pour lui, son handicap moteur jouait en sa défaveur : il était arrivé à plusieurs reprises qu'on refuse de le servir, ou, ce qui revenait au même, qu'on « oublie » de le servir. S'il commandait une boisson alcoolisée, ce qui était son droit le plus strict de citoyen adulte et responsable, il se voyait parfois opposer une résistance passive, ou un discours lénifiant sur « son état qui ne le permettait pas ». Au bout d'un moment, Emmanuel avait développé une appréhension de ces séquences si souvent répétées, qui gâchaient un des plaisirs que lui offrait son existence parisienne. Il finit par redouter de se rendre dans des établissements où il n'était pas connu, à cause de ce qu'il appelait, avec beaucoup d'intelligence et d'humour, ses « handicapeurs ». Il avait d'ailleurs développé une stratégie de planification de ses apparitions dans ces lieux : il écrivait quelques jours à l'avance une lettre aux responsables du bar ou du restaurant, où il leur expliquait son trouble, leur précisait que malgré sa motricité et sa diction chaotiques, il était tout à fait lucide et responsable.

Bref, qu'ils n'avaient pas à avoir peur de lui, et de son handicap !

Si les handicapés peuvent, hélas, faire peur, ils sont souvent eux-mêmes victimes de peurs liées aux regards sur leur personne. Toute forme de handicap visible par autrui peut faire ainsi le terrain de peurs sociales invalidantes : il existe par exemple des cas de phobie sociale secondaires à des maladies de Parkinson, où les patients développent une peur excessive du regard social sur leurs tremblements et leur incapacité[266]. Parmi les personnes atteintes d'un « tremblement essentiel », d'origine souvent familiale, environ 30 % vont développer des symptômes de phobie sociale[267].

Parmis les craintes liées à des maladies organiques, citons la kinésiophobie, la peur de bouger et d'accomplir certains mouvements, fréquente au moins à titre transitoire chez les personnes ayant souffert de douleurs importantes, comme des sciatiques sévères. Et par extension, la psychokinésiophobie, peur d'accomplir des opérations mentales, notamment chez les migraineux par crainte de se déclencher de nouvelles crises[268] : le mot d'ordre est alors de ne surtout pas se prendre la tête ! Ces peurs s'inscrivent dans le cadre plus général des algophobies, ces peurs de la douleur, qui peuvent par exemple inciter bon nombre de personnes à retarder leur rendez-vous chez le dentiste ! Elles sont parfois les séquelles de soins antérieurs conduits sans ménagement.

Beaucoup de peurs et de phobies peuvent également être rattachées aux trois grandes familles que nous venons d'aborder dans les chapitres précédents. Par exemple, les peurs de rougir, de transpirer, de trembler, sont rattachées aux peurs et phobies sociales. Nous en avons déjà parlé.

Il existe toujours des variantes culturelles aux grandes familles de peurs. La phobie sociale au Japon prend le visage du *Taijin-Kyofusho*, une crainte de déranger autrui par un comportement social inadéquat[269] : ne pas sourire de la bonne façon, par exemple. Caractéristique culturelle : je n'ai pas peur de paraître gêné (ne pas être à la hauteur est un problème pour les Occidentaux) mais de gêner les autres (ne pas respecter les règles d'intégration au groupe est un problème plus oriental).

De même, les attaques de panique chez les Eskimos ne concernent que rarement les situations comme le métro, les files d'attente ou les embouteillages sur le périphérique. Mais elles s'expriment plutôt par la « phobie du kayak » : peur de partir sur son kayak à la chasse au phoque (« et si j'avais un malaise, là-bas, tout seul derrière ce gros iceberg ? »).

Mais l'exotisme existe aussi chez nous : la phobie des fantômes et des revenants mélange des éléments de peur du noir, de peur de la mort, et de peur de la solitude ; signalons aussi la peur d'être enterré vivant, chez les claustrophobes et les paniqueurs...

Nous aborderons en réalité dans ce chapitre, d'une part, des peurs et phobies rares ou particulières, qui ne peuvent être rattachées à aucun autre groupe, tout en représentant pour la personne qui en est atteinte le problème central, authentiquement gênant. D'autre part, des peurs et phobies qui s'inscrivent en réalité dans le cadre de maladies anxieuses particulières, dont les peurs ne représentent qu'une partie.

Peurs et phobies rares ou mal connues

➤ *La peur de s'étouffer en mangeant ou en buvant*

La phobie de l'étouffement est relativement répandue : les personnes qui en souffrent ne supportent pas de devoir avaler des aliments autrement que semi-liquides, ou par toutes petites bouchées, longuement mâchées. Elles tolèrent difficilement d'avoir des objets durs dans leur bouche : si elles arrivent à utiliser elles-mêmes des brosses à dents, elles supportent mal les soins dentaires. Mais elles ont aussi de la peine à avaler les comprimés et gélules trop volumineux. Elles ne peuvent porter de cols serrés, de cravates, et sont très angoissées à la moindre angine ou infection ORL, qui va leur donner une sensation inquiétante de gêne respiratoire. Leur pire cauchemar est bien sûr de mourir asphyxiées, pour avoir avalé de travers, ou victimes d'un œdème de la glotte après s'être fait piquer par une guêpe cachée dans une grappe de raisin.

➤ La peur de vomir en public

Je vois assez souvent des personnes qui ont peur de vomir en public après avoir mangé, et ne prennent donc aucun repas avant les situations sociales. Elles présentent assez souvent d'autres peurs sociales, mais parfois, cette peur de vomir est isolée.

Une de mes patientes, que nous appellerons Charline, ne mangeait jamais avant de sortir de chez elle ; en semaine, elle ne s'alimentait donc en général que le soir. Si elle devait manger en présence d'autres personnes, et encore plus si elle devait ensuite rester à leurs côtés le temps de la digestion, elle prenait garde de ne consommer que des féculents – riz, pâtes, plats à base de pommes de terre – dont elle supposait qu'ils seraient « mieux calés » dans son estomac en cas de nausées. Elle essayait autant que possible de ne manger alors que des aliments peu colorés, des spaghettis *carbonara* plutôt que *bolognese* : en cas de pépin, cela aurait été moins répugnant et moins spectaculaire. Durant le traitement, la thérapeute qui la prit en charge lui demandait de venir en consultation après un repas, puis elles se rendaient ensemble dans la rue, dans des magasins, dans le métro, etc. Au cours de certains exercices, la patiente devait demander dans un café : « Où sont les toilettes, s'il vous plaît, j'ai envie de vomir… », s'y rendre, et y rester « comme si ». Puis ressortir, et demander une serviette au garçon. Après environ six mois, ses peurs étaient en net recul. Elle recommençait à accepter les invitations à des repas hors de chez elle, et à consommer divers aliments jusque-là « interdits ».

➤ *La peur de faire des bruits avec son ventre, des pets, ou de perdre ses selles ou ses urines*

Il nous arrive de faire des choses étonnantes en thérapie comportementale, vous vous en êtes sans doute aperçu en lisant cet ouvrage. Mais un des moments les plus étonnants de ma carrière de phobologue fut sans doute la thérapie d'Isabelle.

Isabelle était une jeune femme d'une trentaine d'années, venue me consulter pour une phobie sociale. En discutant avec elle, je trouvais que les peurs sociales dont elle me parlait étaient finalement peu importantes, il me semblait qu'il y avait d'autres problèmes plus urgents à régler dans sa personnalité, et je commençais à le lui dire, lorsqu'elle m'interrompit : « Euh, en réalité, docteur, si je suis souvent mal à l'aise dans ces situations, c'est parce que... J'ai peur de faire des vents. » Isabelle craignait de faire des bruits avec son ventre, mais surtout de « péter » en public. Comment ce qui n'est qu'une simple gêne chez la plupart d'entre nous avait pu devenir l'objet de craintes importantes chez cette jeune femme ?

Selon Isabelle, ses peurs venaient d'une grande humiliation subie dans son adolescence. Sous l'effet du trac, elle avait connu ce genre d'incident au lycée, alors qu'elle passait au tableau. Le professeur et toute la classe s'étaient alors durement moqués d'elle. Mais le pire, c'est que plusieurs garçons de la classe avaient pris ensuite l'habitude d'imiter des bruits de pets avec leur bouche chaque fois qu'elle passait à proximité, ou, pire, qu'elle était appelée au tableau. Et comme l'histoire avait fait rapidement le tour du lycée, Isabelle avait été l'objet de nombreuses moqueries, jusqu'à ce que ses parents la retirent de l'établissement. Mais le mal était fait.

Certes, Isabelle était par ailleurs très sensible, très émotive. Certes, elle doutait d'elle-même, se montrait plutôt réservée et sur ses gardes avec les nouvelles connaissances. Mais ces traits de personnalité n'étaient pas à un niveau pathologique. Ils représentaient juste une gêne, et sa véritable demande était ailleurs : « J'ai déjà fait deux thérapies, qui m'ont aidée à reprendre confiance en moi, mais qui n'ont pas fait bouger ma phobie. » Je lui expliquai alors, comme d'habitude en pareil cas, en quoi allait consister notre travail : en gros, ne plus avoir honte de faire des gaz, et donc aller en faire sur la voie publique, dans le métro, les salles d'attente, etc. Je ne dus pas être très convaincant ce jour-là, car Isabelle ne se représenta pas au rendez-vous suivant, et je n'entendis plus parler d'elle pendant environ un an. Puis elle reprit contact avec moi, un peu embarrassée : « Vous m'avez fait trop peur, la dernière fois, avec vos exercices. Je ne me voyais pas faire tout ça, je préférais rester avec ma phobie. Mais là… J'ai rencontré quelqu'un. Et j'ai tellement peur que ça m'arrive avec lui ! »

Quelques mois plus tard, la thérapie commence. Nous démarrons d'abord par un tour d'horizon de ses craintes : en cas de gaz, Isabelle redoute d'être cataloguée comme répugnante et malpolie. Elle m'assure n'avoir jamais entendu quiconque en émettre en société, à part elle. Elle avoue avoir par-dessus tout peur de revivre le même genre de moqueries généralisées que celles subies au lycée. Nous passons donc deux séances entières à évoquer précisément cette période, à la faire revivre dans les moindres de ses détails sensoriels et émotionnels, comme nous le faisons en pareil cas pour « nettoyer » les souvenirs traumatiques. Puis nous faisons la liste des pensées plausibles que les gens pourraient avoir vis-à-vis de quelqu'un qui aurait un gaz en leur présence, du type : « Eh bien ! Il y en a qui ne se gênent pas. » Cela afin d'en évaluer calmement l'importance et la portée exactes.

Enfin, nous commençons à préparer quelques exercices : je demande à Isabelle d'acheter dans un magasin de farces et attrapes un sac péteur, sorte de ballon de baudruche que l'on peut poser sous un coussin, et qui imite le bruit des pets. Nous nous entraînons à produire ces bruits pendant la consultation. Et à les imiter avec la bouche, également. Nous procédons à quelques petits jeux de rôle, dans lesquels Isabelle répond à d'éventuels regards mécontents par un grand sourire et un : « Excusez-moi, je suis un peu ballonnée en ce moment. » J'encourage Isabelle à parler de son problème à ses deux meilleures amies. Elle n'a jamais évoqué cette peur avec personne. Seuls ses parents sont au courant.

Lors de la séance suivante, nous sortons avec notre ballon. Dans le métro, puis dans le hall du grand hôtel près de l'hôpital, puis dans un grand magasin, nous produisons des bruits anatomiques variés. Au début, c'est moi qui « assume », puis Isabelle se lance. Elle doit faire le bruit en continuant de regarder les gens alentour dans les yeux. Au bout d'une heure, Isabelle a compris le message : péter est un événement socialement ennuyeux, mais gérable...

Il reste maintenant à s'exposer au vrai risque. Depuis toujours, Isabelle évite soigneusement les aliments favorisant les fermentations digestives à l'origine des gaz : haricots blancs, lentilles, choux, oignons, etc. Elle a donc pour mission de se remettre à en consommer. Entre-temps, elle a osé parler de ses peurs à une de ses amies, qui lui a raconté que cela lui arrivait parfois, car elle faisait de l'aérophagie. Lors d'une sortie *shopping* ensemble, un samedi après-midi, elles se sont moquées l'une de l'autre, dans les magasins, les autobus, bref en public, sur le registre régressif du : « Tu as pété ! Non, c'est toi ! », avec de sérieux fous rires à la clé... Lorsque Isabelle me raconta l'histoire, je sus qu'elle allait guérir. Quelques années plus tard, dans la chambre d'une de mes filles, je tombai sur un petit livre d'enfant dont le titre était : *Encore toi, Isabelle ?*, et qui racontait l'histoire d'une petite fille timide, complexée parce qu'elle faisait des bruits avec son ventre[270]. Mais ce n'était pas Isabelle qui l'avait écrit...

Toutes les histoires de peurs semblables ne connaissent pas forcément un dénouement aussi favorable. Il arrive assez souvent que ces peurs centrées autour des bruits du tube digestif, des gargouillis, ou des gaz, surviennent dans le cadre de troubles de la personnalité plus importants que ceux d'Isabelle. Ces « borborygmophobies » (du grec *borborygmos*, bruit de l'intestin) devront alors être soignées en tenant compte des fragilités du patient qui les présente : les exercices d'exposition peuvent déclencher des émotions assez violentes.

Quant à la peur de perdre ses selles, elle se prête évidemment moins bien à des mises en situation semblables. Elle nécessite tout de même de se confronter progressivement au risque théorique de diarrhée, en se remettant à consommer des fruits et légumes frais, que les patients évitent en général depuis des années. Il faut savoir que lorsque ces peurs sont extrêmes, le risque de diarrhée psychomotrice existe réellement, il n'est pas qu'une virtualité. On sait par exemple que sous l'effet d'une peur violente, nombre de jeunes soldats de la guerre de 1914-1918, au moment de monter à l'assaut et de sortir de leur tranchée, présentaient un phénomène de ce type qu'on appelait sobrement la « diarrhée du jeune conscrit ». Il va donc être nécessaire de faire travailler ces patients sur d'autres formes de hontes et de peurs sociales, pour commencer à leur apprendre de quelle manière les « fatiguer » et les émousser. Puis de les entraîner à affronter la situation en elle-même : sortir avec un pantalon ou une robe de couleur claire ; puis tachés à l'arrière ; se rendre alors dans un bar et demander le chemin des toilettes en précisant « j'ai eu un accident », sans chercher à dissimuler la tache, etc. L'idée de base, on le voit, est de s'entraîner à assumer un incident bien évidemment gênant pour tout le monde, mais dont on ne doit pas accepter qu'il soit à l'origine d'une peur qui gâche toute une vie. La procédure est la même avec la peur de perdre ses urines.

S'il existe un réel handicap à ce niveau, j'explique à mes patients qu'ils ne doivent pas s'en punir pour autant, et se condamner, par leurs peurs et leurs évitements, à ce que j'appelle une « double peine » : inutile d'ajouter au problème anatomique, qu'ils ne peuvent guère modifier, des émotions de peur et de honte, qu'il leur appartient par contre de réguler.

➤ *La peur de la chute et des espaces découverts*

Les phobies de la marche sont assez fréquentes chez des personnes âgées peu autonomes, qui redoutent les conséquences d'une chute, ou qui sont déjà tombées, et ont parfois attendu les secours quelques heures ou même quelques jours. Ces peurs sont souvent invalidantes, car les personnes âgées se mettent alors à renoncer aux petites marches et sorties nécessaires à leur équilibre physique, mental et social. Leurs craintes sont aggravées face aux espaces découverts, et peuvent alors ressembler à celles de l'agoraphobie[271]. Mais la phobie de la glissade existe aussi chez des sujets jeunes : ainsi cette patiente présentant une peur de la chute, qui ne pouvait mettre de chaussettes ou de collants de peur d'une mauvaise adhérence dans ses chaussures. Gary Larson, très célèbre cartooniste américain, se basant sur un probable cauchemar d'enfance, avait un jour illustré une phobie voisine, la *luposlipaphobia*, néologisme qu'il avait lui-même créé à partir du latin *lupus*, loup, et de l'anglais *slip*, glisser, pour désigner « la peur d'être pourchassé par des loups des bois autour de la table de la cuisine alors qu'on est en chaussettes et que le sol vient d'être ciré[272] »...

➤ *La peur de l'accouchement, ou tokophobie*

La tokophobie, du grec *tokos*, « enfantement », est connue depuis longtemps des médecins. Il faut rappeler qu'elle repose sur une certaine réalité historique : jusqu'à la découverte des règles modernes de l'hygiène – se laver les mains avant de procéder à un accouchement est une idée qui n'a même pas deux siècles – puis celle des antibiotiques, la mort en couches frappait de très nombreuses femmes. Il y avait donc à l'époque quelques arguments pour être tokophobe. Bien que la médicalisation des accouchements ait rendu exceptionnel ce type d'issue dramatique, la peur de l'enfantement semble encore assez répandue, encore qu'on en ignore la fréquente exacte[273].

Elle peut survenir de manière dite « primaire », avant toute expérience personnelle d'accouchement. Pour ne pas prendre de risque, les jeunes femmes qui en souffrent recourent alors soit à un évitement des rapports sexuels, soit à une contraception rigoureuse. Lorsque le désir d'enfant l'emporte sur la peur, elles recherchent souvent un obstétricien compréhensif avec lequel il soit possible de négocier une césarienne.

La tokophobie peut aussi être « secondaire », c'est-à-dire faire suite à un accouchement qui s'est très mal passé : souffrance néonatale ou mort de l'enfant, ou encore accident obstétrical. Dans tous les cas, ces peurs peuvent s'étendre à tout ce qui évoque la situation redoutée, et entraîner par exemple un malaise intense face à des récits ou des photos d'accouchement. Les connaissances sur les moyens de soigner ces patientes sont encore fragmentaires.

➤ La peur des rapports sexuels

À l'inverse de la peur précédente, les craintes et peurs gravitant autour du rapport sexuel ont été l'objet de nombreux travaux de la part des sexologues, et de nombreux traitements efficaces sont disponibles[274]. Chez la femme, la peur la plus fréquente est le vaginisme, c'est-à-dire la crainte d'une pénétration, qui va entraîner une contracture réflexe incontrôlable des muscles du vagin. Et chez l'homme, la peur de ne pas arriver à avoir d'érection ou celle d'une éjaculation précoce, qui ont pour caractéristique essentielle d'être des modèles assez purs de peurs autoréalisées : la peur favorise la survenue de ce que l'on craint. Ces appréhensions sont proches de ce qu'on appelle chez les sportifs ou les artistes « l'anxiété de performance », dont l'angoissante et lancinante question centrale est : « Vais-je être à la hauteur ? »

Un de mes amis psychiatres, spécialiste des troubles anxieux, parlait sous forme de boutade de « trouble pénique », par allusion au trouble panique, pour décrire l'inquiétude très forte qui s'empare de certains patients au moment d'un rapport sexuel. Sous l'effet de la libération sexuelle, les femmes sont, elles aussi, de plus en plus confrontées à ces peurs concernant une bonne performance sexuelle, ou du moins une sexualité dans la norme : « Ai-je suffisamment d'orgasmes ? Sont-ils assez forts ? Suis-je assez sexy pour mon partenaire ? »

Ces peurs sexuelles répondent bien aux ingrédients de base des thérapies comportementales et cognitives : information, déculpabilisation, confrontation progressive avec le partenaire aux situations redoutées. À condition toutefois qu'elles ne soient pas associées à des secrets non avoués au conjoint : perte de désir en raison de liaisons extraconjugales, etc.

➤ *Peurs et phobies rares et atypiques*

En parcourant la littérature sur les peurs et les phobies, on va retrouver une sorte d'inventaire à la Prévert : il y a – vraiment – des peurs de tout ! On peut avoir peur des poupées, de la neige, des fleurs, des papillons, des crucifix, de l'extase... La rareté relative de ces peurs les rend encore mal connues, et en dehors d'histoires de chasse des psychiatres et des psychologues, il n'est guère possible de généraliser à leur propos.

Il existe aussi des aversions fortes, un peu à l'image de l'aversion pour le crissement de la craie ou de l'ongle sur un tableau noir, ou une surface métallique mate. Par exemple, certaines personnes ne supportent pas le contact de la soie ou de la ouate : leurs évitements sont catégoriques, mais ils n'obéissent pas à une logique de peur. Plutôt d'une forme de dégoût. Certaines odeurs peuvent aussi déclencher de vrais malaises : des cas d'aversion à l'odeur des roses ont ainsi été décrits. Là encore, il existe très peu de travaux à ce propos, bien que l'on sache que le dégoût est souvent impliqué dans certaines phobies (pigeons, insectes, sang) à côté de la peur[275].

Globalement, plus la phobie est bizarre ou rare, plus le phobologue est prudent ! Surtout lorsque la peur se démarque nettement de ses racines et fonctions évolutives logiques : nous éloigner de quelque chose de dangereux pour notre espèce. Dans le cas de peurs étranges, il est alors possible qu'il s'agisse de symptômes faisant partie de schizophrénies ou de troubles de la personnalité, comme les états limites. Ou encore d'appréhensions bizarres chez des personnes « normales », explicables ou non par leur histoire intime ou familiale.

➤ *Les traitements des peurs rares*

Beaucoup de psychothérapies évitaient autrefois de mettre en marche un travail directement centré sur la phobie, comme dans ce cas historique de phobie des poupées qui a nécessité quatre ans de psychanalyse et près de sept cents heures de divan[276]. On considère aujourd'hui que le travail direct sur la phobie, réalisé par un thérapeute expérimenté, c'est-à-dire capable de faire la différence entre vraie phobie, relevant de la TCC, et pseudo-phobie, qui peut en être une contre-indication, va au contraire s'avérer à la fois efficace et fécond.

Peurs et phobies symptomatiques d'autres maladies de l'anxiété

On peut retrouver des peurs et des phobies associées dans à peu près toutes les maladies psychiques : dépression, schizophrénies, etc. Mais les plus fréquentes dans ce contexte, celles que nous allons maintenant évoquer, appartiennent à la famille des angoisses obsédantes.

L'anxiété est l'anticipation de la peur. Elle s'accompagne souvent de stratégies de surveillance de l'environnement et de précautions multiples pour tenter d'empêcher la survenue des problèmes redoutés. Il existe une dimension anxieuse chez toutes les personnes phobiques : plus la phobie est intense et plus son objet est omniprésent, plus les obsessions anxieuses seront nombreuses. Elles sont par exemple maximales dans la phobie sociale (impossible d'éviter tous les contacts sociaux) ou dans le trouble panique (impossible de prévoir un malaise). Mais modérées dans les phobies d'animaux ou du vide, car il est alors plus facile de savoir que l'on ne sera pas confronté à l'objet de sa peur. Cependant, il arrive que ces obsessions anxieuses deviennent le principal problème, devant la peur elle-même, comme dans les difficultés dont nous allons parler…

Dans ces maladies, on retrouve effectivement des peurs irraisonnées de quelque chose, avec tentatives pour éviter de s'y confronter. Mais aussi des ruminations fréquentes et ce que l'on nomme des « pensées intrusives » : la personne ne peut s'empêcher de penser fréquemment, répétitivement, à ce qu'elle redoute, même lorsqu'elle en est éloignée. De même, ses craintes sont plus « ambivalentes » que dans les appréhensions dont nous avons parlé jusqu'ici : la personne ressent à la fois une grande peur, par exemple d'attraper telle maladie, qui l'incite à *éviter* (d'y penser ou d'écouter des histoires pouvant l'y faire penser). Et aussi un grand besoin de *se confronter* pour se rassurer, et d'aller vérifier, par exemple en consultant une encyclopédie ou un vrai médecin, en cas de peurs portant sur la maladie. À la différence des « vraies phobies », la solution à la peur n'est pas seulement ici l'évitement, mais la recherche d'informations, et les vérifications plus ou moins ritualisées.

➤ *La peur des microbes*

Ce que les non-initiés nomment la « phobie des microbes » s'avère le plus souvent être un TOC, trouble obsessionnel-compulsif. Dans ce cas, les conduites phobiques, comme la peur d'être contaminé par de la saleté ou des microbes, et l'évitement des situations où l'on pourrait l'être, sont associées à des *rituels* de neutralisation de l'angoisse : lavages ou vérifications, rituels qui n'existent pas dans les « simples » peurs et phobies.

Dans le traitement de ces « peurs de TOC », il faudra effectivement amener le patient à se confronter peu à peu à ce qui lui fait peur, comme toucher des objets qu'il considère comme sales, les ramasser au sol, poser ses propres mains par terre. Mais il faudra aussi lui demander de ne pas accomplir ensuite ses rituels de lavage[277]. Ce qui doublera le travail, et du patient, et du thérapeute...

➤ *La peur de la maladie*

On peut se demander si notre société, si avide de santé par-faite et de risque zéro, ne concourt pas à engendrer plus de peurs que jadis à propos de la maladie[278]. Quoi qu'il en soit, cette peur englobe des profils de personnes très différents.

À une extrémité, on retrouve souvent, des hypo-condriaques : plus que d'une peur de tomber malade, ces per-sonnes sont habitées par l'idée obsédante qu'elles sont *déjà* atteintes d'une maladie grave, que les médecins n'auraient pas encore diagnostiquée. Il s'agit d'un trouble proche du TOC. Comme dans la phobie des microbes, les comportements sont plus des rituels de vérification (s'observer, se palper, répéter bilans et examens médicaux, se faire rassurer) que de véritables évitements phobiques (ne pas aller rendre visite aux amis mala-des dans les hôpitaux). Et l'on retrouve même plus souvent une attitude ambivalente, avec à la fois la peur des informations médicales, comme celles contenues dans les encyclopédies, les articles de journaux, ou les émissions télé ou radio : « Et si j'apprenais que j'ai telle maladie ? » Mais aussi une irrésistible attirance pour ces mêmes informations : « Il faut absolument que je regarde et que je sache. »

À l'autre extrémité de ce type de peur de la maladie, on retrouve des personnes plus clairement phobiques, qui redoutent la maladie et évitent nettement et franchement tout ce qui peut l'évoquer : conversations sur la santé, récits de maladies, émis-sions, livres, magazines… « Ne me parle pas de ça ! », disent-elles souvent à leur entourage, lorsque ce dernier commence à évoquer la maladie d'une connaissance. Elles peuvent négliger gravement leur état de santé, par peur de se rendre chez le médecin ou à l'hôpital. Les chirurgiens voient parfois arriver de tels patients, conduits quasiment de force par leur entourage, porteurs de tumeurs à un stade très avancé.

Le traitement de ces peurs de la maladie est particulière-ment délicat, principalement du fait que les patients ne sont que moyennement motivés pour consulter un « psy ». Soit parce qu'ils sont convaincus que leur vigilance est une bonne chose, soit parce que se rendre chez un professionnel de santé, quel qu'il soit, pour parler de leur santé, c'est précisément ce qui leur fait peur. Dommage, car on a fait de gros progrès en matière de psychothérapie des inquiétudes à propos de la maladie[279, 280].

➤ *La peur de la mort*

Une bonne partie des peurs de la maladie peut aussi s'inscrire dans le cadre d'une peur obsédante de la mort. Cette peur est normale chez tous les êtres humains, c'est même leur problème principal : nous sommes sans doute la seule espèce animale à savoir clairement que nous allons mourir un jour. Il est donc vital d'être à la fois capable de l'oublier, en pensant à autre chose, et de l'accepter, lorsque les circonstances de l'existence nous obligent à y penser. Cette difficile gymnastique mentale n'est pas réalisable par tout le monde...

Selon la mécanique bien connue de l'anxiété, certaines personnes cherchent à éviter les représentations ou évocations de la mort. C'est la dimension phobique de leur mal : éviter de traverser les cimetières, de regarder passer les corbillards ou de jeter un regard sur les vitrines de pompes funèbres, de lire les nécrologies dans les quotidiens, d'écouter à la radio des chansons de chanteurs décédés, etc. Mais, d'autre part, elles sont littéralement obsédées par l'idée que la mort les frappera un jour, elles-mêmes ou leurs proches. Et peuvent alors s'engager dans des conduites de prévention : répéter les bilans de santé, surprotéger leurs enfants, développer des tas de rituels magiques ou religieux pour prévenir le mauvais sort.

Voici un beau récit d'efforts entrepris dans le cadre d'une thérapie, rédigé par une patiente qui souffrait de semblable peur de la mort[281].

« Longtemps, j'ai voulu ne pas mourir. D'où venait cette angoisse ? Je ne sais pas. Mais, dès l'âge de 7-8 ans, je me souviens que j'allais, tôt le matin, dans la chambre de mes parents pour vérifier qu'ils étaient toujours vivants.

Pendant des années, cette peur de la mort est restée plus ou moins gérable. Elle se focalisait, par exemple, sur tout ce qui était noir : les vêtements, les images, même l'encre des journaux. Toucher du noir, c'était toucher la mort. Je refusais également d'entendre les mots liés à la mort comme cercueil, cimetière. Que quelqu'un me dise "Tu as une tête d'enterrement, ce matin" provoquait inévitablement une montée d'angoisse. Tout ce qui, de près ou de loin, concernait la mort engendrait la mort. Alors je me débrouillais, plus ou moins, pour éviter les confrontations directes avec tout ce qui se rapprochait de ma phobie. Jusqu'au décès de lady Di, en août 1997. La tragique et brutale disparition de cette femme jeune et comblée m'a traumatisée. Le barrage que j'avais, à peu près, élevé pour faire face à ma peur a brutalement cédé.

Changer de trottoir pour éviter un magasin de pompes funèbres, d'accord. Mais ne pas pouvoir descendre aux stations de métro Père-Lachaise ou Denfert-Rochereau à cause de la proximité de leur cimetière ou refuser de traverser une rue où je voyais une Mercedes noire comme celle de Diana, c'était accepter que ma vie devienne une peau de chagrin et que ma peur de la mort finisse par m'empêcher de vivre. Comme un cancer de l'esprit qui tissait des ramifications partout, l'angoisse utilisait tous les chemins possibles pour m'étouffer. J'ai alors décidé de commencer une thérapie comportementale et cognitive. Mon objectif étant simplement de faire en sorte que je puisse vivre avec ma peur.

Première bonne nouvelle : le thérapeute m'apprend que je ne suis pas une bête curieuse et que d'autres personnes souffrent de la même peur. Seconde bonne nouvelle : cela se traite ! Me voilà donc en confiance pour commencer par des séances de relaxation qui me permettent de me recentrer et d'apprendre à gérer, dans l'urgence, mes attaques de panique. Dans un second temps, mon thérapeute me demande de lister toutes les situations qui m'angoissent pour que, à mon rythme, je puisse m'y confronter avec son aide. Je fais donc une liste qui va de : boire une bière qui s'appelle une "mort subite", à : entrer dans un cimetière.

Mon premier exercice, qui a nécessité cinq mois de séances, a consisté à lire, sereinement, les pages nécrologiques des journaux. Ce fut une suite d'étapes : le thérapeute a commencé par les lire, à voix haute ; puis j'ai osé ouvrir le journal à la bonne page ; puis lire les annonces ; puis les lire moi-même à voix haute ; puis écrire mon nom sur la page ; puis jeter le journal... À chaque étape franchie, je réalisais, dans les jours qui suivaient, que rien de grave ne se passait. Que parler de la mort ne la faisait pas arriver. Que je pouvais écrire "je vais mourir" sans mourir.

Ensuite, sur l'échelle des expériences fortes, il y a eu la visite au cimetière, avec mon thérapeute. Je me revois à la grille du cimetière de Montparnasse, un jour d'hiver. Je ne regarde rien, pas une tombe, pas un nom, je refuse de quitter les grandes allées de crainte, en passant dans les petites, d'effleurer une tombe. La deuxième fois, j'ai pu m'arrêter devant des caveaux et déchiffrer, à haute voix, les noms et les dates. Lorsque mon thérapeute m'a demandé d'enlever les feuilles mortes sur une tombe, mon premier mouvement a été de refuser. Bien sûr, j'ai fini par le faire. D'abord en prenant les feuilles une par une sans toucher la pierre. Puis à pleines mains.

Mais le vrai déclic est, sans doute, venu des gens que j'ai observés dans le cimetière : ceux qui le traversaient pour aller travailler, ceux qui apportaient des fleurs sur une tombe, les mamans qui promènent leur enfant dans une poussette, deux adolescents en train de manger un sandwich sur un banc... La vie et la mort entremêlées. J'ai découvert en faisant parler mes amis que, pour beaucoup, les cimetières sont des endroits apaisants, agréables, où l'on peut se ressourcer.

Aujourd'hui, après trois ans de thérapie, je peux dire que j'ai vaincu ma peur. Apprivoiser la mort m'a aidée à mieux profiter de la vie. Auparavant, je ruminais le passé et je m'angoissais pour l'avenir : cela ne me laissait aucune place pour le présent. Aujourd'hui, j'ai compris qu'il fallait lâcher prise pour accepter l'inacceptable : je suis venue au monde pour le quitter un jour. »

Voilà comment des thérapies apportent parfois non seulement du mieux-être, mais aussi de la sagesse. C'est Corneille qui rappelait dans *Le Cid* : « Qui ne craint pas la mort ne craint pas les menaces »…

➤ *La dysmorphophobie, ou peur d'être affublé(e) d'un défaut dans son apparence physique*

Du grec *dys*, « de travers », et *morphos*, « apparence », ce terme désigne les préoccupations excessives pour son apparence physique, chez des patients convaincus, le plus souvent à tort, d'être porteurs d'un défaut physique. Parfois, ces préoccupations portent sur la conviction de dégager une mauvaise odeur.

Les personnnes dysmorphophobiques souffrent de ruminations obsédantes à propos de leur laideur ou de leur disgrâce supposées. Elles passent beaucoup de temps à tenter de dissimuler les défauts physiques qu'elles s'attribuent : par le maquillage, la coiffure, un choix complexe de vêtements susceptibles de faire illusion. Elles peuvent se livrer à des manœuvres socialement assez compliquées pour se trouver assises à table de manière à présenter leur bon profil à leurs voisins. Tout au long de la journée, ces patients procèdent à de longues vérifications inquiètes de leur aspect physique dans les miroirs, et toutes les surfaces réfléchissantes, comme des vitrines. Parfois, à l'inverse, on déteste tellement son image qu'on ne supporte aucune photo ni aucun miroir chez soi. On évite de se regarder lorsqu'on va chez le coiffeur, si on y va. Car il y a aussi, bien sûr, beaucoup d'évitements dans la dysmorphophobie, en fonction des complexes ressentis : ne pas porter de vêtements moulants, ne pas se mettre en maillot, ne jamais se montrer nu ou n'avoir de rapports sexuels que dans le noir, ne pas sortir non maquillée.

Louis, un de mes patients, n'avait ainsi aucun miroir chez lui, ne se mettait jamais devant une vitrine, ni devant les miroirs au restaurant. Il n'achetait ses vêtements que par correspondance, pour éviter de pénibles séances d'essayage devant des miroirs, ne se laissait jamais photographier ni filmer. Il détestait son apparence physique, surtout son visage, qu'il jugeait repoussant (c'était évidemment faux) et ses jambes, qu'il estimait trop courtes et arquées. Les seuls moments où il se regardait, c'est lorsqu'il était déprimé : mais c'était alors pour se faire du mal, car il pouvait se laisser capturer par la contemplation morose de son « horrible » apparence physique pendant des heures.

Il n'a pas été facile de soigner Louis. Bien évidemment, il est totalement inutile de chercher à rassurer ces patients sur le caractère acceptable de leur apparence physique : cela ne marche pas. On les traite actuellement par des techniques comportementales, avec dans un premier temps un double objectif : d'une part, les rendre plus tolérants à leur laideur supposée, d'autre part, leur faire reprendre un mode de vie normal[282]. Une fois cette étape franchie, on entreprend peu à peu de les réconcilier réellement avec eux-mêmes. Car, au-delà des problèmes qu'ils ressentent avec leur schéma corporel, ils ont fréquemment de gros soucis d'estime de soi. Dans le cas de Louis, je l'avais exposé pendant plusieurs séances à sa propre image dans un grand miroir. Puis je lui avais demandé de se rendre à la piscine proche de son domicile, et de ne pas procéder comme autrefois : au lieu de n'abandonner sa serviette qu'au dernier moment pour se jeter précipitamment à l'eau, je lui avais demandé de faire le tour du bassin à pied, vêtu seulement de son maillot de bain. Il avait ensuite participé à une thérapie de groupe sur l'estime de soi, organisé par deux de mes consœurs psychologues. Après deux ans de ces diverses séquences thérapeutiques, Louis vivait en bien meilleure entente avec lui-même. Comme il me le disait alors : « Je ne m'adore pas, mais je me supporte. C'est déjà pas mal... »

Dans les cas les plus sévères, ou les moins capables de s'engager dans la thérapie, on prescrit un antidépresseur sérotoninergique, qui, souvent, apaise et régule les émotions négatives liées à l'image de soi. Quelques études contrôlées en ont confirmé l'efficacité[283].

326 • PSYCHOLOGIE DE LA PEUR

➤ *Les peurs de commettre un acte impulsif*

Ces peurs sont souvent une source de grand désarroi. Elles consistent en la crainte obsédante de commettre, brutalement, sans pouvoir le contrôler, un acte contraire à ses convictions, ses valeurs, ses sentiments : pour une maman, jeter son bébé par la fenêtre, par terre ; poignarder un proche avec un couteau de cuisine aperçu dans le tiroir ; insulter quelqu'un qui ne le mérite pas, et que l'on aime ou respecte…

Ces peurs de perdre le contrôle de soi, encore appelées « phobies d'impulsion », sont très fréquentes dans le cadre des TOC, encore eux.

Mais elles existent aussi de manière isolée, de temps en temps, chez tout être humain. Elles sont en général déclenchées par la conjonction d'un peu de fatigue et de circonstances facilitantes : passer près de la fenêtre avec un bébé dans les bras, voir un proche nous tourner le dos alors qu'on tient un gros couteau de cuisine pour découper le rôti…

Bien évidemment, qu'elles surviennent dans le cadre de TOC ou de manière passagère, ces peurs ne se réalisent jamais. Elles restent toujours à l'état d'impulsions, d'autant plus absurdes qu'elles sont illogiques : avoir l'idée de donner un coup de couteau à son conjoint alors qu'on vient de se disputer avec lui et qu'on tient un couteau dans la main relève d'une certaine « logique », même si ce n'est évidemment pas recommandable. Ces pensées agressives sont donc moins déstabilisantes dans un contexte de conflit, même si elles sont disproportionnées, que si elles surviennent alors que votre conjoint vient de vous faire un petit bisou en passant, et que tout va bien entre vous…

Peu de données sont disponibles sur le traitement de ces phobies d'impulsion, sinon que l'on pense qu'il faut, à un moment, que la personne accepte de s'exposer aux situations qu'elle redoute : manier un couteau en présence de quelqu'un qu'on aime, pour vérifier que, malgré les idées affolantes qui vont alors affluer, on ne va pas le poignarder. Ou bien se tenir à côté d'une personne penchée dans le vide : là encore, bien que des images où l'on se voit pousser la personne dans le vide se bousculent à l'esprit, on ne le fera pas. C'est du moins ce dont sont convaincus les thérapeutes. Non par goût du risque, mais tout simplement parce que jamais, jamais, de mémoire de psy, on n'a vu de telles phobies d'impulsion se réaliser...

Ces phobies d'impulsion sont d'ailleurs une bonne occasion de rappeler que, face aux vrais dangers, aux vraies menaces, il y a finalement peu de différences de comportement entre phobiques et non-phobiques. Contrairement à ce qu'ils croient, les phobiques peuvent se comporter normalement, et même courageusement, face à un problème réel et *actuel*. Ce n'est que face à la *possibilité* du danger qu'ils sont nettement moins performants...

Peut-on conclure sur les peurs et les phobies ?

Si vous êtes télophobe, du grec *telos*, fin, voici le passage le plus difficile de ce livre...

Au terme de ce bref tour d'horizon du monde des peurs, nous ne prononcerons aucun « éloge de la phobie ». Si les peurs normales ont une vertu adaptative, pour l'individu comme pour l'espèce, les peurs excessives et les phobies n'en ont aucune. Elles représentent une souffrance et un handicap pour les personnes qui en sont victimes. Longtemps considérées comme des troubles bénins et anecdotiques, elles sont au contraire fréquentes et handicapantes, comme les plus récents travaux l'ont montré.

Les descriptions assez précises des différents types de peurs excessives, de leurs mécanismes et de leurs traitements, que vous avez pu découvrir dans ce livre ne doivent cependant pas faire oublier que les patients phobiques ne sont pas seulement des porteurs de symptômes, mais aussi des personnes humaines, qui souffrent, qui ont une histoire dans laquelle la peur a une place. Si la guérison passe obligatoirement par la disparition des symptômes de peur, émotionnels, psychologiques, comportementaux, elle va également déboucher sur de nouveaux modes de vie, de nouvelles façons de percevoir le monde. Le rôle des thérapeutes est aussi d'aider leurs patients à s'adapter à ces nouveaux équilibres, car les peurs excessives induisent tout un ensemble de mauvaises habitudes, qu'il n'est pas toujours facile d'abandonner... Les thérapies, même rigoureusement conduites et codifiées, sont toujours des rencontres entre personnes, où opère une alchimie relationnelle complexe. Mais cette alliance thérapeutique ne sera que d'une efficacité limitée si la thérapie ne s'appuie pas sur des bases scientifiques solides, dont l'efficacité doit être régulièrement évaluée.

Les connaissances sur les peurs ont beaucoup progressé ces dernières années. Pourtant, bien des études seront encore nécessaires pour encore mieux percer à jour l'ensemble de leurs mécanismes. Mais les travaux ne doivent pas porter seulement sur les peurs constituées. Il faut par exemple que nous puissions mieux aider les enfants à vulnérabilité phobique élevée à ne pas aller jusqu'au bout de leur destin. Nous devons aussi mieux comprendre ce que recherchent et ressentent les personnes qui regardent des films d'épouvante, ou celles qui prennent le grand huit ou le train fantôme lors des fêtes foraines. Sans doute éprouver le plaisir de la maîtrise d'une peur contrôlée et limitée. Est-ce que ces piqûres de rappel sont indispensables à notre époque obsédée de risque zéro ? Comme autant de vérifications que ce bon vieux système d'alarme qu'est la peur reste en état de marche... On apprendrait également beaucoup de choses sur la peur en étudiant la psychologie des « philiques » : les personnes qui élèvent des mygales dans leur chambre à coucher, celles qui s'adonnent sans retenue à la varappe ou au saut à l'élastique, n'ont-elles pas des points communs avec les arachnophobes ou les acrophobes ? Elles présentent sans doute la même activation émotionnelle face à certains stimuli, mais optent pour des stratégies différentes : confrontation plus qu'évitement, maîtrise plus que renoncement... Mieux comprendre tout cela nous aidera sans doute à soigner les peurs excessives et les phobies.

Conclusion

« Du courage, je n'en ai guère, mais j'agis comme
si j'en avais, ce qui revient peut-être au même. »

Gustave FLAUBERT

Lorsqu'on parle de peur, on sait qu'on va aussi parler de courage, l'une des vertus les plus universellement admirées, en tous lieux et en tous temps.

Est-ce qu'avoir peur, c'est manquer de courage ?

Je pense que cela est souvent faux. En tout cas, je suis persuadé que c'est seulement face à la morsure de la peur que l'on peut faire preuve de courage. C'est pourquoi j'ai de l'estime pour mes patients, toutes ces personnes qui avaient très peur, et dont je vous ai raconté les histoires dans ce livre. Elles se battent contre un ennemi intérieur, invisible, tapi en elles-mêmes, et donc capable plus que tout autre de les affoler, de faire passer pour raison ce qui n'est qu'illusion. De plus, elles mènent leur combat dans l'ombre : cet ennemi, en dehors d'elles, qui le voit ? Cette peur, qui la ressent ? Alors si, comme le disent les philosophes, faire preuve de courage, c'est agir malgré la peur : oui, elles sont courageuses[284].

Ce courage leur permet de vivre cet instant, qui est véritablement un des moments de grâce de la psychothérapie : celui où elles sentent qu'elles se remettent à avancer. Où elles cessent de reculer ou de stagner face à la peur. L'instant où elles remportent leur première victoire : cette fois, enfin, ce n'est pas elles qui ont reculé, mais c'est la peur qui s'est affaissée, usée par leur résistance. Elle reviendra, mais elles résisteront à nouveau. À partir de ce moment, elles deviennent des *progre-dientes*, comme se faisaient appeler les philosophes de l'Antiquité[285] : des humains qui progressent, pour qui le quotidien est un terrain d'exercices, pour qui la vie redevient ce lieu où l'on apprend et où l'on s'enrichit. Et cesse d'être cette succession triste de précautions, de renoncements, de dérobades. À partir de ce moment, tout change : il est maintenant possible de signer la paix avec ses peurs. Il est possible de vivre en bonne intelligence avec elles, de les écouter, même, pourquoi pas ? Puisqu'on n'a plus à leur obéir...

Et après ? Une fois qu'on a guéri de ses peurs excessives ? C'est alors la fin de l'histoire, pour le thérapeute. Et le début d'une autre histoire, bien plus intéressante encore, pour son patient. Car lutter *contre* ses peurs, c'est bien sûr, en réalité, lutter *pour* sa liberté. Et il appartient à chacun de faire ce qu'il voudra de cette liberté de mouvements et de pensée reconquise. Tout est alors possible, car, comme le remarquait Montesquieu : « La liberté, c'est ce bien qui fait jouir des autres biens... »

Annexes

Livres et sites Internet pour en savoir plus

➤ *Livres sur les différents types de peurs et de phobies*

Peurs et phobies spécifiques

Marie-Claude DENTAN, *Vaincre sa peur en avion*, Denoël, 1997.

Françoise SIMPÈRE, *Vaincre sa peur de l'eau*, Marabout, 1998.

Roger ZUMBRUNNEN, *Pas de panique au volant*, Odile Jacob, « Guide pour s'aider soi-même », 2000.

Roger ZUMBRUNNEN et Jean FOUACE, *Comment vaincre la peur de l'eau et apprendre à nager*, Éditions de l'Homme, 1999.

Peurs sociales

Christophe ANDRÉ et Patrick LÉGERON, *La Peur des autres. Trac, timidité et phobie sociale*, Odile Jacob, 2000.

Laurent CHNEIWEISS et Éric TANNEAU, *Maîtriser son trac*, Odile Jacob, « Guide pour s'aider soi-même », 2003.

Charly CUNGI, *Savoir s'affirmer*, Retz, 1996.

Frédéric FANGET, *Affirmez-vous !*, Odile Jacob, « Guide pour s'aider soi-même », 2000.

Frédéric FANGET, *Oser. Thérapie de la confiance en soi*, Odile Jacob, 2003.

Gérard MAQUERON et Stéphane ROY : *La Timidité. Comment la surmonter*, Odile Jacob, « Guide pour s'aider soi-même », 2004.

Peurs des malaises, trouble panique et agoraphobie

Jean-Luc ÉMERY, *Surmontez vos peurs. Vaincre le trouble panique et l'agoraphobie*, Odile Jacob, « Guide pour s'aider soi-même », 2000.

André MARCHAND et Andrée LETARTE, *La Peur d'avoir peur*, Stanké, 1993.

Franck PEYRÉ, *Faire face aux paniques*, Retz, 2002.

Inquiétudes obsédantes et TOC (trouble obsessionnel-compulsif)

Jean COTTRAUX, *Les Ennemis intérieurs*, Odile Jacob, 2000.

Franck LAMAGNÈRE, *Peurs, manies et idées fixes*, Retz, 1994.

Alain SAUTERAUD, *Je ne peux pas m'arrêter de laver, vérifier, compter. Mieux vivre avec un TOC*, Odile Jacob, « Guide pour s'aider soi-même », 2000.

Inquiétudes généralisées

Robert LADOUCEUR, *Arrêtez de vous faire du souci pour tout et pour rien*, Odile Jacob, 2003.

Évelyne MOLLARD, *La Peur de tout*, Odile Jacob, 2003.

Dominique SERVANT, *Soigner le stress et l'anxiété par soi-même*, Odile Jacob, « Guide pour s'aider soi-même », 2003.

Toutes peurs et phobies confondues

Gérard APFELDORFER, *Pas de panique !*, Hachette, 1986.

Richard STERN, *Maîtriser ses phobies*, Marabout, 2000.

Peurs et phobies chez les enfants

Stephen GARBER, *Les Peurs de votre enfant*, Odile Jacob, 2000.

➤ Livres sur la méditation et la relaxation

Charly CUNGI et Serge LIMOUSIN, *Savoir se relaxer*, Retz, 2003.

TCHICH NHAT HANH, *Le Miracle de la pleine conscience. Manuel pratique de méditation*, L'Espace Bleu, 1994.

➤ Livres sur les mécanismes à l'origine des peurs et des phobies

Elaine ARON, *Ces gens qui ont peur d'avoir peur*, Éditions de l'Homme, 1999.

Joseph LEDOUX, *Neurobiologie de la personnalité*, Odile Jacob, 2004.

➤ Sites Internet

AFTA : Association française des troubles anxieux

Société savante regroupant un petit groupe de spécialistes des troubles anxieux et phobiques. Documents pédagogiques pour le grand public.

afta.anxiete.org

AFTCC : Association française de thérapie comportementale et cognitive

Association de thérapeutes pratiquant les TCC, méthodes psychologiques les plus efficaces pour le traitement des peurs excessives et des phobies. Informations pour le grand public.

aftcc.org

AFFORTHECC : Association Francophone pour la FOrmation et la Recherche en THErapie Comportementale et Cognitive

Autre association scientifique de praticiens en TCC, aux mêmes objectifs.

www.afforthecc.org

MEDIAGORA

Association de patients diffusant des informations utiles aux personnes souffrant de trouble panique, agoraphobie ou phobie sociale.

mediagora.free.fr

ALAPHOBIE

Site proposant informations et activités de développement personnel aux personnes phobiques isolées.

alaphobie.com

ATAQ : Association des troubles anxieux du Québec

Association québécoise de patients et de professionnels, diffusant des informations sur tous les troubles anxieux.

ataq.org

Phobies Zéro

Association québécoise de patients, diffusant des informations sur les phobies.

phobies-zero.qc.ca

AFTOC : Association française des troubles obsessionnels-compulsifs

Association de patients diffusant des informations utiles aux personnes souffrant de TOC ou à leurs proches.

perso.club-internet.fr/aftoc

ADAA : Anxiety Disorders Association of America

Association américaine de patients souffrant de phobies et autres troubles anxieux. Nombreuses informations, mais évidemment en anglais.

adaa.org

Exercices de relaxation et de méditation pour personnes souffrant de peurs excessives ou de phobies

La relaxation et la méditation sont de bons outils pour guérir de ses peurs. Elles ne doivent pas être utilisées seules : elles seront peu utiles pour faire reculer durablement vos peurs si elles ne sont pas associées aux efforts de confrontation aux situations et de recul psychologique que nous avons évoqués tout au long de ce livre. Mais elles vous permettront en revanche d'accomplir ces efforts plus facilement.

Relaxation et méditation, du moins au début, n'empêcheront pas la peur d'apparaître, ni n'auront le pouvoir de la faire disparaître. Elles ne sont pas des instruments de soin mais de prévention. La relaxation vous aidera à limiter peu à peu cet état de tension chronique, lié à l'anticipation ou à la rumination, souvent inconscientes, de vos peurs. La méditation vous apprendra à développer un rapport plus serein avec vos peurs, à ne plus être impressionné, intimidé, effrayé par elles.

Relaxation et méditation nécessitent une pratique régulière pour présenter un intérêt. Mieux vaut donc quelques minutes chaque jour qu'une demi-heure toutes les semaines. N'en attendez pas des résultats immédiats et spectaculaires. Au début,

comme pour tous les apprentissages, les résultats seront modes-
tes. Ensuite, ils seront plus nets et sensibles. Mais il y aura toujours des jours avec et des jours sans : il y a des moments où,
bien qu'on le souhaite et qu'on en ressente le besoin, il est difficile de se relaxer, de méditer, de s'apaiser. Dans ces instants,
il faut accepter l'évidence : ni notre corps ni notre esprit ne sont
des machines. Il vaut mieux alors se donner comme objectif de
se *rapprocher* du calme que de *vouloir l'atteindre* totalement.
Tout comme, si vous êtes insomniaque, vous utiliserez ces
démarches non pour dormir (on ne peut pas commander au sommeil) mais pour vous rapprocher du sommeil, et au moins traverser vos insomnies de la manière la plus paisible possible. Car
après avoir utilisé relaxation et méditation pour guérir de vos
peurs, il est probable que vous continuerez d'y avoir recours
comme des moyens d'améliorer votre bien-être quotidien dans
toutes ses dimensions.

➤ Les exercices de relaxation

Qu'est-ce que la relaxation ?

La relaxation a pour but d'induire un état de détente physique. Au début, à partir d'exercices volontaires, représentant un
entraînement délibéré. Puis de manière quasi réflexe : une fois
préparés, votre corps et votre esprit seront capables de se mettre
en pilotage automatique. Chaque fois que vous commencerez à
vous tendre ou à vous crisper plus que nécessaire, vos automatismes vous rappelleront la nécessité de baisser d'un cran votre
état d'activation, physique et émotionnelle. L'idée de base de la
relaxation n'est pas de rester parfaitement et totalement calme
face à toutes les circonstances stressantes de la vie, mais de
l'être autant que faire se peut : comment faire ce que j'ai à faire,
affronter ce que j'ai à affronter en restant aussi détendu que possible ? Il existe bien sûr de nombreuses méthodes de relaxation.
Nous décrivons ici une approche dérivée de la plus ancienne et
la plus pratiquée : le training autogène[286].

Utilité de la relaxation face aux peurs

Concernant la lutte contre les peurs excessives, la relaxation présente de nombreux intérêts : diminuer le niveau de tension corporelle chronique qui leur est souvent associé ; se préparer à affronter certaines situations sources de très grandes peurs ; faciliter la récupération émotionnelle ensuite.

Modalités pratiques de la relaxation

La relaxation peut se pratiquer en position assise ou allongée. Elle est facilitée par une ambiance calme, par la fermeture des yeux. Mais peu à peu, il est souhaitable de pouvoir la pratiquer partout, même dans un autobus ou un bureau, et les yeux ouverts.

Vous allez utiliser la relaxation dans trois contextes différents :

• La *relaxation-prévention* : sous forme de petits exercices brefs, de quelques secondes à quelques minutes, ces « mini-relaxations » sont destinées à vous économiser et vous détendre tout au long de la journée. Elles doivent être pratiquées sur le terrain de la vie quotidienne. Elles consistent à vérifier que l'on est installé aussi confortablement que possible là où on se trouve ; à respirer calmement et amplement ; à relâcher les muscles de sa nuque et de ses épaules. Cela se fait les yeux ouverts, à un feu rouge si vous êtes au volant, entre deux coups de téléphone si vous êtes au travail.

• La *relaxation-préparation* : avant d'affronter une situation qui vous inspire de la crainte, pour limiter autant que possible l'intensité des réactions physiques de peur. Inutile d'attendre de vous sentir détendu dans cette circonstance : le but est plutôt de limiter les tensions. Et de vous rappeler l'utilité de ne pas vous autoaggraver en vous affolant et en vous jetant dans les bras de la panique. Ces exercices n'ont pas à être très longs : vous sentirez qu'à un moment cela « plafonne » et que vous ne pouvez vous détendre davantage, vu ce qui vous attend. Vous aurez déjà bien préparé la confrontation.

• La *relaxation-récupération* : après une confrontation à vos peurs, ou après la fatigue d'une journée. Ces exercices sont traditionnellement plus longs que les précédents. Ils sont plus faciles aussi, car ils n'ont pas pour but de faire reculer la peur, mais de vous offrir un état récupérateur de confort et de détente. Ces exercices prolongés sont également importants parce qu'ils vous permettent d'approfondir votre maîtrise de la relaxation. Ce qui vous sera utile face à la peur : semaine après semaine, mois après mois, des automatismes apparaîtront. N'oubliez pas qu'il est très probable que cette pratique régulière modifie peu à peu votre architecture cérébrale, et tout le circuit des synapses impliquées dans le déclenchement des réactions de peur.

Exemple d'exercice de relaxation

Voici un déroulement simplifié de séance. Ne cherchez pas à l'apprendre par cœur. Au début, faites-le *à peu près* : l'esprit est plus important que la lettre ! Relisez souvent le texte, adaptez-le avec vos propres mots, à vos propres besoins. Et progressivement il arrivera tranquillement à votre esprit. Vous pouvez aussi l'enregistrer, ou utiliser au début certains enregistrements vendus chez libraires ou disquaires.

N'oubliez pas : mieux vaut quelques minutes chaque jour qu'une heure une fois par semaine. Et n'attendez pas de ces exercices qu'ils vous amènent dès le début dans un état de profonde détente.

Je suis confortablement installé(e), les yeux fermés…
J'essaie d'être aussi calme et détendu(e) que possible…
J'essaie de ne plus prêter attention aux bruits venus de l'extérieur, ou aux pensées qui m'arrivent régulièrement à l'esprit.
Je laisse ces bruits extérieurs, ces pensées, aller et venir à ma conscience. Je ne cherche pas à les chasser, à les contrôler, ou à les empêcher. Je n'accepte pas non plus de les suivre. J'abandonne ces bruits et ces pensées à eux-mêmes.

C'est comme si je tenais une table d'hôtes : chacun est libre d'entrer et de sortir, de s'installer où bon lui semble.

Je m'occupe juste de garder mon attention sur ce que je suis en train de faire : laisser s'installer tout doucement un état de détente en moi…

Je prends plusieurs inspirations bien profondes.

Je laisse ma respiration prendre son rythme, calmement, tranquillement, lentement

Je ressens bien, au niveau de mon nez et de ma gorge, la sensation d'air frais que j'inspire, et d'air tiède que je rejette…

Je ressens également, à chaque expiration, que tout mon corps se détend un petit peu plus…

Comme si je rejetais mes tensions à l'extérieur de moi-même…

Ma respiration est calme et tranquille…

Je vais passer maintenant tout mon corps en revue pour vérifier qu'il soit aussi détendu que possible…

Je ressens bien mes pieds : mes orteils, mes plantes de pied, le dessus de mes pieds. Je ressens mes chevilles et mes mollets, mes genoux, les muscles de mes cuisses. Je ressens mes hanches et mes fesses, mon bas-ventre et mon ventre. Je ressens mes reins et mon dos, ma poitrine…

Je ressens bien ma respiration, tranquille. Je sens qu'à chaque expiration tout mon corps se détend un petit peu plus…

Je laisse bien se détendre mes épaules et ma nuque…

Je laisse bien se détendre ma mâchoire, mes joues, mon front, mes paupières…

Je suis bien calme et détendu(e)…

Je vais maintenant ressentir, au niveau de mes bras, l'apparition progressive d'une sensation de lourdeur et de pesanteur[*] agréable qui va s'installer petit à petit dans mes deux bras…

Puis dans mes deux jambes…

Puis dans tout mon corps

Tout mon corps est agréablement lourd et pesant...

Je suis bien calme et détendu(e)...

Je vais maintenant ressentir, au creux de mon ventre, au niveau de mon plexus solaire, l'apparition progressive d'une sensation de chaleur agréable...

Sensation de chaleur agréable, qui augmente à chaque expiration...

Mon plexus solaire est agréablement chaud...

Je suis bien calme et détendu(e)...

Lorsque je souhaite terminer l'exercice, je prends une ou deux respirations profondes, je m'étire bien lentement, des bras, des jambes. Puis j'ouvre mes yeux...

➤ *Les exercices de méditation*

Qu'est-ce que la méditation ?

La méditation se définissait traditionnellement en Occident comme une réflexion prolongée et approfondie sur un sujet ; c'est ainsi, par exemple, que Descartes l'entendait. Aujourd'hui, la définition de la méditation s'est bien sûr inspirée de la tradition orientale, et renvoie à un état de conscience particulier, cumulant apaisement physique basé sur la posture et la respiration, contrôle de l'attention et lâcher prise au niveau psychologique, détachement et acceptation face aux pensées et émotions négatives... Bref, un état assez complexe. D'autant que les nombreuses traditions philosophiques et religieuses ont leurs propres modèles et poursuivent leurs propres objectifs dans la méditation : se rapprocher de Dieu, de la Vérité, de la Sérénité... Nous parlerons principale-

---

* Chez certaines personnes, c'est au contraire une sensation de légèreté agréable qui va apparaître.

ment ici de la méthode de méditation actuellement la plus utilisée au sein de la communauté scientifique en psychologie :
la *pleine conscience*, ou *mindfullness*[287, 288].

Utilité de la méditation face aux peurs

Dans le cadre de la lutte contre les peurs excessives, la
méditation est précieuse pour plusieurs raisons : elle permet de
s'habituer à l'idée même de ressentir de la peur ; elle aide à
regarder ses peurs en face ; elle permet peu à peu de prendre de
la distance envers les émotions négatives surajoutées à la peur,
comme la peur de la peur, la honte, la colère…

Modalités pratiques de la méditation

L'état mental visé par la méditation de type « pleine conscience » repose sur deux éléments : focalisation paisible de
l'attention, acceptation de ce qui nous habite et nous entoure. Il
s'agit simplement d'« être là », corps au calme et esprit en paix,
sans chercher à penser, à juger, à « faire ». Attention, la méditation n'est tout de même pas seulement une pratique de pur
esprit, elle utilise aussi beaucoup la respiration et les états du
corps. C'est pourquoi on considère que l'apprentissage préalable
d'une technique de relaxation est une aide.

Voici en gros comment il est possible de s'entraîner à
méditer, au travers de plusieurs grandes phases :
• *Installation*. Choisissez une position confortable. Classique-
ment, on recommande aux Occidentaux la position agenouillée,
de préférence avec un petit banc de méditation, ou un coussin,
glissés sous les fesses. Installez-vous face à une fenêtre, ou un
mur. Face à quelque chose sur quoi porter votre attention : coin
de ciel, objet, tableau, n'importe quoi qui vous convienne. On
médite souvent les yeux ouverts pour fixer son attention sur ce
point. Mais vous pouvez les fermer de temps en temps. Vous
devez pouvoir rester isolé pendant le temps de votre exercice de
méditation : pas d'allées et venues dans la pièce, pas de téléphone si possible. Isolés mais pas coupés du monde, inutile de

rechercher le silence intégral ou le calme absolu autour de vous : cela n'existe pas en général dans nos sociétés, et, au contraire, apprendre à méditer au milieu du mouvement de la vie va représenter un très bon exercice.

• *Respiration et relaxation.* Commencez par respirer et vous détendre. Démarrez par une ou deux inspirations bien profondes. Puis laissez votre respiration adopter un rythme calme. Vous pouvez l'amorcer de cette façon : comptez de un à cinq en inspirant, puis petite pause sur le six, puis comptez de un à cinq en expirant, puis petite pause sur le six, et ainsi de suite… Cela pour induire une respiration tranquille. Abandonnez ensuite le comptage et laissez votre respiration continuer toute seule. Vous en reprendrez conscience de temps en temps : vous consacrer à nouveau à pacifier votre rythme respiratoire facilitera votre méditation. Le rapport à notre respiration est intéressant : respirer est un processus naturel, que je ne peux empêcher mais juste contrôler et orienter dans le meilleur sens pour moi. Il en est de même avec notre rapport à la peur : nous ne pouvons empêcher l'apparition de la peur, mais nous pouvons en moduler l'expression.

• *Acceptation* : c'est sans doute la démarche la plus caractéristique de cette forme de méditation « en pleine conscience ». Il s'agit d'accepter tout ce qui arrive, en nous et autour de nous : les bruits extérieurs, venus de la rue ou de l'endroit où nous sommes ; les pensées parasites innombrables, qui profitent en général de l'espace mental ouvert par la méditation pour s'engouffrer dedans ; les émotions négatives, inquiétude, tristesse, colère et autres, qui profitent aussi de la méditation pour réapparaître… Tout cela, vous allez l'accepter. Ne vous dites pas que cela empêche votre méditation, que cela la rend impossible. Dites-vous que c'est la vie qui est là, et que c'est drôlement bien, la vie ! Vous ne méditez pas pour vous couper ou vous isoler du monde, mais pour y être paisiblement présent. Vous ne méditez pas pour *ne pas ressentir la peur*, mais pour *ne plus avoir peur de la peur*. Les bruits qui vous entourent, et vous agressent, acceptez-les, mais ne les écoutez pas : ils entrent par une oreille et sortent par l'autre ; peu à peu ils ne vous gêne-ront plus. Les pensées qui vous assaillent, acceptez-les, mais ne les suivez pas : laissez-les aller et venir, vivre leur vie de pen-sées, vous vous en occuperez plus tard ; ce qui est important reviendra à votre esprit et ce qui ne l'est pas sera oublié. Les émotions qui vous oppressent à nouveau, acceptez-les, mais ne leur obéissez pas : si vous ne les nourrissez pas, elles diminue-ront doucement ; elles reprendront leur place, et leur importance naturelle sans surenchère.

• *Maintien de la méditation.* C'est le plus difficile au début : les bruits alentour, les pensées à propos de tout et de rien, les sen-sations physiques, ce petit mal au cou, cet estomac qui gar-gouille, ces sifflements dans vos oreilles, tout va vous distraire. Prenez cela comme un exercice : c'est normal et c'est utile. Imaginez que vous êtes assis dans l'herbe, un peu à l'écart d'un repas à la campagne avec de la famille ou des amis : vous enten-dez les bruits mais vous ne participez pas aux conversations. Vous avez fait le choix d'être présent, mais à distance. Vous ne leur en voulez pas de faire du bruit : ils sont là pour ça, faire du bruit, en parlant et se réjouissant. C'est pour cela que cette joyeuse réunion existe. C'est parce que tout cela existe que votre méditation a un sens. Elle n'en aurait aucun si vous étiez dans un silence et un vide complets. Lorsque vous méditez, acceptez chaque distraction, et ramenez doucement votre conscience vers l'état mental recherché : doucement concentré sur le ciel ou le mur, laissant passer en vous sensations, pensées, émotions. Vous pouvez aussi imaginer que vous ramenez tout doucement vers la sortie de votre « bureau des méditations » un petit enfant, avec patience, tolérance, tranquillement, sans vous énerver s'il revient : cela fait partie de la vie, et c'est le meilleur exercice possible pour muscler votre sérénité. Se trouver dis-trait, ce n'est pas un échec : c'est normal, c'est un épisode du chemin. Chaque exercice de méditation est un cheminement et non une fin en soi.

• *Focalisation de l'attention et utilisation de la méditation.* La méditation peut se suffire à elle-même : maintenir son attention tournée vers la notion de simple présence, d'appartenance à la vie et au monde. Juste « être là ». Elle peut aussi servir à atteindre d'autres objectifs : faciliter la prière, réfléchir à des problèmes importants, ou travailler sur ses peurs. Dans ce cas, qui nous intéresse ici, la méditation sert à accepter l'idée de la peur, à regarder en face les objets de nos peurs, à penser sans s'affoler aux pires de nos scénarios catastrophe : « Je ne souhaite pas que cela arrive, mais ce n'est pas ma peur qui empêchera que cela arrive. Ce sont mes actions et mes décisions. Si j'ai peur de la morsure, je dois accepter de me voir mordu. Si j'ai peur de la chute, je dois accepter de me voir tomber. Si j'ai peur de la mort, je dois accepter de voir ma mort. Si j'ai peur de l'humiliation, je dois accepter de me voir humilié. Puis, une fois l'*idée* acceptée, je vais agir pour que la *chose* n'arrive pas, si je ne le souhaite pas. Ou qu'elle me trouve calme et fort lorsqu'elle arrivera. Mais mon action sera plus efficace si je suis serein face à la pire éventualité, que si je suis sous la pleine emprise de mes émotions. »

• *Fin de l'exercice*. La plupart des méditants utilisent un certain nombre de petits rituels pour commencer leur exercice : s'installer souvent à la même place, se concentrer sur les mêmes choses, se répéter certaines phrases ou certains mots comme pour bercer et détendre leur esprit. De même, ils ont souvent un petit geste ou une petite phrase de conclusion : s'incliner en portant une main sur le cœur ou en joignant leurs paumes. C'est à vous de choisir. L'idée de base est de manifester du respect envers vous et l'exercice que vous venez d'effectuer. Même les jours où vous avez du mal, essayez de respecter ce cycle complet que nous venons de décrire : si cela ne vous apporte rien de net aujourd'hui, vous préparez mieux ainsi les fois prochaines.

Références bibliographiques

Chapitre 1 : Peurs normales et peurs pathologiques

1. CURTIS G.C. et coll., « Specific fears and phobias », *Psychological Medicine*, 1998, 173 : 212-217.
2. KESSLER R.C. et coll., « Lifetime and 12-month prevalence of DSM-III-R psychiatric disorders in the United States : results form the National Comorbidity Survey ? », *Archives of General Psychiatry*, 1994, 51 : 8-19.
3. STEIN D.J. (ed)., « Clinical manual of anxiety disorders », *Arlington, American Psychiatric Publishing*, 2004.
4. CROMPTON G.K. et coll., « Maladies du système respiratoire », *in* Haslet C. et coll. : *Davidson. Médecine interne, principes et pratique*, Paris, Maloine, 2000, pp. 326-335.
5. MCLEAN P.D., GUYOT R., *Les Trois Cerveaux de l'homme*, Paris, Laffont, 1990.

Chapitre 2 : D'où viennent peurs et phobies ?

6. VAN RILLAER J., *Psychologie de la vie quotidienne*, Paris, Odile Jacob, 2003.
7. VAN RILLAER J., « Une légende moderne : "les comportementalistes ne traitent que les symptômes" », *Journal de thérapie comportementale et cognitive*, 2004, 14 : 3-7.
8. GRÜNBAUM A., *Les Fondements de la psychanalyse. Une critique philosophique*, Paris, PUF, 1996.
9. LAPLANCHE J., PONTALIS J.B., *Vocabulaire de la psychanalyse*, Paris, PUF, 1976.
10. GÉLINEAU E., *Des peurs maladives ou phobies*, Paris, Société d'Éditions scientifiques, 1894.
11. BIRRAUX A., *Les Phobies*, Paris, PUF, 1995.
12. GORWOOD P., « L'anxiété est-elle héréditaire ? », *L'Encéphale*, 1998, 24 : 252-255.
13. CRASKE M.G., « Disposition to fear and anxiety : negative affectivity », *in* Craske M.G. : *Origins of phobias and anxiety disorders*, Oxford, Elsevier, 2003, p. 33-50.

14. FRIEZ B.M. et coll., « Diabète sucré, troubles nutritionnels et métaboliques », *in* Haslet C et coll. : *Davidson. Médecine interne, principes et pratique*, Paris, Maloine, 2000, p. 472-509.

15. HUIZINK A et coll., « Prenatal stress and risk for psychopathology : specific effects or induction of general susceptibility ? », *Psychological Bulletin*, 2004, 130(1) : 115-142.

16. BERTENTHAL B.I. et coll., « A re-examination of fear and its determinants on the visual cliff », *Psychophysiology*, 1984, 21 : 413-417.

17. POULTON R. et coll., « Evidence for a non-associative model of the acquisition of the fear of heights », *Behaviour Research and Therapy*, 1998, 36 : 537-544.

18. POULTON R. et coll., « Low fear in childhood is associated with sporting prowess in adolescence and young adulthood », *Behaviour Research and Therapy*, 2004, 40 : 1191-1197.

19. MURIS P. et coll., « How serious are common chidhood fears ? » *Behaviour Research and Therapy*, 2000, 38 : 217-228.

20. BREWIN C.R. et coll., « Psychopathology and early experience : a reappraisal of retrospective reports », *Psychological Bulletin*, 1993, 113 : 82-98.

21. MURIS P. et coll., « Children's nighttime fears : parent-child ratings of frequency, contents, origins, coping behaviors and severity », *Behaviour Research and Therapy*, 2001, 39 : 13-28.

22. ANTONY M.M. et coll., « Heterogeneity among specifics phobias types in DSM-IV », *Behaviour Research and Therapy*, 1997, 35 : 1089-1100.

23. MARKS I., « Phobias and obsessions. Clinical phenomena in search of laboratory models », *in* J.D. Maser et M.E.P. Seligman (eds), *Psychopathology : Experimental Models*, San Francisco, Freeman, 1977.

24. SELIGMAN M., « Phobias and preparedness », *Behavior Therapy*, 1971, 2 : 307-320.

25. COOK M. et coll., « Selective associations in the origins of phobics fears and their implications for behavior therapy », *in* P. Martin (ed), *Handbbok of Behavior Therapy and Psychological Science*, New York, Pergamon Press, 1991.

26. TOMARKEN A.J. et coll., « Fear relevant selective associations and covariations bias », *Journal of Abnormal Psychology*, 1989, 98 : 381-394.

27. KENDLER K.S. et coll., « The genetic epidemiology of phobias in women », *Archives of General Psychiatry*, 1992, 49 : 273-281.

28. ANDREWS G. et coll., « The prevention of mental disorders in young people », *Medical Journal of Australia*, 2002, 177 : S97-S100.

29. SUOMI S.J., « Early determinants of behaviour : evidence from primates studies », *British Medical Bulletin*, 1997, 53 : 170-1784.

30. BRUSH F.R. et coll., « Genetic selection for avoidance behaviour in the rat », *Behavioural Genetic*, 1979, 9 : 309-316.

31. KAGAN J. et coll., « Temperamental factors in human development », *American Psychologist*, 1991, 46 : 856-886.

32. ROSENBAUM J.F. et coll., « Behavioral inhibition in children : a possible precursor to panic disorder or social phobia », *Journal of Clinical Psychiatry*, 1991, 52 : 5-9.

33. ARON E., *Ces gens qui ont peur d'avoir peur*, Montréal, Le Jour, 1999.

34. RACHMAN S.J., « Fear and courage among military bomb disposal operators », *Advances in Behaviour Research and Therapy*, 1983, 4 : 99-165.
35. REISS S. et coll., « Anxiety sensitivity, anxiety frequency and the prediction of fearfulness », *Behaviour Research and Therapy*, 1986, 24 : 1-8.
36. MALLER R.G. et coll., « Anxiety sensitivity in 1984 and risk of panic attacks in 1987 », *Journal of Anxiety Disorders*, 1992, 6 : 241-247.
37. DESCARTES R., *Les Passions de l'âme*, Paris, Flammarion, 1996.
38. DAVEY G.C.L., « A conditioning model of phobias », *in Phobias, a Handbook of Theory, Research and Treatment*, Chichester, Wiley, 1997.
39. BOUWER C. et coll., « Association of panic disorder with a history of traumatic suffocation », *American Journal of Psychiatry*, 1997, 154 : 1566-1570.
40. Cité dans LEDOUX J., *The Emotional Brain*, New York, Simon and Schuster, 1996.
41. BLOCK R.I. et coll., « Effects of a subanesthetic concentration of nitrous oxide on establishment, elicitation, and semantic and phonemic elicitation of classically conditioned skin conductance responses », *Pharmacology, Biochemistry and Behaviour*, 1987, 28 : 7-14.
42. POPE H.G. et coll., « Can memories of childhood sexual abuse be repressed ? », *Psychological Medicine*, 1995, 25 : 121-126.
43. VAN RILLAER J., *Peurs, angoisses et phobies*, Paris, Bernet-Danilo, 1997.
44. DE JONG P.J. et coll., « Spider phobia in children », *Behaviour Research and Therapy*, 1997, 35 : 559-562.
45. MURIS P. et coll., « The role of parental fearfulness and modeling in children's fear », *Behaviour Research and Therapy*, 1996, 34 : 265-268.
46. FIELD A.P. et coll., « Who's affraid of the big bad wolf : a prospective paradigm to test Rachman's indirect pathways in children », *Behavior Research and Therapy*, 2001, 39 : 1259-1276.
47. MURIS P. et coll., « Fear of the beast : a prospective study on the effects of negative information on childhood fear », *Behaviour Research and Therapy*, 2004, 41 : 195-208.
48. FIELD A.P. et coll., « Fear information and the development of fears during childhood : effects on implicit fear responses and behavioural avoidance », *Behaviour Research and Therapy*, 2003, 41 : 1277-1293
49. BELMONT N., *Comment on fait peur aux enfants*, Paris, Mercure de France, 1999.
50. CARBONE C., *La Peur du loup*, Paris, Gallimard, 1991.
51. CRASKE M.G., *Origins of Phobias and Anxiety Disorders : Why more Women than Men ?*, Oxford, Elsevier, 2003.
52. MCGUIRE M, TROISI A., *Darwinian Psychiatry*, Oxford, Oxford University Press, 1998.
53. WEINBERG M.K. et coll., « Gender differences in emotional expressivity and self-regulation during infancy », *Developmental Psychology*, 1999, 35 : 175-188.
54. BRODY L.R., HALL J.A., « Gender and emotion », *in* M. Lewis et J.M. Havilland, *Handbook of Emotions*, New York, Guilford Press, 1993, p. 447-460.

55. KERR M. et coll., « Stability of inhibition in a swedish longitudinal sample », *Child Development*, 1994, 65 : 138-146.
56. TRONICK E.Z., COHN J.F., « Infant-mother face-to-face interaction : age and gender differences in coordination and occurrence of miscoordination », *Child Development*, 1989, 60 : 85-92.
57. MCCLURE E.B., « A meta-analytic review of sex-differences in facial expression processing and their development in infants, children and adolescents », *Psychological Bulletin*, 2000, 3 : 424-453.
58. LINDGREN A., *Fifi Brindacier*, Paris, Hachette, 2001.
59. CHAMBLESS D.L., MASON J., « Sex, sex-role stereotyping and agoraphobia », *Behaviour Research and Therapy*, 1986, 24 : 231-235.
60. ARRINDELL W.A. et coll., « Masculinity-femininity as a national characteristic and its relationship with national agoraphobic fear level », *Behaviour Research and Therapy*, 2003, 41 : 795-807.

Chapitre 3 : Les mécanismes des peurs et des phobies

61. KOSTER E.H.W. et coll., « The paradoxical effects of suppressing anxious thoughts during imminent threat », *Behaviour Research and Therapy*, 2003, 41 : 1113-1120.
62. FELDNER M.T. et coll., « Emotional avoidance : an experimental test of individual differences and response suppression using biological challenge », *Behaviour Research and Therapy*, 2003, 41 : 403-411.
63. RODRIGUEZ B.I. et coll., « Does distraction interfers with fear reduction during exposure ? », *Behavior Therapy*, 1995, 26 : 337-349.
64. JOHNSTONE K.A., PAGE A.C., « Attention to phobic stimuli during exposure : the effect of distraction on anxiety reduction, self-efficacy and perceived control », *Behaviour Research and Therapy*, 2004, 42 : 249-275.
65. ÖHMAN A. et coll., « Unconscious anxiety : phobic responses to masked stimuli », *Journal of Abnormal Pychology*, 1994, 103 : 231-240.
66. WELLS A. et coll., « Social phobia : a cognitive approach », *in : Phobias, a Handbook of Theory, Research and Treatment*, Davey G.C.L., Chichester, Wiley, 1997.
67. TOLIN D.F. et coll., « Visual avoidance in specific phobia », *Behaviour Research and Therapy*, 1999, 37 : 63-70.
68. THORPE S.J. et coll., « Selective attention to real phobic and safety stimulus », *Behaviour Research and Therapy*, 1998, 36 : 471-481.
69. STOPA L., CLARK D.M., « Social phobia and interpretation of social events », *Behaviour Research and Therapy*, 2000, 38 : 273-283.
70. WINTON E.C. et coll., « Social anxiety, fear of negative evaluation and the detection of negative emotion in others », *Behaviour Research and Therapy*, 1995, 33 : 193-196
71. LAVY E. et coll., « Selective attention evidence by pictorial and linguistic stroop tasks », *Behavior Therapy*, 1993, 24 : 645-657.
72. HOPE D.A. et coll., « Social anxiety and the recall of interpersonal information », *Journal of Cognitive Psychotherapy*, 1990, 4 : 185-195.

73. MURIS P. et coll., « The emotional reasoning heuristic in children », *Behaviour Research and Therapy*, 2003, 41 : 261-272.

74. ARNTZ A. et coll., « "If i feel anxious, there must be danger" : ex-consequentia reasoning in inferring danger in anxiety disorders », *Behaviour Research and Therapy*, 1995, 33 : 917-925.

75. LAVY E. et coll., « Attentional bias and spider phobia », *Behaviour Research and Therapy*, 1993, 31 : 17-24.

76. RAUCH S.L. et coll., « A positron emission tomographic study of simple phobic symptom provocation », *Archives of General Psychiatry*, 1995, 52 : 20-28.

77. STEIN M.B. et coll., « Increased amygdala activation to angry and contemptuous faces in generalized social phobia », *Archives of General Psychiatry*, 2002, 59 : 1027-1034.

78. TILFORS M. et coll., « Cerebral blood flow in subjects with social phobia during stressfull speaking tasks : a PET study », *American Journal of Psychiatry*, 2001, 158 : 1220-1226.

79. WILLIAMS L.M. et coll., « Mapping the time course of nonconscious and conscious perception of fear : an integration of central and peripheral mesures », *Human Brain Mapping*, 2004, 21 : 64-74.

80. FURMARK T. et coll., « Common changes in cerebral blood flow in patients with social phobia treated with citalopram or cognitive-behavioral therapy », *Archives of General Psychiatry*, 2002, 59 : 425-433.

81. GORMAN J.M. (ed)., *Fear and Anxety : the Benefits of Translational Research*, Arlington, American Psychiatric Publishing, 2004.

Chapitre 4 : Comment faire face à la peur : premières pistes

82. ELLIS A., *Reason and Emotion in Psychotherapy*, New York, Birch Lane Press, 1994.

83. DE JOONG P.J. et coll., « Blushing may signify guilt : revealing effects of blushing in ambiguous social situations », *Motivation and Emotion*, 2003, 27 : 225-249.

84. SÜSKIND P., *Le Pigeon*, Paris, Fayard, 1987.

85. WENZEL A. et coll., « Autobiographical memories of anxiety-related experiences », *Behaviour Research and Therapy*, 2004, 42 : 329-341.

86. LANG A.J. et coll., « Fear-related state dependant memory », *Cognition and Emotion*, 2001, 15 : 695-703.

87. JANET P., *Les Névroses*, Paris, Flammarion, 1909.

88. RIHMER Z., « Comorbidity between phobias and mood disorders », *in* M. Maj et coll. (eds), *Phobias*, Chichester, Wiley, 2004.

89. BOUMAN T.K., « Intra- and interpersonal consequences of experimentally induced concealment », *Behaviour Research and Therapy*, 2003, 41 : 959-968.

90. GEORGE F., *L'Effet 'Yau de poêle*, Paris, Hachette, 1979.

91. VAN RILLAER J., *Les Illusions de la psychanalyse*, Bruxelles, Mardaga, 1980, p. 217.

92. ZWEIG S., *La Peur*, Paris, Grasset, 1935.

93. DiLORENZO T.M. et coll., « Long-term effects of aerobic exercise on psychological outcomes », *Preventive Medicine*, 1999, 28 : 75-85.
94. THAYER R.E., « Rational mood substitution : exercise more and indulge less », *in* R.E. Thayer, *The Origin of Everyday Moods*, Oxford, Oxford University Press, 1996, p 157-168.
95. BROMAN-FULKS J.J. et coll., « Effects of aerobic exercise on anxiety sensitivity », *Behaviour Research and Therapy*, 2004, 42 : 125-136.
96. SERVAN-SCHREIBER D., *Guérir*, Paris, Laffont, 2003.
97. CUNGI C., *Faire face aux dépendances*, Paris, Retz, 2000.
98. VENTURELLO S. et coll., « Premorbid conditions and precipitating events in early-onset panic disorder », *Comprehensive Psychiatry*, 2002, 43 : 28-36.
99. BARLOW D.H., « Biological aspects of anxiety and panic », *in* D.H. Barlow, *Anxiety and its Disorders*, New York, Guilford Press, 2002, p. 180-218.
100. ANDRÉ C. et coll., *Le Stress*, Toulouse, Privat, 1998.
101. BROWN K.W. et RYAN R.M., « The benefits of being present : mindfulness and its role in psychological well-being », *Journal of Personality and Social Psychology*, 2003, 84 : 822-848.
102. MOHLMAN J., « Attention-training as an intervention for anxiety : review and rationale », *Behavior Therapist*, 2004, 27 : 37-41.
103. GOLEMAN D., *Surmonter les émotions destructrices*, Paris, Laffont, 2003.
104. SEGAL Z.V., WILLIAMS J.M.G., TEASDALE J.D., *Mindfullness-Based Cognitive Therapy for Depression*, New York, Guilford Press, 2002.
105. TONEATTO T.A., « Metacognitive therapy for anxiety disorders : buddhist psychology applied », *Cognitive and Behavioral Practice*, 2002, 9 : 72-78.

Chapitre 5 : Tout savoir sur le traitement des phobies

106. INSERM, Expertise collective, *Psychothérapies, trois approches évaluées*, Paris, Éditions Inserm, 2004.
107. ANDRÉ C., « Clinique et traitement des troubles anxieux : un état des lieux », *La Lettre des neurosciences*, 2004, n° 26 : 19-21.
108. LEDOUX J., *Neurobiologie de la personnalité*, Paris, Odile Jacob, 2004.
109. Voir l'interview du neurobiologiste Joseph LEDOUX dans la revue *Sciences humaines*, n° 149, mai 2004, p. 42-45.
110. BARLOW D.H. et coll., « Toward a unified treatment for emotional disorders », *Behavior Therapy*, 2004, 35 : 205-230.
111. GOLDAPPLE K. et coll., « Modulation of cortical-limbic pathways in major depression : treatment-specific effects of cognitive-behavioral therapy », *Archives of General Psychiatry*, 2004, 61 : 34-41.
112. NAKATANI E. et coll., « Effects of behavior therapy on regional cerebral blood flow in obsessive-compulsive disorder », *Psychiatry Research*, 2003, 124 : 113-120.
113. PAQUETTE V. et coll., « Change the mind and you change the brain : effects of cognitive-behavioral therapy on the neural correlates of spider phobia », *NeuroImage*, 2003, 18 : 401-409.

114. FURMARK T. et coll., « Common changes in cerebral blood flow in patients with social phobia treated with citalopram or cognitive-behavioral therapy », *Archives of General Psychiatry*, 2002, 59 : 425-433.

115. WILHELM F.H. et coll., « Acute and delayed effects of alprazolam on flights phobics during exposure », *Behaviour Research and Therapy*, 1997, 35 : 831-841.

116. KAJIMURA N. et coll., « Desactivation by benzodiazepine of the basal forebrain and amygdala in normal humans during sleep : a placebo-controlled PET study », *American Journal of Psychiatry*, 2004, 161 : 748-751.

117. AGGLETON J. (ed), *The Amygdala, a Functional Analysis*, Oxford, Oxford University Press, 2000.

118. KLEIN D.F., « Delineation of two drug-responsive anxiety syndromes », *Psychopharmacologia*, 1964, 5 : 387-408.

119. MILLET B., ANDRÉ C., DELIGNE H., OLIÉ J.P., « Potential treatment paradigms for anxiety disorders », *Expert Opinion in Investigational Drugs*, 1999, 8 : 1589-1598.

120. LECRUBIER Y. et coll., « Efficacy of St. John's wort extract in major depression : a double-blind, placebo-controlled trial », *American Journal of Psychiatry*, 2002, 159 : 1361-1366.

121. WONG A.H.C. et coll., « Herbal remedies in psychiatric practice », *Archives of General Psychiatry*, 1998, 55 : 1033-1044.

122. WORLD HEALTH ORAGANIZATION, *Treatment of Mental Disorders*, Washington DC, American Psychiatric Press, 1993.

123. Cités par Marc CRAPEZ dans son ouvrage : *Défense du bon sens*, Paris, Éditions du Rocher, 2004.

124. « Woody et tout le reste », *L'Express*, 23 octobre 2003, p. 68-69.

125. VAN RILLAER J., *Les Thérapies comportementales*, Paris, Bernet-Danilo, 1995.

126. BARLOW D.H. et coll., « Advances in the psychosocial treatment of anxiety disorders », *Archives of General Psychiatry*, 1996, 53 : 727-735.

127. MAVISSAKALIAN M.R., PRIEN R.F. (éds.), *Long-Term Treatments of Anxiety Disorders*, Washington, American Psychiatric Press, 1996.

128. BÉNESTEAU J., *Mensonges freudiens*, Sprimont (Belgique), Mardaga, 2003. Voir aussi : MAHONY P., *Dora s'en va. Violence dans la psychanalyse*, Paris, Les Empêcheurs de penser en rond, 2001. Ou encore : POLLAK R., *Bruno Bettelheim, ou la Fabrication d'un mythe*, Paris, Les Empêcheurs de penser en rond, 2003.

129. RODRIGUEZ B.I. et coll., « Does distraction interfers with exposure ? », *Behavior Therapy*, 1995, 26 : 337-349.

130. ROTHBAUM B.O. et coll., « Effectiveness of computer-generated (virtual reality) graded exposure in the treatment of acrophobia », *American Journal of Psychiatry*, 1995, 152 : 626-628.

131. CARLIN A.S. et coll., « Virtual reality and tactile augmentation in the treatment of spider phobia », *Behavior Research and Therapy*, 1997, 35 : 153-158.

132. MÜHLBERGER A. et coll., « Repeated exposure of flight phobics to flight in virtual reality », *Behavior Research and Therapy*, 2001, 39 : 1033-1050.

133. Légeron P. et coll., « Thérapie par réalité virtuelle dans la phobie sociale : étude préliminaire auprès de 36 patients », *Journal de thérapie comportementale et cognitive*, 2003, 13 : 13-127.
134. Anderson P. et coll., « Virtual reality exposure in the treatment of social anxiety disorder », *Cognitive and Behavioral Practice*, 2003, 10 : 240-247.
135. Cottraux J., *Les Thérapies cognitives*, Paris, Retz, 2001.
136. Davidson P.R., Parker K.C.H., « Eye movement desensitization and reprocessing (EMDR) : meta-analysis », *Journal of Consulting and Clinical Psychology*, 2001, 69 : 305-316.
137. De Jongh A. et coll., « Treatment of specific phobias with EMDR : protocol, empirical status and conceptual issues », *Journal of Anxiety Disorders*, 1999, 13 : 69-85.
138. Teasdale J.D., « EMDR and the anxiety disorders : clinical research implications and integrated psychotherapy treatment », *Journal of Anxiety Disorders*, 1999, 13 : 35-67.
139. Freud S., *Cinq Psychanalyses*, Paris, PUF, 1979.
140. Birraux A., *Les Phobies*, Paris, PUF, 1995.
141. Birraux A., *op. cit.*
142. Rey P., *Une saison chez Lacan*, Paris, Robert Laffont, 1989.
143. McCullough L. et coll., « Assimilative integration : short-term dynamic psychotherapy for treating affect phobias », *Clinical Psychology Science*, 2001, 8 : 82-97.
144. Raimy V.C., *Training in Clinical Psychology*, Prentice-Hall, New York, 1950.
145. Marks I., « Fear reduction by psychotherapies : recent findings, future directions », *British Journal of Psychiatry*, 2000, 176 : 507-511.

Chapitre 6 : Peurs et phobies : un peu d'histoire et un portrait de famille

146. Kagan K., *Des idées reçues en psychologie*, Paris, Odile Jacob, 2000.
147. Montaigne, *Essais*, Paris, Garnier-Flammarion, 1969, Livre I, Chapitre XXI « De la force de l'imagination ».
148. Burton R., *Anatomie de la mélancolie*, Paris, José Corti, 2000.
149. Cottraux J., Mollard E., *Les Phobies, perspectives nouvelles*, Paris, PUF, 1986.
150. Skrabanek P., McCormick J., *Idées folles, idées fausses en médecine*, Paris, Odile Jacob, 1992.
151. Ribot T., *Psychologie des sentiments*, Paris, Alcan, 1896.
152. Freud S., *Introduction à la psychanalyse*, Paris, Payot, 1971.
153. Klein D.F., « Delineation of two drug responsive anxiety syndromes », *Psychopharmacologia*, 1964, 5 : 397-408.
154. Wolpe J., *Pratique de la thérapie comportementale*, Paris, Masson, 1975.
155. Marks I., *Traitement et prise en charge des malades névrotiques*, Québec, Gaëtan Morin, 1985.
156. American Psychiatric Association, *DSM-IV, Manuel diagnostique et statistique des troubles mentaux*, 4e édition, Paris, Masson, 1996.

Chapitre 7 : Peurs et phobies « simples » :
animaux, avion, sang et eau...

157. MAGEE W.J. et coll., « Agoraphobia, simple phobia and social phobia in the National Comorbidity Survey », *Archives of General Psychiatry*, 1996, 53 : 159-168.

158. FREDRIKSON M. et coll., « Gender and age differences in the prevalence of specific fears and phobias », *Behaviour Research and Therapy*, 1996, 344 : 33-39.

159. CHAPMAN T.F. et coll., « A comparison of treated and untreated simple phobia », *American Journal of Psychiatry*, 1993, 150 : 816-818.

160. RACHMAN S. et coll., « Fearful distortions », *Behaviour Research and Therapy*, 1992, 30 : 583-589.

161. FREDRIKSON M. et coll., « Functional neuroanatomy of visualy elicited simple phobic fear », *Psychophysiology*, 1995, 32 : 43-48.

162. WESSEL I, MERCKELBACH H., « Memory threat-relevant and threat-irrelevant cues in spider phobics », *Cognition and Emotion*, 1998, 12 : 93-104.

163. SÜSKIND P., *Le Pigeon*, Paris, Fayard, 1987.

164. DAVEY G.C.L. et coll., « A cross-cultural study of animal fears », *Behaviour Research and Therapy*, 1998, 36 : 735-750.

165. SHAKESPEARE, *In Œuvres complètes, Le Marchand de Venise*, Paris, Gallimard, 1959. Acte IV, scène 1.

166. MCNALLY R.J. et coll., « The etiology and maintenance of severe animals phobias », *Behaviour Research and Therapy*, 1985, 23 : 431-435.

167. SIMPÈRE F., *Vaincre la peur de l'eau*, Alleur (Belgique), Marabout, 1998.

168. RACHMAN S.J., « Claustrophobia », *in : Phobias, a Handbook of Theory, Research and Treatment*, Davey G.C.L., Chichester, Wiley, 1997, p. 163-181.

169. MELENDEZ J., MCCRANK E., « Anxiety-related reactions associated with magnetic resonance examinations », *Journal of the American Medical Association*, 1993, 270 : 745-747.

170. AUBENAS F., « Le cauchemar de Paul, claustrophobe », *Libération*, 6 mai 1994.

171. VAN GERWEEN L.J. et coll., « People who seek help for fear of flying : typology of flying phobics », *Behavior Therapy*, 1997, 28 : 237-251.

172. SCHIAVO M., *Flying Blind, Flying Safe*, New York, Avon Books, 1997.

173. ZUMBRUNNEN R., *Pas de panique au volant*, Paris, Odile Jacob, 2002.

174. KUCH K., « Accident phobia », *in : Phobias, a Handbook of Theory, Research and Treatment*, Davey G.C.L., Chichester, Wiley, 1997, p. 153-162.

175. SABOURAUD A., *Revivre après un choc*, Paris, Odile Jacob, 2001.

176. ARRINDELL W.A. et coll., « Dissimulation and the sex difference in self-assessed fears », *Behaviour Research and Therapy*, 1992, 30 : 307-311.

177. ÖST L.G., HELLSTROM K., « Blood-injury-injection phobia », *in : Phobias, a Handbook of Theory, Research and Treatment*, Davey G.C.L., Chichester, Wiley, 1997, p 63-80.

178. POULTON R. et coll., « Good teeth, bad teeth and fear of the dentist », *Behaviour Research and Therapy*, 1997, 35 : 327-334.
179. BERLIN I. et coll., « Phobics symptoms, particulary the fear of blood and injury, are associated with poor glycemic control in type I diabetic adults », *Diabetes Care*, 1997, 20 : 176-478.
180. ÖST L.G. et coll., « Applied tension : a specific behavioral method for treatment of blood phobia », *Behaviour Research and Therapy*, 1987, 25 : 25-29.
181. HELLSTRÖM K. et coll., « One *versus* five sessions of applied tension in the treatment of blood phobia », *Behaviour Research and Therapy*, 1996, 34 : 101-112.
182. CURTIS G.C. et coll., « Specific fears and phobias : epidemiology and classification », *British Journal of Psychiatry*, 1998, 173 : 212-217.
183. FREDRIKSON M. et coll., « Gender and age differences in the prevalence of specific fears and phobias », *Behaviour Research and Therapy*, 1998, 26 : 241-244.
184. WALD M.L., « Shark attacks : when a plane crash at sea is the least of your worries », *New York Times*, Sunday May 2, 2004, p. 5.
185. Le film est sorti en 2004. Voir aussi le roman de J.K. ROWLING dont il est tiré : *Harry Potter et le Prisonnier d'Azkaban*, Paris, Gallimard, 1999.
186. Informations sur leur site : pied-dans-eau.fr. Attention : il ne s'agit pas de psychothérapie, mais de stages – payants – de familiarisation avec l'eau, conduits avec beaucoup de savoir-faire.
187. PANTALON M.V., LUBETKIN B.S., « Use and effectiveness of self-help books in the practice of cognitive-behavioral therapy », *Cognitive and Behavioral Practive*, 1995, 2 : 213-228.
188. GILROY L.J. et coll., « Controlled comparison of computer-aided vicarious exposure versus live exposure in the treatment of spider phobia », *Behavior Therapy*, 2000, 31 : 733-744.
189. KENWRIGHT M., MARKS I.M., « Computer-aided self-help for phobia/panic via internet at home : a pilot study », *British Journal of Psychiatry*, 2004, 184 : 448-449.
190. ÖST L.G., « Long-term effects of behavior therapy for specific phobia », *in* Mavissakalian M.R., Prien R.F. (eds.), *Long-Term Treatments of Anxiety Disorders*, Washington DC, American Psychiatric Press, 1996.
191. ÖST L.G., SALKOVSKIS P.M., HELLSTRÖM K., « One-session therapist directed exposure *vs.* self-exposure in the treatment of spider phobia », *Behaviour Therapy*, 1991 ; 22 : 407-422.
192. ÖST L.G., HELLSTRÖM K., KAVER A., « One *versus* five sessions of exposure in the treatment of injection phobia », *Behavior Therapy*, 1992 ; 22 : 263-281.
193. ÖST L.G., « One-session group treatment of spider phobia », *Behaviour Research and Therapy*, 1996 ; 34 : 707-715.
194. TSAO J.C.I., CRASKE M.G., « Timing of treatment and return of fear : effects of massed, uniform-, and expanding-spaced exposure schedules », *Behavior Therapy*, 2000, 31 : 479-498.
195. ROY S. et coll., « La thérapie par réalité virtuelle dans les troubles phobiques », *journal de thérapie comportementale et cognitive*, 2003, 13 : 97-100.

Chapitre 8 : Peurs et phobies sociales

196. GILBERT P., ANDREWS B., *Shame : Interpersonal Behavior, Psychopathology and Culture*, Oxford, Oxford University Press, 1998.

197. ÖHMAN A., « Face the beast and fear the face : animal and social fears as prototypes for evolutionary analyses of emotion », *Psychophysiology*, 1986, 23 : 215-221.

198. LEWIS M., « Self-conscious emotions », *in* M. Lewis et J.M. Havilland, éd., *Handbook of Emotions*, New York, Guilford Press, 1993, p. 563-573.

199. Voir par exemple l'association 1901 des « Toastmasters » avec de nombreux sites sur le réseau Internet.

200. *Dictionnaire Vidal*, Paris, Éditions du Vidal, 2004.

201. MACQUERON G., ROY S., *La Timidité : comment la surmonter*, Paris, Odile Jacob, 2004.

202. FANGET F., *Affirmez-vous !*, Paris, Odile Jacob, 2000.

203. GEORGE G., VERA L., *La Timidité chez l'enfant et l'adolescent*, Paris, Dunod, 1999.

204. HEISER N. et coll., « Shyness : relationship to social phobia and other psychiatric disorders », *Behaviour Research and Therapy*, 2003, 41 : 209-221.

205. PÉLISSOLO A., ANDRÉ C. et coll., « Social phobia in the community : relationship between diagnostic treshold and prevalence », *European Psychiatry*, 2000, 15 : 25-28.

206. DAVIDSON J.R. et coll., « The boundary of social phobia : exploring the treshold », *Archives of General Psychiatry*, 1994, 51 : 975-983.

207. WITTCHEN H.U., BELOCH E., « The impact of social phobia on quality of life », *International Clinical Psychopharmacology*, 1996, 11 : 15-23.

208. STEIN M.B. et coll., « Public-speaking fears in a community sample », *Archives of General Psychiatry*, 1996, 53 : 169-174.

209. PÉLISSOLO A., ANDRÉ C. et coll., « Personality dimensions in social phobics with or without depression », *Acta Psychiatrica Scandinavica*, 2002, 105 : 94-103.

210. DRUMMOND P.D. et coll., « The impact of verbal social feed-back about blushing on social discomfort and facial blood flow during embarassing tasks », *Behaviour Research and Therapy*, 2003, 41 : 413-425.

211. HARTEMBERG P., *Les Timides et la timidité*, Paris, Alcan, 1910.

212. MOGG K. et coll., « Selective orienting of attention to masked threat faces in social anxiety », *Behaviour Research and Therapy*, 2002, 40 : 1403-1414.

213. MOGG K., PHILIPPOT P., « Selective attention to angry faces in clinical social phobia », *Journal of Abnormal Psychology*, 2004, 113 : 160-165.

214. STEIN M.B. et coll., « Increased amygdala activation to angry and contemptuous faces in generalized social phobia », *Archives of General Psychiatry*, 2002, 59 : 1027-1034.

215. BÖGELS S.M., BRADLEY B.P., « The causal role of self-awareness in blushing-anxious, socially-anxious and social phobics individuals », *Behaviour Research and Therapy*, 2002, 40 : 1367-1384.

216. MANSELL W. et coll., « Internal *versus* external attention in social anxiety : an investigation using a novel paradigm », *Behaviour Research and Therapy*, 2003, 41 : 555-572.
217. HIRSCH C.R. et coll., « Self-images play a causal role in social phobia », *Behaviour Research and Therapy*, 2003, 41 : 909-921.
218. COX B.J. et coll., « Is self-criticism unique for depression ? A comparison with social phobia », *Journal of Affective Disorders*, 2000, 57 : 223-228.
219. COX B.J. et coll., « Self-criticism in generalized social phobia and response to cognitive-behavioral treatment », *Behavior Therapy*, 2002, 33 : 479-491.
220. RACHMAN S. et coll., « Post-event processing in social anxiety », *Behaviour Research and Therapy*, 2000, 38 : 611-617.
221. ABBOTT M.J., RAPEE R.M., « Post-event rumination and negative self-appraisal in social phobia before and after treatment », *Journal of Abnormal Psychology*, 2004, 113 : 136-144.
222. KACHIN K.E. et coll., « An interpersonal problem approach to the division of social phobia suybtypes », *Behavior Therapy*, 2001, 32 : 479-501.
223. ERWIN B.A. et coll., « Anger experience and expression in social anxiety disorder », *Behavior Therapy*, 2003, 34 : 331-350.
224. LINCOLN T.M. et coll., « Effectiveness of an empirically supported treatment for social phobia in the field », *Behaviour Research and Therapy*, 2003, 41 : 1251-1269.
225. HEIMBERG R.G., BECKER R.E., *Cognitive-Behavioral Group Therapy for Social Phobia : Basic Mechanisms and Clinical Strategies*, New York, Guilford Press, 2002.
226. WELLS A., PAPAGEORGIOU C., « Brief cognitive therapy for social phobia : a case series », *Behaviour Research and Therapy*, 2001, 39 : 713-720.
227. VONCKEN M.J. et coll., « Interpretation and judgmental biases in social phobia », *Behaviour Research and Therapy*, 2003, 41 : 1481-1488.
228. CHRISTENSEN P.N. et coll., « Social anxiety and interpersonal perception : a social relations model analysis », *Behaviour Research and Therapy*, 2003, 41 : 1355-1371.

Chapitre 9 : La peur du malaise : crises d'angoisse, paniques et agoraphobie

229. NORTON G.R. et coll., « Factors associated with panics attacks in non clinical subjects », *Behavior Therapy*, 1986, 17 : 239-252.
230. POLLACK M.H. et coll., « Phenomenology of panic disorder », *in* D.J. Stein et E. Hollander (eds), *Textbook of Anxiety Disorders*, Washington DC, American Psychiatric Publishing, 2002, p. 237-246.
231. DELERM P., *Le Portique*, Paris, Éditions du Rocher, 1999.
232. REES C.S. et coll., « Medical utilisation and costs in panic disorder », *Journal of Anxiety Disorders*, 1998, 12 : 421-435.
233. MORITA S., *Shinkeishitsu*, Paris, Les Empêcheurs de penser en rond, 1997.
234. FARAVELLI C. et coll., « Five-years prospective naturalistic follow-up study of panic disorder », *Comprehensive Psychiatry*, 1995, 36 : 271-277.

235. EHLERS A., « A one-year prospective study of panic attacks », *Journal of Abnormal Psychology*, 1995, 104 : 164-172.

236. LEROY P., *Voyage au bout de l'angoisse*, Paris, Anne CARRIÈRE, 1997.

237. WEISSMAN M.M. et coll., « The cross-national epidemiology of panic disorder », *Archives of General Psychiatry*, 1997, 54 : 305-309.

238. MASER J.D. et coll., « Defining a case for psychiatric epidemiology : treshold, non-criterion symptoms and category *versus* spectrum », *in* Maj M. et coll. (eds), *Phobias*, World Psychiatric Association, Chichester, Wiley, 2004, p 85-88.

239. BROWN T.A. et coll., « Current and lifetime comorbidity of the DSM-IV anxiety and mood disorders in a large clinical sample », *Journal of Abnormal Psychology*, 2001, 110 : 179-192.

240. CANDILIS P.J. et coll., « Quality of life in patients with panic disorder », *Journal of Nervous and Mental Disease*, 1999, 187 : 429-434.

241. LEON A.C., PORTERA L., WEISSMAN M.M., « The social cost of anxiety disorders », *British Journal of Psychiatry*, 1995, 166 : 19-22.

242. ROY-BIRNE P.P. et coll., « Unemployment and emergency room visits predict poor treatment outcome in primary care panic disorder », *Journal of Clinical Psychiatry*, 2003, 64 : 383-389.

243. CLARK D.M., « A cognitive approach to panic », *Behaviour Research and Therapy*, 1986, 24 : 461-470.

244. SERVANT D., PARQUET P.J., « Étude sur le diagnostic et la prise en charge du trouble panique en psychiatrie », *L'Encéphale*, 2000, 26 : 33-37.

245. BOULENGER J.P. (éd.), *L'Attaque de panique : un nouveau concept ?*, Paris, Goureau, 1987.

246. STRÖHLE A. et coll., « Induced panic attacks shift gamma-aminobutyric acid type A receptor modulatory neuroactive steroid composition in patients with panic disorder », *Archives of General Psychiatry*, 2003, 60 : 161-168.

247. KROEZE S. et coll., « Imaginal provocation of panic in patients with panic disorder », *Behavior Therapy*, 2000, 33 : 149-162.

248. SCHMIDT N.B. et coll., « Effects of cognitive behavioral treatment on physical health status in patients with panic disorder », *Behavior Therapy*, 2003, 34 : 49-63.

249. VAN DER DOES et coll., « Heartbeat perception in panic disorder : a re-analysis », *Behaviour Research and Therapy*, 2000, 38 : 47-62.

250. PAPP L.A. et coll., « Respiratory psychophysiology of panic disorder : 3 respiratory challenges in 98 subjects », *American Journal of Psychiatry*, 1997, 154 : 1557-1565.

251. RACHMAN S. et coll., « Experimental analysis of panic III : claustrophobic subjects », *Behaviour Research and Therapy*, 1987, 26 : 41-52.

252. CORRYELL W. et coll., « Aberrant respiratory sensitivity to CO_2 as a trait of familial panic disorder », *Biological Psychiatry*, 2001, 49 : 582-587.

253. PERNA G. et coll., « Respiration in children at risk for panic disorder », *Archives of General Psychiatry*, 2002, 59 : 185-186.

254. WILHELM F.H. et coll., « Characteristics of sighing in panic disorder », *Biological Psychiatry*, 2001, 49 : 606-614.

255. ABELSON J.L. et coll., « Persistant respiratory irregularity in patients with panic disorder and generalized anxiety disorder », *Biological Psychiatry*, 2001, 49 : 588-595.

256. TOREN P. et coll., « The prevalence of mitral valve prolapse in children with anxiety disorders », *Journal of Psychiatric Research*, 1999, 33 : 357-361.

257. JACOB R.G. et coll., « Panic, agoraphobia and vestibular dysfunction », *American Journal of Psychiatry*, 1996, 153 : 503-512.

258. SCHMIDT N.B. et coll., « Effects of cognitive behavioral treatment on physical health status in patients with panic disorder », *Behavior Therapy*, 2003, 34 : 49-63.

259. LYDIARD R.B., « Pharmacotherapy for panic disorder », *in* D.J. Stein et E. Hollander (eds), *Textbook of Anxiety Disorders*, Washington DC, American Psychiatric Publishing, 2002, pp. 257-271.

260. Voir pour revue SPIEGEL D.A. et HOFMANN S.G., « Psychotherapy for panic disorder », *in* D.J. Stein et E. Hollander (eds), *Textbook of Anxiety Disorders*, Washington DC, American Psychiatric Publishing, 2002, p. 273-288.

261. SCHMIDT N.B., TRAKOWSKI J., « Interoceptive assesment and exposure in panic disorder. A descriptive study », *Cognitive and Behavioral Practice*, 2004, 11 : 81-92.

262. BROOCKS A. et coll., « Exercise avoidance and impaired endurance capacity in patients with panic disorder », *Neuropsychobiology*, 1997, 36 : 182-187.

263. HAYS K.F., *Working It out : Using Exercise in Psychotherapy*, Washington DC, American Psychiatric Publishing, 1999.

chapitre 10 : Bien d'autres peurs encore...

264. GIL R., *Neuropsychologie*, Paris, Masson, 2000, p. 256-257.

265. SIDIKI S.S. et coll., « Fear of the dark in children : is stationary night blindness the cause ? », *British Medical Journal*, 2003, 326 : 211-212.

266. HEINRICHS N. et coll., « Cognitive-behavioral treatment for social phobia in Parkinson's disease », *Cognitive and Behavioral Practice*, 2001, 8 : 328-335.

267. SCHNEIER F.R. et coll., « Characteristics of social phobia among persons with essential tremor », *Journal of Clinical Psychiatry*, 2001, 62 : 367-372.

268. SCHMIDT A.J.M., « Does mental kinesiophobia exists ? », *Behaviour Research and Therapy*, 2003, 41 : 1243-1249.

269. JUGON J.C., *Phobies sociales au Japon*, Paris, ESF, 1998.

270. MCKEE D., *Encore toi, Isabelle ?* Paris, L'École des loisirs, 1994.

271. BRANDT T., « Phobic postural vertigo », *Neurology*, 1996, 46 : 1515-1519.

272. LARSON G., *It came from the far side*, Londres, Futura Publications, 1986.

273. HOFBERG K. et coll., « Tokophobia : an unreasoning dread of childbirth », *British Journal of Psychiatry*, 2000, 176 : 83-85.

274. POUDAT F.X., *Mieux vivre sa sexualité*, Paris, Odile Jacob, 2004.

275. TSAO S.D., MCKAY D., « Behavioral avoidance tests and disgust in contamination fears : distinctions from trait anxiety », *Behaviour Research and Therapy*, 2004 : 42 : 207-216.

276. RANGELL L., « The analysis of a doll phobia », *International Journal of Psychoanalysis*, 1952, 33 : 43-53.
277. SAUTERAUD A., *Je ne peux pas m'arrêter de laver, vérifier, compter*, Paris, Odile Jacob, 2000.
278. LEJOYEUX M., *Vaincre sa peur de la maladie*, Paris, La Martinière, 2002.
279. ASMUNDSON N., *Health Anxiety. Clinical and Research Perspectives on Hypochondriasis*, New York, Wiley, 2001.
280. MCCABE R. et coll., « Challenges in the assesment and treatment of health anxiety », *Cognitive and Behavioral Practice*, 2004, 11 : 102-123.
281. Je remercie vivement la jeune femme qui m'a permis de reproduire son récit, ainsi que le magazine *Psychologies*, dans lequel il a été initialement publié, et qui m'a autorisé à l'intégrer à mon livre. *Psychologies*, 2003, n° 224, p. 132-134.
282. PHILLIPS K.A., *The Broken Mirror : Understanding and Treating the Body Dysmorphic Disorder*, Oxford, Oxford University Press, 1998.
283. PHILLIPS K.A. et coll., « Efficacy and safety of fluvoxamine in body dysmorphic disorder », *Journal of Clinical Psychiatry*, 1998, 59 : 165-171.

Conclusion

284. LACROIX M., *Le Courage réinventé*, Paris, Flammarion, 2003.
285. JOLLIEN A., *Le Métier d'homme*, Paris, Seuil, 2002

Annexes

286. SCHULTZ J.H., *Le Training autogène*, Paris, PUF, 1982.
287. SEGAL Z.V., WILLIAMS J.M.G., TEASDALE J.D., *Mindfullness-Based Cognitive Therapy for Depression*, New York, Guilford Press, 2002
288. BROWN K.W., RYAN R.M., « The benefits of being present : mindfullness and its role in psychological well-being », *Journal of Personality and Social Psychology*, 2003, 84 : 822-848.

Remerciements

À mes chers patients, pour leur confiance, leur courage, leur gentillesse et leur humour.

À Catherine Meyer, pour son soutien et ses conseils de bonne écriture.

À Antonia Canioni, Loïc Hétet et Jean-Jérôme Renucci, toujours présents, amicaux et efficaces.

À Cécile Andrier, pour son aide passée, présente et à venir.

À Odile Jacob et Bernard Gotlieb, pour leur constante attention.

À Patrick Légeron, collègue et ami, qui m'a beaucoup appris sur les phobies, les thérapies comportementales, la pédagogie et bien d'autres choses encore.

À Henri Lôo et Jean-Pierre Olié, qui m'ont toujours laissé libre de soigner mes patients phobiques à ma guise, dans le paysage d'une psychiatrie française longtemps fermée à tout ce qui n'était pas orthodoxe.

Au plus grand des spécialistes de la peur, Isaac Marks, star de la psychiatrie britannique, à qui j'ai parlé un jour de mes livres, et qui m'a écouté et encouragé avec la plus grande gentillesse.

Table

Chapitre 2

D'OÙ VIENNENT PEURS ET PHOBIES ?

Chapitre 3

LES MÉCANISMES DES PEURS ET DES PHOBIES

TABLE • 363

Chapitre 4

COMMENT FAIRE FACE À LA PEUR : PREMIÈRES PISTES

Chapitre 5

TOUT SAVOIR SUR LE TRAITEMENT DES PHOBIES

TABLE • 365

Chapitre 6

PEURS ET PHOBIES :
UN PEU D'HISTOIRE ET UN PORTRAIT
DE FAMILLE

Chapitre 7

PEURS ET PHOBIES « SIMPLES » :
ANIMAUX, AVION, SANG ET EAU…

Chapitre 8

PEURS ET PHOBIES SOCIALES

Chapitre 9

LA PEUR DU MALAISE :

CRISES D'ANGOISSE, PANIQUES ET AGORAPHOBIE

TABLE • 367

Chapitre 10

BIEN D'AUTRES PEURS ENCORE...

ANNEXES

Ouvrage publié sous la responsabilité
éditoriale de Catherine Meyer

Cet ouvrage a été transcodé et mis en pages
chez Nord Compo (Villeneuve-d'Ascq)

Imprimé en France par
Maury Imprimeur - 45330 Malesherbes
en février 2017

N° d'impression : 215942
N° d'édition : 7381-1677-18
Dépôt légal : novembre 2005